哲学の世界
時間・運命・人生のパラドクス

森田邦久

JN052855

講談社現代新書
2746

はじめに

「あたりまえ」を疑うためのパラドクス

「哲学とはなにか」という問いに答えるのは難しい。だが、いかにも「哲学らしい」議論の例をあげることは可能であろう。たとえば、自明であるように思われる前提からすくなくとも一見妥当に思える推論によって驚くべき結論を導く議論である。これをパラドクスという。

本書では、これまで提案されてきた哲学的なパラドクスのうち、単純な構造をもち、専門的な知識も要らず、前提が自明であるようにみえながら驚くべき結論——たとえば、「時間は流れていない」、「運命は決まっている」、「子どもを産むことは倫理的に悪いことだ」など——を導き出すようなものをとりあげ、知的刺激に満ちた「哲学の世界」へと読者を誘うことを目的とする。本書でとりあげるのは、前半は「時間」に焦点をあてたもの、そして後半は「人生」に焦点をあてたものとなっている（しかし、議論の過程でそのほかのトピックもとりあげられる）。前半と後半をつなぐ役割を果たすのが第3章の運命論になる。

本書を通じて読者は、提示された議論の結論を認めようと認めまいと、私たちがこれまで「あたりまえ」だと思っていたことがまちがっている、もしくはすくなくとも自明ではないことに気づくだろう。すなわち、自明に思える前提から妥当な推論を用いて驚くべき（直感的には受け容れがたい）結論を導き出すわけだから、まず、その結論を認めるならば、それまでの常識がまちがっていたということになる。しかし、その結論を認めないとしてもやはり私たちの常識がまちがっていたということになる。なぜなら、前提から妥当な推論によってその結論が導かれたわけなのだから、結論がまちがっているということは（自明だと思っていた）前提のいずれかがまちがっているということになるからだ。もっとも、推論が妥当でない場合もあり得るが、それも、その議論に明示されていない隠れた前提がある場合がほとんどである。そして、そのような前提が明示されていないのは、自明すぎて意識されていない前提であったからの場合が多い。それゆえ、その場合でも結局、私たちは自分の常識を疑わなければならなくなる。

なお、本書でとりあげる議論のほとんどは「前提」「結論」（必要に応じて定義、設定）を並べた形で定式化しているが、もともとはそのような形で提示されたのではないものが多く、これらの定式化は私が行ったものがほとんどである（ほかの研究者によって定式化されたものを用いている場合もある）。そして定式化の過程で元の議論には明示されていなかった前提を追加しているものも多い（またかなり元の議論を改変したものもある）。そうすることによって、オリジナルの議論の意図を再現できていないという批判もあるかもしれない。

だが、本書では過去の哲学者たちの議論の正確な解釈を目指しているわけではないので、その点についてはご寛恕を願えたらと思う。むしろ、読者諸氏は興味を覚えた議論については、本書での定式化がほんとうに妥当なのか（たとえば元の議論の「よさ」を台無しにしてしまう定式化をしてしまっている可能性もある）を元の議論にあたって調べてみるのもよいだろう。

また、もうひとつ重要なことは、本書ではその議論に必要な前提すべてを書き出したつもりであるがじつは見逃したものがあり、そしてそれこそがその議論にとって重要なものであるかもしれない（「隠されていた前提」を暴き出すことも哲学の重要な仕事である）。読者はその点にも注意しながら読み進めていただきたい。

本書が目指すこと

次に本書を読む順序について述べておこう。さきに述べたように、前半（第1～3章）は時間に焦点をあて、後半（第4～6章）は自由や生と死に焦点をあてている。いわば前半は「世界のありかた」を、後半は「人生のありかた」を議論していることになる。著者としてはもちろん、第1章から順番に読んでいただくことを推奨している。しかし第1〜3章はトピックの性質上どうしても抽象度が高く理解が難しいのに対して、第4章以降は具体性があり読みやすいと思うので（とは言っても、哲学的な議論に慣れていない方にとっては十分に抽象的だと思うが……）、第4章から読み進めても問題はない。

ではなぜこのような構成にしたのか？　それは第4章以降の議論でしばしば第1〜3章で導入した道具立てが使用されるからである。だが、こうした道具立てを用いるときは導入した箇所を示しておくので、第4章から読み始めることも可能である。

さて、書店で本書を実際に購入するかどうかを、とりあえず「目次」と「はじめに」（「おわりに」も？）を読んでから決める方は多いかと思う（もっとも最近は実店舗で書籍を購入する機会も減っているだろうが）。せっかくタイトルをみて興味をもって本書を手にしてくれたのに、以下の注意書きを読んで本書をそっと本棚に戻す方も出てくるかもしれないが、大事なことなので述べておこう。

まず、本書は入門書ではあるが教科書ではない。なので、各トピックについて体系的に既存の議論をまとめたものではない。それゆえ、本書で紹介される各立場への批判に対して、それぞれの擁護者からは反論があるし、そもそも紹介できていない立場もあることを了解しておいてほしい。また私自身の意見とそのほかの既存の議論との区別も明確にはしていない（「この議論・主張をだれがしたのか」についてすべてをいちいち述べていない）。それゆえ、本書は辞書的に使うことにも向いていない。各トピックについて体系的に学びたい方は巻末の文献案内を参考にしてください。

本書の第一の目標はあくまで「哲学のおもしろさ」を読者に伝えることにあり、読者の「世界・人生のみかた」に変革を与えることにある（それが成功しているかどうかは読者の判断にゆだねる）。それゆえ教科書的な正確さや便利さは二の次となっていることは強調しておきたい。繰り返しになるが、読者は本書の議論を鵜呑みにするのではなく、ぜひ本書とともに各トピックについて哲学的に思考することに挑戦してほしい。

また、正直なところ、初学者の方が本書をざっと流し読みしてもすぐには理解できないと思う。本書は約20万字以上ある（新書としては長いが）。黙読の一般的な速さは1分あたり400〜600字だというので、早ければ本書は5時間半、遅ければ8時間半で読み終わるという計算になる。だが実際には無理だと思う。初学者の読者にとっては初めての概念が出てくるし、（おそらく）いままで考えたこともないような考えかたが出てくるので、理解しながら読むためにはとてもではないが、1分あたり400〜600字などというスピードでは無理だろう（逆にその速さで読むと誤読する恐れが高いので、こちらとしてもじっくりと読んでほしい）。さらに注意点（うるさくて申し訳ないですが）を述べておくと、途中で引っかかる点があっても、あとでその点について説明していることもあるので、引っかかる部分があってもとりあえず読み進めてもらったほうがいい場合もある。

とはいえ、できるだけ早く本書全体に目を通したいと思う読者もいると思うので、そうした方のために、読み飛ばしても本書全体に影響しない箇所についてはその都度指示している。こうした箇所は、重要な議論ではないというわけではなく、読み飛ばしても本書のほかの箇所を読むのに支障はないというだけなので、本書全体に目を通した後に戻ってきて読んでほしい。

本書は著者の力量の及ぶ限り嚙み砕いて初学者の読者諸氏にも理解できるように書いたつもりである。じっくりと読んでいただければ、目次をみて本書に興味をもってくださった方にはきっと満足いくものになっていると自負している。ぜひ本書を読んで、奥深い「哲学の世界」に入門してほしい。

本書は2019年度春夏学期から2023年度春夏学期の5年間、大阪大学の全学部1、2年生向けに開講した講義を基にしたものである。全学部向けなので、理工系の受講生も多くいた。講義毎に質問と感想を提出してもらってきたのだが、それらを読んでどこで初学者がつまずくのか、どこがわかりにくいのかを5年間で学ばせてもらってそれを反映したものとなっている。また、2021年度春夏学期には大阪大学人間科学部の3、4

年生向け、秋冬学期には人間科学研究科の大学院生向けにも同様の講義を開講し、そこでも受講生たちから講義毎に質問してもらい、改稿に役立てさせてもらった。さらに、2023年度の人間科学部の実験実習の受講生たちには草稿を輪読してもらい、疑問点を挙げてもらった。草稿を読んでもらったので、文章としてわかりにくい点も指摘してもらえ、これもまた改稿に大変役立った。それら私の授業を受講してくれた学生の皆さんに感謝する。

また、本書の草稿の全体を佐々木渉氏に、第1〜3章を鈴木生郎氏に、第4〜6章を吉沢文武氏と佐藤岳詩氏に読んでいただき、まちがっている点などを指摘していただいた。かれらにも謝意を表したい。もちろん、それでもなお残っている誤りなどは著者に責任がある（かれらに読んでもらった後にもかなり改稿している）。

目次

第1章　運動は可能なのか？

本章では「アキレスと亀のパラドクス」というパラドクスの検討から始める。このパラドクスは運動の存在を否定するパラドクスだが、もちろん運動はあるので、前提のいずれかがまちがっているはずである。ここでは特に「無限の過程は完了不可能である」という前提について注目する。そして、この前提を検討するには、時間が客観的に流れているのかどうかを議論しなければならないことをみる。

そのために、時間に関する4つの形而上学的モデルを導入する。もし時間が客観的に流れているのだとすると、無限の過程は完了不可能であり、それゆえ、運動も存在しないことになってしまうが、客観的には時間が流れていないならば（「運動」についての特殊な定義を考えることで）アキレスと亀のパラドクスが解消されると結論する。その後、そこまでの議論を用いて、「時間にはじまりはあるのか」という問いについても考えていく。

アキレスと亀のパラドクス

まずは古代ギリシアの哲学者エレアのゼノンが提出した有名なパラドクスである「アキレスと亀のパラドクス」から検討していこう。[注1] 俊足のアキレスが鈍足の亀と競走する。ハンデを与えるため、亀はアキレスのスタート地点Sよりも100m先の地点Aからスタートする（図1-1ⓐ）。当然、すぐにアキレスは亀を追い抜くだろう。アキレスが秒速11mで

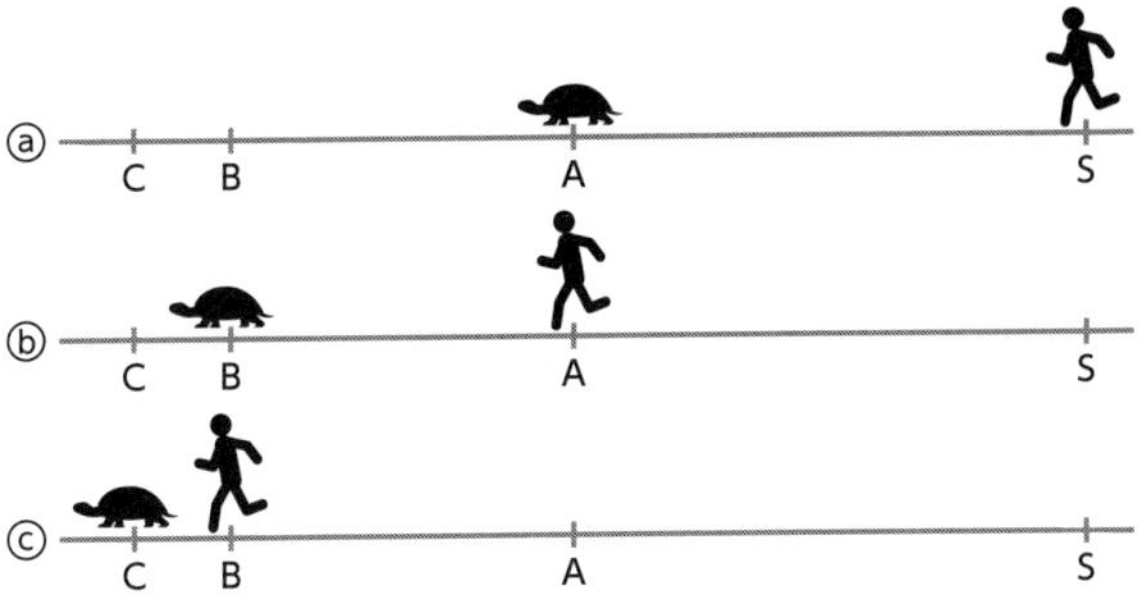

図1－1　アキレスと亀のパラドクス

走り、亀は秒速1mで走ったとすると10秒で追いついてしまう。ところが論理的に考えると、アキレスが亀に追いつくことは不可能であるというのが「アキレスと亀のパラドクス」である。どうしてそのような結論になるのだろうか？

「アキレスが亀を追い抜くためには、まずは亀のいたAに到達しなければならない」というのはいいだろう。そして、アキレスがいかに速くともAに到達するには有限の時間がかかるし、亀がいかに遅くとも有限の時間で有限の距離を進むことができる（亀は休むことなく不断に動き続けているとする）。つまり、アキレスがAに到達したときには亀はAよりも少し先の地点Bにいるはずである（図1－1ⓑ）。そこで、アキレスは亀を追い抜くためには次にBに到達しなければならない。ところが、さきと同じようにアキレスがBに着いたころには亀はすこしだけだがBよりもさきの地点であるCに移動しているだ

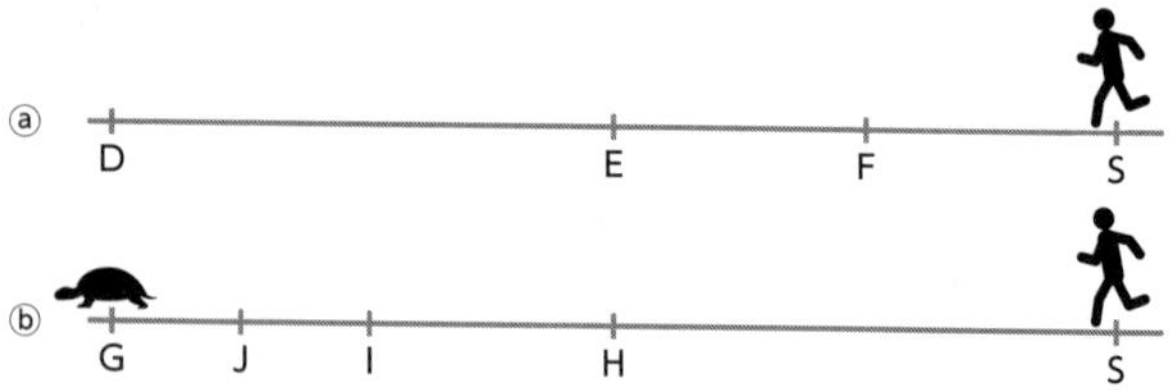

図１－２　二分割のパラドクス

ろう（図１－１ⓒ）。このようにしてこの過程は無限に続くはずであり、そして無限の過程は完了できないからアキレスは亀に追いつくことはできない。

ここで気をつけたいのは「〈いつまでも〉アキレスは亀に追いつかない」と言っているのではないということだ。ここはよく誤解のある点である。それゆえ無限数列が収束するとかそういう話は関係がない（この点についてはまたあとで言及する）。冒頭で挙げた具体的な数値を使うと、10秒経てば当然アキレスは亀に追いつく。言い換えると、アキレスと亀のパラドクスは、そもそもこの10秒が経過しない（もっと言うと、そもそも時間が経過しない）という主張のパラドクスだと捉えられる。

このことを説明するために、ゼノンが提出した類似のパラドクスである「二分割のパラドクス」をみていこう（図１－２ⓐ）。アキレスが今度は競走せずにSからDに向かって走るとしよう。Dに到達するためには、まずはSとDの中間地点であるEに到達しなければならない。しかし、Eに到達するためにはSとEの中間地点であるFに到達しなければならない……というようにしてDに到達できないどころか、そもそも出発できない。

アキレスと亀のパラドクスはわかりやすくインパクトがあるが、これだけをみると亀も不断に動いているということがこのパラドクスのポイントのように思えるかもしれない。しかし二分割のパラドクスをみるとわかるように、亀が動いているかどうかは問題ではない。たとえば、二分割のパラドクスをひっくり返したような議論を考えてみよう（図1－2ⓑ）。すなわち、今度は亀はGで寝ていて動かないものとする。アキレスはSから出発する。アキレスがGに到達するためには、SとGの中間地点であるHに到達しなければならない。しかし、無事にHに着いたとしても、今度はHとGの中間地点であるIに到達しなければならない。Iに到達したとしても、IとGのあいだのJに到達しなければならない。というように、やはりSとGのあいだには無数の経過すべき地点があるのでアキレスは亀のいるGに到達することはできない。

つまり、アキレスと亀のパラドクス（および二分割のパラドクス）の主張していることは「**そもそも運動など存在しない**」ということだ（私たちはアキレスや亀が運動をしていると知覚しているが、それは錯覚である）。ただし、この議論が成り立つためには、時間や空間は飛び飛び（不連続）ではなく、連続でなければならない。つまり、アキレスが亀に追いつく過程を無限に分割することができなければならない。これからこのパラドクスの妥当性を検討していくのだが、そのためにまずやるべきことは、

議論に用いられている前提を洗い出し、そしてそれらの前提からどのような論理的道筋を通って結論が導き出されるのかを明確にすること

である（これを本書では「定式化する」と言おう）。アキレスと亀のパラドクスおよび二分割のパラドクスの本質的な部分を抜き出し、定式化すると次のようになる。

【議論1―1　運動は不可能である】
（1）時間・空間は連続である　［前提］
（2）任意の二点を通過するためには無限の点を通過しなければならない（1より）
（3）無限の過程が完了することは不可能である　［前提］
（4）運動は不可能である（2と3より）

定式化の次にやるべきことは、

議論に用いられた前提はほんとうに正しいのかを検討し、かつそれらの前提からほんとうにそのパラドクスの結論が論理的に導かれるのかを検討する

ことである。本書ではこのような手続きで哲学的なパラドクスを検討していき、パラドクスの結論を認めるにせよ、認めない（前提のいずれかか、推論の妥当性を否定する）にせよ、私たちがあたりまえだと思っていたことがじつはそれほどあたりまえではないということをみていくことになる。

さて、議論1―1での前提は2つあった。それゆえ、どちらかが否定されれば結論4は導かれない。すなわち、

（i）時空は不連続である（前提1の否定）

（ii）無限の過程は完了可能である（前提3の否定）

のいずれかであれば結論4は導かれない。さらに、前提1から2への推論において、「時空がかりに連続であっても、だからといって任意の二点を通過するのに無限の点を通過する

必要はないのではないか」という反論もあり得る。言い換えると、アキレスと亀のパラドクスでは、アキレスが亀に追いつく過程を人間が**思考のうちで**無限に分割しているが、運動というのはこのように分割できないものだというのである。このことについてはあとでもうすこし説明するので、今はなにを言っているのかわからなくてもよい。ともかく議論1―1の結論は、

（iii）運動の無限分割は思考のうちにおいてのみおこなわれる（運動は無限の過程を必要としない）

のであって、回避できるということになる（前提1から2は導けない）。

まず（i）について考えていこう。もし時空が不連続であるならば有限の行程を無限の過程に分割できない。それゆえ、2が導かれない（なので結論4も導かれない）。現代の物理学では、実際に時空が不連続である可能性が指摘されている。なので、議論1―1を反駁する方法のひとつとして、「時空が連続であるとは限らない（前提1が正しいとは言えない）」というものがある。

ただ、ここでの興味は、「実際は運動が存在するとしか思えないので、それが錯覚ではな

いとするならば、この議論が前提とする自明に思える主張のどれが成り立っていないのか」ということであった。時空が連続であるという前提はまちがっている可能性はあるが、正しい可能性も残っている。時空が連続であるという前提はまちがっている可能性はあるもまちがっているかもしれない。さらに、運動が存在するかしないかは時空が連続か否かに依存しているというのもすこし違和感が残る（そうとしか結論できないのならば受け容れざるを得ないが）。それゆえ、結論を急がずにほかの前提も検討していこう。[注2]そうした上で、この前提しかまちがっている可能性がないのなら、そこであらためて戻ってきてもよい。

運動は無限の過程から成り立っているのか

次に（ii）はちょっと後まわしにして（iii）について考えてみよう。たとえば、アキレスと亀のパラドクスでも二分割のパラドクスでも「まず、アキレスが亀がいた地点に到達して……」「まず、SとAの中間点Bに到達しなければ……」と、アキレスが亀に追いつくまでの過程やアキレスがSからAに行くまでの過程を人間が思考のうちで分割している。たしかにこの分割は無限に行うことが「可能」ではあるが、「現実にこの世界の運動がこのような無限の過程から成り立っているわけではないのではないか？」という疑問も生じる。

この（iii）の路線でアキレスと亀のパラドクスや二分割のパラドクスを解決しようとしたのが古代ギリシアの哲学者アリストテレスである（エレアのゼノンはアリストテレスより前の時代の人）。彼によると、無限には**「可能無限」**と**「現実無限」**の二種類がある。可能無限とは、あくまで「可能性として」存在する無限である。

たとえば、さきのアキレスが亀に追いつくまでの過程を分割する際、いくらでも分割していくことは可能ではあるが、あくまでもそれは有限にとどまるのであり、「無限の分割」が現実に完了することはない。一方で、「この過程は無限の部分から成り立っている」（つまり、人が思考のうちで分割するから過程がいくらでも部分に分かれていくのではなく、もともとこの過程は無限の部分から成り立っている）と考えるならば、現実に無限が存在する（現実無限が存在する）と考えているということになる。

さてアリストテレスは、可能無限はあるが現実無限はないとし、ゼノンのパラドクスに反論した。議論1―1の前提1が正しいとしても（それゆえ、可能的には運動の過程を無限に分割できても）運動の過程が現実無限の過程から成り立っているとは言えないということである（前提1から2への推論の否定）。もうすこし言うと、時空が連続で可能的には無限に分割できても、だからと言って、時空が無数の点から成り立っているわけではないということである。

原子の存在証明

すこし話が横道に逸れるようだが、アリストテレスは同じ論法を、古代原子論者であるレウキッポス＝デモクリトスが「物質の無限分割は不可能である（それゆえ、物質には最小単位——原子がある）」ことを証明した議論を反駁する際にも使っている。レウキッポス＝デモクリトスが原子の存在を証明した議論は以下のようなものであるが、そこでは、「物質には最小単位がない（原子がない）」という最終的に否定したい主張を前提に置き、そこから矛盾を導き出すことによって、前提の否定、すなわち「物質には最小単位がある（原子がある）」を証明している。このような証明方法を**「背理法」**という。

【議論1―2　物質には最小単位がある】

（1）物質には最小単位がない［前提］
（2）物質は連続体である（1より）
（3）物質は現実に無限に分割し終えることができる（2より）
（4）無限に分割された物質は、大きさが0か有限かのどちらかである［前提］
（5）有限の大きさがあるならば1に反する［前提］

（6）無限に分割された物質には大きさがない（4と5より）
（7）大きさがないものをいくら集めても有限の大きさにはならない［前提］
（8）無限に分割された物質には大きさがある（4と7より）
（9）前提1は矛盾を導く（6と8）
（10）物質には最小単位がある（9より）

しかし、「2から3の推論では現実無限が存在することを前提としているのでこの結論は成り立たない」とアリストテレスは議論したわけである。つまり、物質は連続的であり可能的には無限に分割できるが、その無限分割が現実に終了することはないので、「無限分割を終えたときにどのような状態になっているか」を考えることはナンセンスなのである。

だが、ここで本題に戻るが、20世紀初頭にドイツの数学者ゲオルク・カントールが集合論をつくりあげて以降、現実無限は数学的に厳密に扱える概念となった。カントールは、たとえば、自然数の集合の大きさ（正確には「濃度」という）と、その部分集合であるはずの奇数や偶数の集合の大きさが同じであることを証明したり、実数の集合の大きさは自然数の集合の大きさよりも大きい（つまり、無限どうしであっても大小がある）ことなどを証明した。[注3] このようなことが言えるのは、無限が「閉じている」と考えられるからだ。

もちろん、数学の世界（抽象世界）で現実無限が厳密に扱えるからといって、この物理世界に現実無限が存在するとは言えないだろう。しかし、すくなくともアリストテレスの時代とは違い、現実無限の存在は概念的に否定できるとは言えなくなったことは事実であり、したがってこの回避法（iii）も十分に強力ではない。

可能無限と現実無限について、もう1つたとえを出しておこう。円周率は小数点以下無限に数が続くが、その円周率を無限に計算していくことは可能である（具体的にどのように計算されているのかは知らないが）。たとえば、いま現在において1兆桁目まで計算されているとしよう。さて、いつかは1兆1桁目が計算されるだろうが、「円周率の小数点以下1兆1桁目は2である」という文は現時点（まだ1兆1桁目が計算されていない時点）で真か偽かに決まっているだろうか？　もし決まっていると考えるならば（そしてそれはわりと自然な考えだと思うが）、同様にして、そのさきの桁の数値も計算されていなくても決定されているということになる。すなわち、無限にある円周率のすべての桁が存在している、無限が現実に存在しているということになるだろう。このように考えると、私たちにとって現実無限は概念としてはそれほど受け容れがたいものでもない（とはいえ、この物理世界に現実無限があるというのは受け容れがたいと思う人も多いかもしれない）。もちろん、計算されるまではその桁の数値は確定していないという立場もあり、この場合は可能無限しか認めない立場ということになる。

ちなみに、では、もし現実無限が存在するならば議論1―2は健全な議論なのだろうか。数学的には「どんな有限の数よりも小さいが0ではない数」(無限小)を扱うことができ、それを無限に集めると有限になるという。[注4] すなわち、物質を無限に(現実に)分割すると無限小になり、それを無限に集めると有限の大きさになるということだ。これをどう解釈するべきか難しいが、前提4がまちがっていると言えるのではないだろうか。ともかく、物質が連続体だとしても矛盾は生じない。なお、このこととアキレスと亀のパラドクスには関係がないことに注意しよう。そのことは以下の議論をみていくとわかる。

無限系列の完了可能性

最後に、「無限の過程が完了することは不可能である」という前提を否定する回避法を検討しよう(ii)。そもそも現実に運動は可能なのだから議論1―1はむしろ「無限の過程が完了可能であると証明している」と解釈できないだろうか(ここまで考えた2つの前提――時空の連続性・現実無限の存在――は成り立っているとして)。つまり、結論がまちがっているということは、議論1―1が妥当な議論(前提が正しければかならず結論が正しいような議論)であるならば前提がまちがっているということである(背理法)。

【議論1―3　無限の過程は完了可能である】

（1）無限の過程が完了することは不可能である〔前提〕
（2）時間・空間は連続体である〔前提〕
（3）任意の二点を通過するためには無限の点を通過しなければならない（2より）
（4）運動は不可能である（1と3より）
（5）運動は可能である〔前提〕
（6）前提1は矛盾を導く（4と5より）
（7）無限の過程が完了することは可能である（6より）

もし時間・空間は連続であり、この世界に現実無限が存在するならば、現実に運動が可能である以上、たしかに無限の過程が完了すると考えるほかないように思える。数学的に考えると、各ステップでアキレスが亀のいる位置までにかかる時間は等比数列としてあらわすことができ（0に近づいていく）、その無限級数は（当然だが）ふつうに計算した場合と同じ値に収束する（冒頭での数値を使うと10秒となる）。アキレスと亀のパラドクスを扱う多くの入門的な書籍ではこのようにしてパラドクスが解けると述べている。

だが「無限」の本性からして、「無限の過程が完了する」というのはそもそも語義矛盾のようにしか聞こえない。たとえば、「空間の大きさが無限である」はまだ理解可能なように思える。しかし、無限の過程が完了するとはいったいどういうことか？　完了しないから無限なのではないか？　上記の「標準的」なパラドクスの解法は、このパラドクスにおける操作を行うと過程が無限に分割され、そのように分割された部分（無限小の部分を含む）を改めて足し合わせると有限になるということを述べているに過ぎない。つまり、数学的な操作は無時間的な操作であり、「完了」という概念は含まれていないのである。

この問題を議論するためには、「時間がほんとうに流れているのか、それとも時間は流れていないのか」という問題を考えなければならない、ということが本章での重要な主張となる。本章では、もし時間が流れているならば、たとえ現実無限が存在していても無限の過程が完了することは不可能であると主張したい。つまり、数学的に無限数列が収束することと、時間が経過する世界で無限の過程が完了することとは区別しなければならない。そしてそうだとすると、「運動が可能であるということ」「現実無限が存在するということ」「時空が連続であるということ」の3つを認めるならば、「時間が流れている」ということを否定せざるを得ないのだ。どういうことであろうか？　このことを説明するには少々準備が必要である。その前に、時間の経過を考慮した形の議論1—4も示しておこう。

【議論1―4　運動は不可能である】

（1）時間は経過している［前提］
（2）時間・空間は連続である［前提］
（3）現実無限は存在する［前提］
（4）任意の二点を通過するには無限の点を通過しなければならない（2と3より）
（5）時間が経過しているならば、無限の過程が完了することは不可能である［前提］
（6）運動は不可能である（1、4、5より）

運動とはなにか？

そもそも「運動」とはなんだろうか？　たとえば紙上で運動の様子を表現するときに図1‐3のような表現をすることがあるだろう。図1‐3では太郎が朝の9時に自宅を出発し、9時5分にコンビニに5分間寄って、9時15分に大学に到着する様子が描かれている。このとき時間軸も空間と同様に描かれており、異なる時間の太郎が同一の図に現れている。この図の解釈の仕方の1つとして、たとえば「現在」が9時10分であるならば、コ

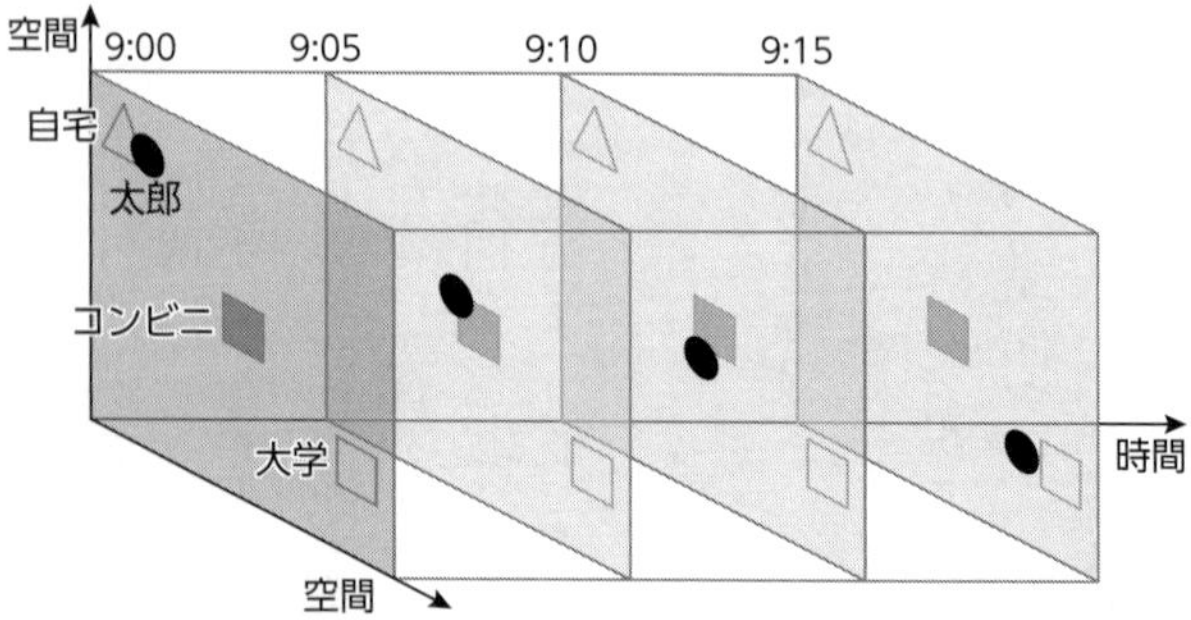

図1－3　三次元主義

ンビニにいる太郎だけが存在して、図に現れている「9時の太郎」「9時5分の太郎」「9時15分の太郎」は、「存在していた」太郎や「存在するだろう」太郎であるというものがある（つまり、この図は存在するモノと存在しないモノを**便宜上**同一の図に描いている）。すなわち、「過去や未来（にあるモノ）は存在しない」という考えかただ。このとき、それぞれの太郎は、便宜上同一の図に現れているだけであり、これらは「同一」の太郎である（「あたりまえやんか」と思うかもしれないが重要であることがあとでわかる）。この考えかたのもとでは、「運動」とは「**同一の**モノ（すくなくともその一部分）が、異なる時間に異なる空間的位置を占める」ということである。

太郎は9時には自宅のそばの空間を占めていたが、9時15分には大学内の空間を占めている。つまり、同一のモノである太郎が異なる時間（9時と9時15分）

に異なる空間的位置（自宅のそばと大学）を占めている。このとき、太郎は瞬間瞬間で三次元空間（図では二次元だがそこは適当に補完してほしい）にその存在のすべてを現している（つまり、太郎という存在者には時間的延長がない）。このような立場を**「三次元主義」**という。この説明だけでは三次元主義とはなにかピンとこないと思うが、すぐあとに説明する四次元主義と合わせるとなんとなく理解できてくると思う。

一方、この図は比喩的・便宜的なものではなく、**実際に異なる時間の太郎が存在しており、「太郎」という存在者は時間軸方向にも延長した四次元的な存在者である**という考えかたもできる。もちろん、太郎だけではなく、そのほかのあらゆるモノも時間軸方向に延長をもっている。つまり、9時に自宅のそばにいる太郎も9時10分にコンビニにいる太郎も9時15分に大学内にいる太郎も、時間的に延長した四次元的な「太郎」の時間的**部分**なのである。このような立場を**「四次元主義」**という。金太郎飴のようなものを考えたとき（空間二次元＋時間一次元）、金太郎飴の断面が空間であり、飴の軸方向が時間軸になる（図1－4）。金太郎という存在者は時間軸方向も含めた金太郎飴（の金太郎部分）全体であり、各断面に現れる金太郎は金太郎の時間的部分に過ぎない（つまり、瞬間瞬間に三次元空間に――金太郎飴では二次元空間に――その存在のすべてが現れているのではない）。

この場合における「運動」とは「**ある対象の異なる時間的部分が異なる空間的位置を占**

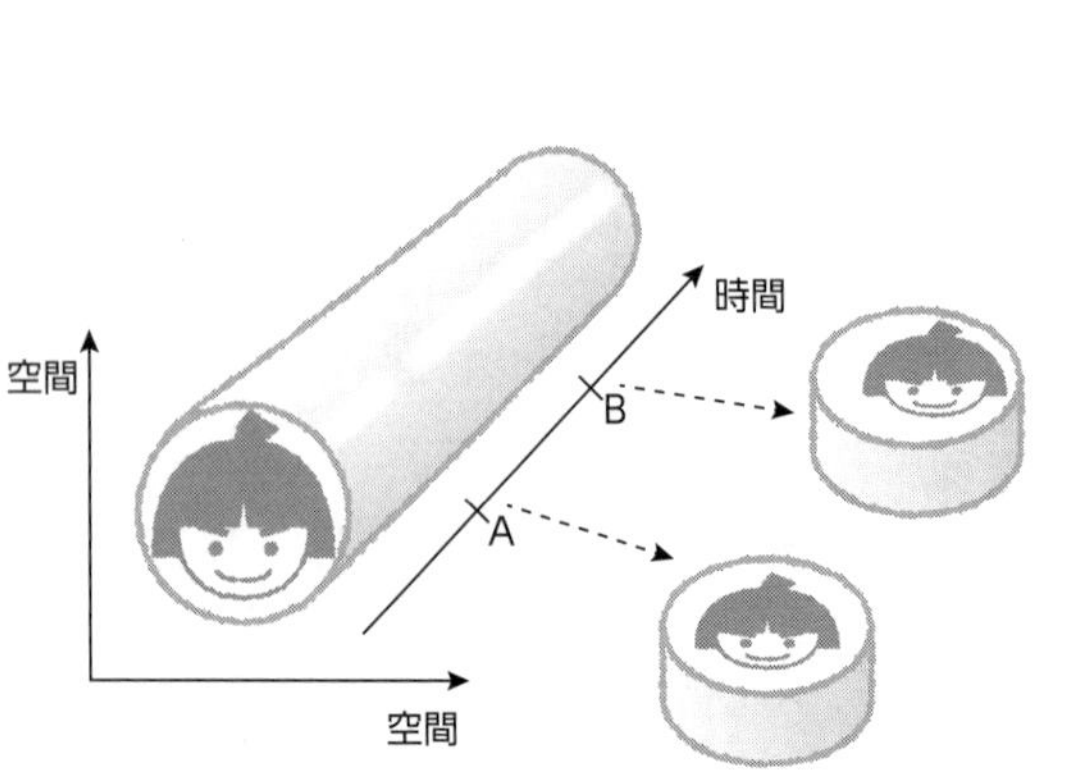

図1－4　四次元主義

める」ということである。たとえば、図1－4の金太郎飴で、金太郎はある時点Aでは飴の中心に位置していたが、別の時点Bでは飴の端に位置していたとしよう。すると、金太郎の異なる時間的部分が異なる空間的部分（中心と端）を占めるのだから、この金太郎は運動していることになる。

図1－3に戻ろう。四次元主義的に考えると、太郎の9時の時間的部分は自宅のそばにあり、9時15分の時間的部分は大学内にある。そしてそのことを私たちは「太郎は9時には自宅にいたが、9時15分には大学にいた」と言っている。図1－3ではうまく表現できていないが、太郎もそのほかのモノたちも図1－4の金太郎飴みたいになっている。このとき、過去や未来も現在と同様に存在するということになるだろう。[注5]

この三次元主義、四次元主義という考えかたは、はじめて接する人にはなかなかわかりにくい考えかたのようなので、よくわからなかった方はさきに進む前にもう一度、図をみなおしたりしながらじっくり考えてみてほしい。

過去や未来が存在するとは？

さてしかし、さきほど「過去や未来も現在と同様に存在する」と述べた。これはいったいどういうことだろうか。「現在（にあるモノ）が存在する」というのは、通常の「存在する」の使いかたからしてもなにも問題ないだろう。問題は、「未来が存在する」とか「過去が存在する」とかというのがどういう意味か、である。このことを明らかにするためには「存在する」とはどういう意味かを明らかにしなければならないように思える。じっさい、「存在する」という意味が明らかになり、存在するための条件が明確になればこうした問題を進展させるのに大きな役割を果たすだろう。

だが、「存在する」の意味を明らかにすること自体がそもそも超難問であり、その問題に取りかかるといつまでも本来の問題に取りかかることができなくなる。「20世紀最大の哲学者」と称されるマルティン・ハイデガーはまさにこの問題に生涯をかけて取り組んだわけだが、結論らしい結論は得られていない。「それなら便宜的に定義すればいいじゃないか」と言うかもしれないが、私たちが知りたいのは「もし〈存在する〉をこれこれのように定義すれば、過去や未来が存在するかどうか」ではない。私たちが日常的に使用している「存在する」という意味で、過去や未来が存在するのかを知りたいのである。

たとえば、「空間内部に位置を占めることを〈存在する〉と言うのだ」と定義すると、その定義上、空間は存在しないことになる。[注6] もちろん、その定義が私たちの使用する「存在する」という意味によく合うのならよいが、私たちはふつうに空間内に位置を占めないようなものについても「存在する」という言葉を自然に用いる（「2より大きく5より小さい素数が存在する」など）。すると、このような勝手に定義した「存在する」の意味に従って空間の存在を論じられても「いや、それは私たちの知りたいことではない」となるだろう。

それゆえ、とりあえずは、直観的な「存在する」の言葉の使いかたに頼って明確な定義をせずに議論を進めていくことになる。もちろん、議論を進めるうちに「いや、それを存在する／しないとは言わないんちゃうか」というような意見の相違が出てくるかもしれない。そうなればそこで立ち止まって、「なぜ、存在する／しないと言えるのか」を検討しなければならない。

たしかに言葉の定義が曖昧なために議論が混乱することもすくなからずあるが（哲学的議論でもしばしば「これは結局は言葉の定義が曖昧なために起きている論争ではないか」ということはたしかにある[注7]）、言葉というものは、とくに哲学でよく使用されるような日常的基礎的な言葉はかならずしも容易に定義できるものではない（この点についてはまた第4章でも議論する）。そしてそのような言葉が明確に定義されていなくとも、だからと言ってつねに議論が混乱するわけではない。そして繰り返しになるが、無理に定義することによりほんとうに知りたいことが議論できないことがある。

とはいえ、ある程度の議論のための方針みたいなものは欲しい。そこでとりあえずは「Xが存在する」とは、「Xを仮定することなしには説明できない経験や現象などがある」という意味にしよう。じっさい、以下でみるように、たとえば、現在主義という「現在のみがある」とする立場に対しては、「過去（もしくは未来）がないと説明できないことがある」という方向性の批判がある。また逆に、Xを仮定すると矛盾が生じるような場合は「Xは存在しない」とされる（次章ではまさにそのような議論で「時間の経過が存在しない」とされる）。

「存在する」の意味がそうだとしても、「過去／未来が存在する」とはどういうことかイメージが湧かない、という読者もいるだろう。1つのイメージの仕方（あくまでイメージです）として、「時空を超えた神さま」の視点に立ってみるとよい（そんなことできないとか言わずに……。あと、あくまで「たとえ話」なのであまり「神」という言葉に引きずられないように……）。そして、「神さまの視点」に立っても現在しかみえないのなら、それは現在しか存在しないということであり、過去と未来を「同時に」見渡せるなら過去も未来も存在するということである。時空内にいる私たちが「恐竜が存在する」と発言するのは奇妙に思えるが、時空を超えた神さまが「中生代に恐竜が存在する」と発言するのはおかしくはないだろう。このイメージはまた次章でも活躍する。

なお、本書では「実在する」という言葉も出てくる。この言葉もなかなか難しい。「Xが実在する」とは「Xが〈ほんとうに〉存在する」ということであるが、「ほんとうに」ってなに？　という話になる。基本的には「Xが私たちの主観に依存せずに存在する」ことだと解釈できよう。[注8] それゆえ、「時間経過が実在する」とは、私たちのような意識的存在者が存在しなくても時間経過が存在するということである（「客観的に存在する」も同じ）。

形而上学的な視点

この「神さまの立場に立つ」とは「形而上学的視点に立つ」ということとの比喩である。哲学では「形而上学的な差異」という言いかたをすることがあるが、実験や観測では違いがわからないような違いということである。ここでまた「そのような違いを考えてなんの意味があるのか」という疑問が生じるだろう。具体的には以下の議論をみてもらえれば自然とわかることだと思うが、ここでもすこし説明しておこう。

いくつかの形而上学的なモデル（モデルA、B、Cとしよう）があるとき（これらのモデルには形而上学的な差異しかないので、どのモデルが正しくても経験的な違いをもたらさない）、「モデルBやCには生じる論理的不整合がモデルAでは生じない」ということがある。もしそうであるならば、モデルAはほかのモデルより形而上学的に優れている。また、「モデルBやCでは答えることのできない形而上学的問いにモデルAは答えることができる」ということもある。この場合も、モデルAはほかのモデルより形而上学的に優れている（ここで挙げた形而上学的理論の優劣のつけかたはあくまで一例である。このような「どの形而上学的理論が優れているのか」の基準について議論する分野を「メタ形而上学」という）。

それゆえ、経験的差異をもたらさなくても、形而上学的にどちらがより優れたモデルであるかを論じることは可能であり、そのことによって実験や観測ではわからない（つまり自然科学ではわからない）「この世界の姿」を議論することができるのである。このことは、形而上学の自然科学とは異なる存在意義として強調しておくべきであろう。

たとえば、「量子力学の哲学」という分野で「解釈問題」というものがある。これは「量子力学という物理理論が示す世界像はどのようなものか」という問題である。多世界解釈だとか様相解釈だとかという解釈があるが、これらは量子力学を経験的に正しい理論だと認めたうえで、世界の形而上学的モデルを提示している。それゆえ、これらのモデルは認経験的には差異はない（どのモデルが正しいか実験や観測で決着がつかない）が、こちらのモデル（解釈）では生じる哲学的問題があちらのモデルでは生じないというようなことがあるので、形而上学的には差異があり、したがって、経験に頼らなくても有意味に世界について議論をすることが可能となる。

もちろん、「これらの違いがほんとうに経験的な差異をもたらさないのか」というのも問題ではある。次章でみるように、静的時間モデルと動的時間モデル（どちらのモデルもすぐあとに説明する）とでは自然科学との整合性に違いが生じるという考えもある。そしてもしそうだとすると、どちらのモデルをとるかで経験的な差異をもたらすということだ。また、科学が発展することによって形而上学的な差異しかもたらさなかったモデルに経験的な差異を見出すことができるようになることもあるだろう。

以上の議論に対して「そうは言っても、どの形而上学的モデルが正しいかの決着はつかないんやろ？　それやったらやっぱり意味ないいんちゃうの？」と思うかもしれない。この点については「おわりに」で触れてあるので、本書を読み終えたあとで読んでほしい。言い換えると、本書は全体を通して形而上学の意義について議論している本だともいえよう（第2章の終わりでも形而上学の意義について議論する）。

現在主義と成長ブロック宇宙説

ではまずは「現在だけが存在し、過去や未来が存在しない」としたら、そこからどのような結論が導けるのかを考えてみよう。現在だけが存在し、そして時間が流れているならば、現在に存在するモノたちは変化していくはずである（いまとりあえず「変化のない時間」を考えないことにする）。そうすると、かりに紀元前400年ごろが「現在」だとすると、その世界では後世に名を残す大哲学者ソクラテスが存在しているが、一方でスマホやPCや私たちは存在しない（時空を超えた神さまの立場に立っても、ソクラテスはみえるが、スマホやPCはみえない）。ところが2024年が「現在」であるならば、世界にはスマホやPCが存在し、しかし大哲学者であるソクラテスは存在しない。もちろん、神さまからみてもソクラテスがみえなくなっている。

注意して欲しいのは「ソクラテスが存在しない」ということで「ソクラテスが存在しなかった」と言っているのではないということだ。「ソクラテスは存在していたが存在しなくなった」のである。だがどのような立場に立とうが、ソクラテスはいま（現在）存在しないのではないか？　たしかにソクラテスは（どのような立場に立っても）現在には存在しない。しかし、すぐあとに紹介する「過去も存在する」という立場の場合、もちろん20

24年現在の時点にはソクラテスはいないが、過去の時点（紀元前400年）にソクラテスは存在しているのである（神さまの立場に立って考えると、神さまにはソクラテスが紀元前400年の時点に存在しているのがみえているということである）。

このように、現在だけしか存在しないのであれば、「いつが現在であるか」によって世界のありかた（「世界のありかた」とは、「世界になにが存在するか」だけではなく、世界に存在するモノたちの状態も指す）が異なっている。したがって、そのような「現在」は、たんに発話者と同時であるだけの主観的・相対的なものではなく、世界のありかたと関わりがあるという意味で、特権的で客観的な時点であるということになる。この、現在しか存在しないという立場を**「現在主義」**という。

また、人によっては「過去と現在は存在するが、未来は存在しない」という感覚をもっているかもしれない。この場合も、現在だけが存在する場合と同様に「いつが現在か」で世界のありかたが変わってくる。紀元前400年ごろならソクラテスは存在しスマホは存在しなかったが（この点は現在主義と同じ）、2024年ならばソクラテスもスマホも存在する（この点が現在主義と異なる）。つまり時間経過に伴って世界に存在するモノが増えていくわけである（つまり、ここでの「世界」には過去のモノたちも含まれている）。神さまからみると、宇宙（時間と空間）がどんどん「成長」しているようにみえる（図1-5）。それゆえ、この場合もやはり「現在」は特権的で客観的な時点である（「現在」はいわば時空世界の「端っこ」である）。このような立場を**「成長ブロック宇宙説」**という。

ここまでみたような、主観とは無関係に世界の側にある、特権的で客観的な「現在」を**「絶対的現在」**と呼ぶ。さて、成長ブロック宇宙説では、（絶対的現在が21世紀ならば）21世紀にいる私たちだけではなく、紀元前のソクラテスも存在していることになる（神さまからみるとどちらもみえる）。そうすると、私たちはこの本を読みながら「この本を読んでいるこの瞬間が現在だ」と思っているだろうが、ソクラテスはソクラテスで「いま、ソフィストたちと議論しているこの瞬間が現在だ」と思っているだろう。つまり、図1‐5のように世界のなかに「現在」が無数にあることになる。このような発話者と同時である（したがって発話者に相対的な）現在を、絶対的現在とは区別して**「指標的現在」**と呼ぶ。もちろん、それに伴って過去や未来も相対的になる。20世紀は、ソクラテスからすると未来だが、私たちからすると過去である。

空間で言えば「ここ」や「あそこ」と同じである。大阪大学の吹田キャンパスにいる私にとっては「ここ」とは吹田キャンパスにある私の研究室であるが、読者であるあなたが本書を大阪大学豊中キャンパスの図書館で読んでいるならば、あなたにとって「ここ」とは大阪大学豊中キャンパスの図書館である。同様に、２０２４年４月の私にとっては「（指

図１－５　成長ブロック宇宙説

標的）現在」とは２０２４年４月だが、２０２３年４月の私にとっては「（指標的）現在」とは２０２３年４月である。したがって、指標的現在がどの時点であるかは世界のありかたには関係がない。

　まとめると、成長ブロック宇宙説の「絶対的現在」とは、存在する四次元宇宙と、存在しない領域との時間的な境目でありただひとつしかないが、指標的現在は時点の数だけ存在する。一方で、現在主義では、あなたはこの今のあなたしか存在しないのだから指標的現在と絶対的現在はつねに一致する（神さまからも現在のあなたしかみえない）。

時間が流れるとはどういうことか

現在主義では、「時間が流れるとは世界が変化していくこと」である。[注9] それゆえ、時間の経過とは世界の側にある客観的な現象である。この場合も、神さまにみえているモノがどんどん変化していくので「時間が流れているなあ」ということが神さまにはわかる。ここで特徴的なことは、次章で重要になるが、現在主義の場合、神さまは時空内部にいながらにして、時間が流れていることがわかるということである（というより、時空の外に立てない――のでほんとうに神さまには時間が流れているということがわかるのか、ということについて次章で再検討する）。つまり、現在主義の場合は「時間が流れる」とは文字どおりの意味ではない（が、繰り返しになるが、それに対応する現象は世界の側に客観的にある）。

一方で、成長ブロック宇宙説で「時間が流れる」とは、絶対的現在が文字どおりに移動していくことである。もしくは「四次元ブロック宇宙が成長していくことである」と言ってもよい。したがって、成長ブロック宇宙説でも時間の経過は世界の側にある客観的な現象である。だが、かりに1秒を「セシウム133の原子の基底状態の2つの超微細準位のあいだの遷移に対応する放射の周期の91億9263万1770倍の継続時間である」と物理的な変化で定義しても、「ブロック宇宙が成長しているのに（それゆえ時間は経過しているのに）物理的な変化が一切ない（意識的変化もない）」という事態も形而上学的には考えうる。このとき、神さまからみるとブロック宇宙はどんどん成長しているが、同じ状態がどんどん加わっていくだけであり、私たち人間にはなんの物理的変化も感じられない（このあいだの人間たちの意識も変化しない）。

しかし、現在主義の場合はそのようなことはあり得ない（あり得るとする議論もあるが私はあまり説得力がないと思う）。現在主義でも、神さまからみると「時間が流れているのになにも変化していない」ということがあるのではないかと思うかもしれないが、気をつけて欲しいのは、このときの神さまにとっての「時間が流れている」というのはどういうことか、ということである。この点は次章の主題となる。

永久主義

ところでここまで、時間経過が世界の側に客観的に存在するとみなすモデル（このような時間モデルを**「動的時間モデル」**と呼ぼう）として「現在のみが存在する」「過去と現在が存在する」の2パターンのみを考え、「過去・現在・未来すべてが存在する」という場合を考えていないことが気になっている読者もいるだろう。以下ではそれについても考えよう。「過去・現在・未来すべてが存在する」と考える立場を**「永久主義」**という。このとき、「時間が流れる」とは「過去から未来へと絶対的現在が移動していく」ということにな

図1－6　永久主義

る（図1－6）。したがって、この場合もやはり時間の経過とは文字どおりの意味となる。

しかし、前節で議論したように、現在のみが存在する（現在主義）とか現在と過去のみが存在する（成長ブロック宇宙説）とかの場合は、その「現在」は世界の側に客観的にある「絶対的現在」であった。つまり、現在主義の場合は存在しているのは現在のみであり、成長ブロック宇宙説の場合は四次元宇宙の「端」が現在なわけである。だが永久主義の場合、そのような絶対的現在が存在すると考えてもよいが、存在しないと考えることもできる。なぜなら、過去・現在・未来すべてが存在しているので、絶対的現在がどこにあろうが世界のありかたには関わりがないモデルが考えられるからだ。それならば、神さまの視点からみてもどこに絶対的現在があるのかわからない。そして、そのようなものの存在を仮定することには経験的のみならず形而上学的にすら意味がないということになる。なお、永久主義で絶対的現在を認めるタイプの時間モデルを**「動くスポットライト説」**という。

もちろん、「過去・現在・未来すべて存在しているのだが、絶対的現在がどこにあるかでそのありかたが異なる」というモデルを考えることもできる。たとえば、紀元前400年が絶対的現在であるならばソクラテスは「意識」をもっており、そして21世紀の私たちは存在はするものの「意識」をもっていない（なので「この瞬間が現在だ」とも思わない）。しかし2024年が絶対的現在であるならば、2024年に生きている人たちは「意識」をもちソクラテスは「意識」をもたない、などというようなモデルも可能である（ただし、心身二元論という次章で説明する考えが成り立つ場合のみである）。この場合は、絶対的現在がどの時点であるかが世界のありかた（意識的存在者が意識をもっているかどうか）に関わってくるので、絶対的現在の想定に意味があると言える。成長ブロック宇宙説の場合も、絶対的現在にあるモノと過去にあるモノにはそのような違いがあるとするモデルが可能である（なので、2024年が現在なのに、ソクラテスが「いま、私はソフィストたちと議論している」とは思わない）。

指標的現在と絶対的現在の不一致

もし動くスポットライト説において、そのような違いがないならば、あなたがこの文章を読んでいるこの瞬間はじつは（絶対的には）過去で、絶対的現在はあなたがこの文章を読んでいるよりもずっと後（あなたからみるとはるか未来）であり、すでに太陽系は消滅しているかもしれない。さらに、未来にあるモノも存在するので、あなたがこの文章を読んでいる瞬間はじつは（絶対的）未来で、絶対的現在はまだソクラテスの時代なのかもしれない。そして、絶対的現在以外の時点は（成長ブロック宇宙説でも動くスポットライト説でも）無数にあるので、あなたがこの文章を読んでいるこの瞬間が絶対的現在ではない可能性がきわめて高い（逆に一致している可能性はほぼ0）。

なお、成長ブロック宇宙説でも同じような問題が生じる。成長ブロック宇宙説の場合は、絶対的現在が私たちからみて過去にあるということはないが（私たちは絶対的な意味で未来にいることになるが、成長ブロック宇宙説では未来は存在しないのだから）、絶対的現在が私たちからみると未来にあるということはあり得る（つまり、私たちは絶対的過去にいる）、これもその可能性がきわめて高い。

動くスポットライト説に戻ってさらに言うと、絶対的現在と世界のありかたに関わりがないなら、絶対的現在はなにも律儀に過去から未来へ動く必要はなく、未来（だと私たちが思っている時点）から過去（だと私たちが思っている時点）へ動いたり、ときどき止まったり、場合によっては時間を飛び越えて移動しても構わないということになる。つまり、時間軸上に並んでいる出来事が自然法則に従った並びになってさえいれば経験的にはなにも問題はない。

そもそも動的時間モデルのよいところは、私たちの「時間が流れている」という強い直観を支えてくれるところにある（これについては次章でさらに議論する）。つまり、「私たちがなぜ時間が流れていると思っているかというと、実際に時間が流れている（絶対的現在が動いている）からだ」というわけである。

ところが、意識的存在者のどの時間的部分も意識をもっていると考えるモデルは、上述のように、実際の時間経過と私たちの「時間が流れている」という感覚が無関係になってしまう。つまり、たとえば絶対的現在が２３００年だとすると、２０２４年周辺の時空にはなにも（絶対的現在が２３００年であるときは）変化がないわけだから、私たちが「時間が流れている」と感じるのは実際に時間が流れている（絶対的現在が動いている）からではないということになる。それゆえ、成長ブロック宇宙説や動くスポットライト説は直観を説明してくれるよいモデルではない。

	現在だけ	現在と過去が存在	現在・過去・未来が存在
動的時間モデル	現在主義	成長ブロック宇宙説	動くスポットライト説
静的時間モデル			静的時間モデル

図1－7　動的時間モデルと静的時間モデル

ここまでの話をまとめると、絶対的現在があると考える時間モデルでは「時間が流れる」とはなんらかの世界の側の出来事である。このような意味で、これらのモデルでは「時間の経過（流れ）が実在する」という。[注10] それゆえ、これらのモデルを一括して「動的時間モデル」とも呼ぶのであった。一方で、永久主義の中で絶対的現在がないと考える立場では、以下で説明するように、時間の経過という事態は世界の側に存在するものではない（つまり、時間が流れるというのは私たちの「錯覚」である）と考えるので、この立場は**「静的時間モデル」**と呼ばれる（図1－7）。

時間が流れない世界での変化

永久主義でかつ絶対的現在がないと考える静的時間モデルでは、「時間が流れる」とはどういう意味なのだろうか？　世界の側に客観的に存在する特殊な時点である「絶対的現在」が存在しないのだから、すべての時点は客観的には平等である。それゆえ、このようなモデルで時間が流れることを表現するのは非常に難しい。

たとえば、「自宅を出て職場に着くまでに15分が経過した」ならば、これ

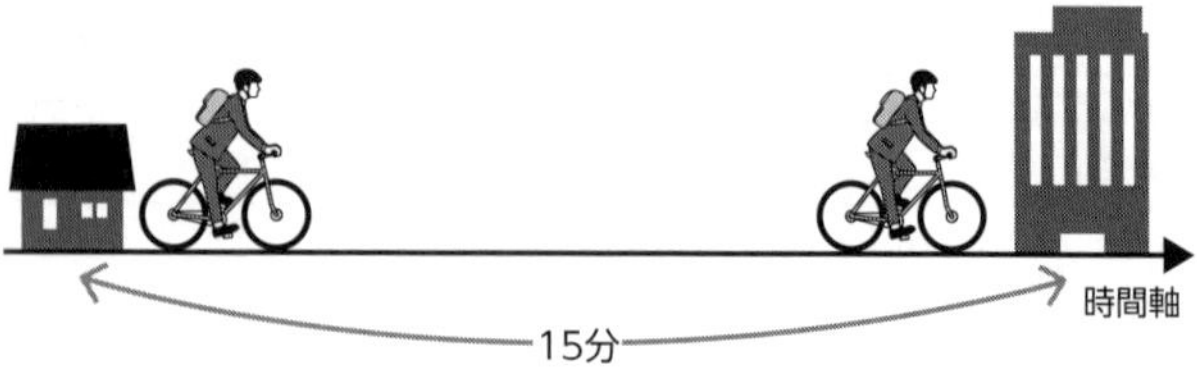

図１－８　時間の経過を表すモデル

をこのモデルを用いて言い換えることは難しくはない（図１－８）。「自宅を出た」出来事の時点と「職場に着いた」出来事の時点の時間軸上の距離が15分だけあるということである。

だが、私たちはそうした特定の複数の出来事を指示せずに、漠然と「時間が流れる／経過する」と言う。このような事態を静的時間モデルで表現することはできない（だが、動的時間モデルではできた）。また神さまを持ち出すと、静的時間モデルでは、神さまからみても、ただ四次元ブロック宇宙があるだけでなにも「変化」がない。したがって、静的時間モデルでは「時間が流れる」をどのような意味にとっても、（客観的には）時間が流れていないことになるだろう。つまり、「時間が流れている」という感覚は、いわば私たちの錯覚なのである。

しかし、「変化」については静的時間モデルでも表現はできる。「ある四次元的対象の異なる時間的部分が異なる時点で異なる状態にあること」とすればよい（そうしたとしても、私たちの日常的な「変化」についての言語使用に差異は生じないと思われるので、さきに触れた「存在する」を勝手に定義したときに起きるような問題は生じないだろう)。

ところで、静的時間モデルでは対象は四次元的に存在することになる。[注11] この「存在者は空間的延長をもつだけではなく時間的にも延長する」という考えかたを「四次元主義」と言うのであった。それに対して「存在者は時間的延長をもたず、各時点において存在者はその存在のすべてが現れている」という考えかたを「三次元主義」というのだった。

さて、四次元主義での変化の捉えかたは、空間上で「机の右端と左端の状態が異なっている」と言っていることとなんら違いはない(時間軸上での違いを言っているか、空間上での違いを言っているかの差異でしかない)。それゆえ、「変化とはあくまで同一のモノに対して生じる現象であって、四次元主義のように異なる時間的部分が異なることを変化とは言わない」という批判もある。しかし、そのような批判に対しては、四次元主義的には「それを変化と言わないのならそれでいいですよ、だったらこの世界には変化はないということです」と答えればいいだけである。[注12]

ともかくも、定義によっては客観的に変化があると言えることは言える(繰り返すが、どちらの定義でもどの立場で語っているかを明確にすれば、「変化」という言葉の私たちの日常的言語使用には影響がないだろう)。それゆえ、さきほど神さまの視点ではなにも変化していないと述べたが、この定義ならば四次元主義でも神さまには変化があることがわかる。つまり、2つの異なる時点の世界の状態を見比べてその状態が異なっているならば「変化があった」と神さまは思うわけである。

「時間が流れない」ということ

ここが重要な点であるが、「静的時間モデルにおいては時間が流れない」と主張されるとき、それはたんに「文字どおりの意味でなにかが流れている（動いている）のではない」という主張をしているだけではない。そのような意味では、現在主義も「時間は流れていない」と言えるだろう。しかし静的時間モデルの場合は、いかなる意味でも「時間が流れる」という事態が客観的には存在していないということである。

つまり、現在主義では「時間が流れる」という表現は「太陽が東から昇り西に沈む」という表現と同様の比喩的表現であり、文字どおりではないだけでそれに相当する現象が客観的に存在するわけであるが（地球が太陽のまわりを回っている）、静的時間論では「時間が流れる」というのは心霊現象などと同様に主観的な感覚にすぎず、それに相当する客観的な現象が世界の側にあるわけではない。[注13]

しかし、静的時間モデルの捉えかたは慣れないとなかなかピンとこないだろう。もうす

図１－９　異なる時間的部分としての「あなた」

こし説明しよう。静的時間モデルでは、たとえば、本章の冒頭を読んでいるあなた（これを「あなた①」とよぼう）とこの文章を読んでいるあなた（これを「あなた②」とよぼう）は同じ四次元的存在者としての「あなた」のそれぞれ異なる部分である（図１－９）。そして、それぞれの「あなた」にとって、その時点が「現在（指標的現在）」である。

だから、15時ちょうどに本章冒頭を読んでいるあなた①にとって、（この文章を15時30分に読むとして）この文章を読むことは未来の出来事であるが、その未来の出来事が、あなた①にとっての現在になることはない（あなた①は15時ちょうどの時点にしか存在しないから）。つまり、あなた①にとっての未来の出来事があなた①にとっての現在の出来事になることはないし、過去の出来事になることもない。そしてそれはあなた②にとっても同じである。それぞれのあなたの時間的部分には「時間が流れている」という感覚があり、たとえばあなた②は「30分前にこの章を読み始めた」という感覚があるかもしれないがそれは錯覚であり、あなた②は15時30分にしか存在しないし、「本章の冒頭を読んだ」という経験もあなた②はしていない（あなた①の経験であり、あなた②にはそういう経験をしたという「記憶」だけがある）。

あなたは2024年4月1日の正午に昼ご飯をたらふく食べて満腹になったが、同日の16時には空腹を覚えたとしよう。しかし、同じことの繰り返しになるが、静的時間モデルでは、正午に満腹になっているあなたと16時に空腹になっているあなたは異なる時間的部分であり、満腹になったあなたと同一のあなたが空腹になっているわけではない。静的時間モデルにおける「変化」とは、四次元的存在者として同一のあなたの異なる時間部分が異なる状態になっている（正午のあなたは満腹状態であるが16時のあなたは空腹状態）ことを言うのである。

時間モデルとゼノンのパラドクス

ここでやっと運動の話に戻ってくる。静的時間モデルをとるならば、運動とは「同一の四次元的存在者の異なる時間的部分が異なる空間的位置にあること」に過ぎないのであった。[注14] それゆえ、（四次元的）静的時間モデルであれば、時空間が連続体であっても同一の存在者が無限の点を通過するのではないので、図1－1の点SからAへ（四次元主義的意味で）移動することが可能である。すなわち、有限時間で無限の過程を完了させることが可能である（ただし、「完了する」の意味が三次元主義とは異なることに注意）。もうすこし言えば、この過程全体が現実無限の過程から成り立っているかどうかは過程全体が完了可能かどうかに無関係なのである。空間的比喩を用いれば、棒が無限の部分から成り立っていても棒は存在可能なはずだ。棒が無限の部分から成り立っていることと棒が存在することとは無関係だからである。

したがって、議論1―1の3が成り立たない。また、これでは「〈過程が完了した〉と言えない」という批判に対しても、「そうだとすると運動には無限の過程の完了が不要だということであるから、やはりパラドクスは成り立たない」と答えることができる。さらに、「〈運動〉とはそのようなものではない」という批判に対しても、「もし運動がそのようなものではないならば、私たちが観察している運動だと思っているものは実際には運動ではないというだけだ」と答えることができる。この場合はアキレスと亀のパラドクスは成り立つが、それは「太陽が地球をまわってるようにみえるけどそうではなかった」と言うのと同じである（運動に対応するものはある）。

図1-10で描かれたように、四次元的（図では制約上、空間一次元・時間一次元の二次元だが）に存在しており、すでに（という言いかたは語弊があるが）四次元的アキレスと

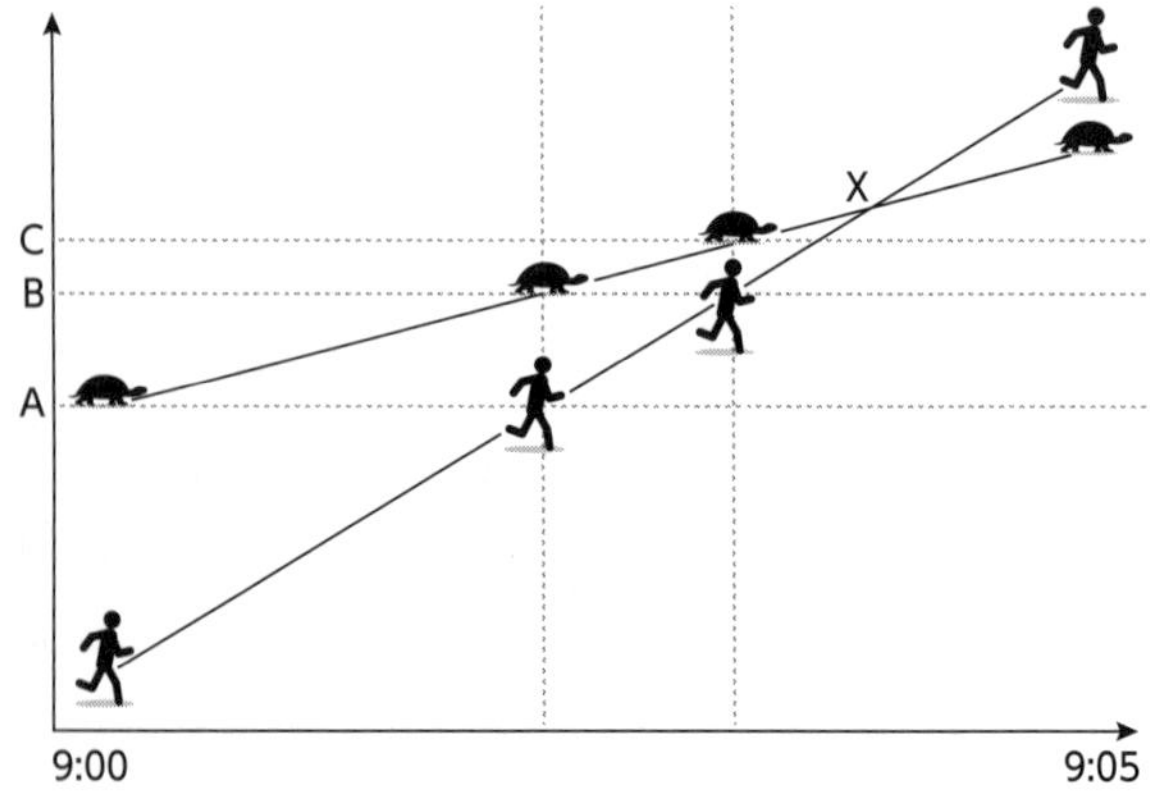

図1－10　四次元的アキレスと四次元的亀

四次元的亀は時空上の点Xで交差しており、この交点Xがまさにアキレスが亀を追い抜いている時点（と地点）なのである。2つの金太郎飴それぞれが無数の空間的部分からなっていたとしてもこれらが交差することに問題がないように、「アキレス飴」と「亀飴」がかりに無数の時間的部分からなるのだとしても（時空が連続だとしても）これら2つが（時空上で）交差することにはなんの問題もない。

一方、動的時間モデルでも、成長ブロック宇宙説や動くスポットライト説では四次元主義をとることが多い。その場合、運動はさきに述べたような意味（四次元的意味）だと考えることが可能だろう。だが、ではそう考えると、成長ブロック宇宙説や動くスポットライト説でも運動が可能かというとそうとは言えない。というのも、これらのモデルでは、ブロック宇宙が「成長」したり、絶対的現在がブロック宇宙上で「移動」したりしているからである。時空が連続であるならば、どれだけ短くとも有限の時間が経過するためには絶対的現在は無限の過程を完了させなければならない（空間上を動くのと同様に、時間軸上を絶対的現在が移動しているのだから議論1―1が適用できる）。したがって、無限の過程が完了不可能であるならば、時間が流れる（絶対的現在が軸上を動く）ことが不可能である。

現在主義の場合は基本的には三次元主義をとるから、議論1―1より、時空が連続であり無限の過程が完了不可能であるならば、運動は不可能である。そして、時間経過とはなんらかの物理的変化があることであったから時間経過そのものがやはり不可能である（変化はどれほど微小でも、そこに無限の過程が含まれる）。しかし、運動は現実に存在するのだから結局は議論1―3が有効ということではないか（つまり動的時間モデルでも無限の過程は完了可能ではないか）？　いや、そうではない。以下で説明しよう。

動的時間モデルにおける無限過程の完了不可能性

ここまでしてきた話を整理すると、時空が連続であるという前提で、

（1）時間は客観的に流れていない（時間経過は実在しない）
（2）運動は実在しない
（3）無限過程が完了可能である

のいずれかを認めざるを得ないトリレンマになっているということだ。

「アキレスと亀のパラドクス」の議論では、（2）か（3）かどちらを取るのか？ という議論となることが多い。そして、たしかに（2）と比べると（3）は認めても良さそうにみえるので議論1―3が有効であるように思える。しかし、本章で述べていることは、（1）を認めるという選択肢もじつはあるということである（ただしこの場合、運動をどう定義するかによって同時に（2）も認めることになるが、「運動」に対応するなんらかの現象はあるので私たちの経験は説明できる）。

そうすると、次の問題は（1）と（3）のどちらがよりもっともらしいか（どちらを認めるべきか）という問題となる。「時間は客観的に流れているのではない」という主張もかなり受け容れがたいように思えるかもしれないが、次章から議論するように、「時間が客観的に流れる」という考えには多くの形而上学的問題があるので、哲学的にはむしろ（1）はもっともらしい。

一方で、動的時間モデル（簡単のために特に三次元主義で考える）をとるならば、（2）か（3）のいずれかを認めなければならなくなる。そして（2）（運動は実在しない）は認めがたい（いま三次元主義的動的時間モデルを考えているので「運動」といえばその意味でしかないことに注意）ので、（3）（無限過程が完了可能である）を認めるしかない。しかし、動的時間モデルにおいてはこれを認めることが不可能なように思える（「完了」は動的時間モデル的な意味であることに注意）。

単位1の長さの線分に無限の点が存在することを認めても（つまりこの物理世界に現実無限があることを認めても）、そのことと、この線分に含まれる無限の点にすべて触れながらこの線分の端から端まで（三次元主義的な意味で）移動することが可能であるということとは異なる問題である。1つの点を移動するのに無限小の時間しかかからなければ有限の時間内に無限の点を移動することが可能なように思える（無限小を無限に足し合わせれば有限になる）。そして静的四次元主義ではたしかにそれは可能である（「移動」の意味が動的な場合と異なることに注意）。それは四次元主義では上の2つの問題（線分に無限の点が含まれていることとその点すべてに触れながら移動すること）が同じ問題になるからである（時間と空間が同一視される）。そして、多くのアキレスと亀のパラドクスの解決法はこのように言われる（しかし、それは四次元主義的静的時間モデルをとっているから成り立つ議論だということが意識されていない)。だが、動的時間モデルでは、たとえ無限小の時間しかかからないとしても、それでも無限の点を移動することは不可能である。

このことは次の「無限の過去はあるのか?」を考えるとより明らかになると思うが、動的時間モデルにおける時間は(時間が無限であるならば)あくまで可能無限であることと関わりがある。現実無限はいわば「閉じている」「完了している」無限であるが、そもそも動的時間モデルでは、未来は文字どおり「未だ来たっていない」のだから、未来の出来事はつねに完了していない(時間そのものが可能無限であり、現実無限ではない)。それゆえ、未来に無限の過程があるならば、それは可能的に無限の過程なのだから、そのすべてを完了することはできない(時間が終わるということはない——無限に存在する未来が「終わる」とはどういうことか?)。さらに、さきに述べたように、時間が連続的であるならばそもそも時間自体が流れることはできないのである。

無限の過去はあるか?

次章では時間が客観的に流れるという考えの論理的不整合性について議論していくが、本章の残りでは、ここまでの議論を応用しながら「時間にはじまりがあるのか」という問題を考えよう。なお、以下の議論は本書の残りの部分には影響しないので、とりあえず本書全体をさっさと読み通したいと思う方はいったん飛ばして次章に進み、あとで読み直してもよい。あらかじめ結論を予告しておくと、動的時間モデルをとると時間にはじまりがあると考えるしかなく、静的時間モデルでは時間にはじまりがあってもなくても問題が生じない（つまり、静的時間モデルのほうが時間のはじまりについて選択肢が多い）。[注15]

まずは時間のはじまりに関する既存の議論についてみていこう。ところでここで「さきの議論で、動的時間モデルではそもそも時間が流れること自体が不可能であることがわかったのではないか」と思われるかもしれないが、それは時間が連続体である場合であり、時間が不連続であるならば、（上の議論を認めても）時間が流れることに論理的不整合性はない（とりあえず、今のところは……次章ではやはり問題があることをみる）。もちろん、その場合、動的時間モデルでアキレスが亀に追いつくことも可能である。

さて、「時間が無限の過去からはじまったのではない」という議論の典型的なものは、以下のような18世紀ドイツの哲学者イマヌエル・カントによる議論である。

【議論1―5　無限の過去はない】
（1）時間には無限の過去がある［前提］
（2）現在までに無限の出来事の系列が完了した（1より）

（3）無限の過程が完了することは不可能である［前提］
（4）前提1は矛盾を導く（2と3より）
（5）時間には無限の過去がない（4より）

ここで、すこし注意をしておくと、この議論では、時間がはじまると同時になんらかの「出来事」も存在しはじめるかのような前提となっている。しかし、出来事の生起しない「空虚な時間」があり得るのであればこれらは分けなければならない。じっさい、カントは正確には「世界にはじまりがないとすると矛盾が生じる（それゆえ、世界にははじまりがある）」ことを論証している。だが、この点については本書ではあまり考えないことにして、時間のはじまりと世界のはじまりを区別せずに議論していこう。[注16]

基本的には、さきの議論を踏襲して考えればよい。動的時間モデルを考えると議論1—5の前提3が認められるので、時間には無限の過去がないと言えよう。運動の不可能性（議論1—1）については、すでに述べたように時空が不連続であるということによって結論を回避することが可能であった。しかし、時間に無限の過去がないという結論は時空が不連続であったとしても回避することはできない。その一方で、静的時間モデルでは、無限大の存在を物理世界においても認めることができるのならば、過去に無限の時間があっても問題がないということになる。

「静的時間モデルでは無限の過去が考えられるのに、動的時間モデルでは考えられない」ということに、ここまでの話でもいまひとつピンとこない読者がいるかもしれない。すなわち、動的時間モデルで無限の過去があっても無限の時間が経ったら（無限の時間が経っているのだから）この私たちの現在（この時点が絶対的現在だとしよう）に到達可能なのではないか？　かりに動的時間モデルでは、有限時間で無限の過程が完了不可能であるとしても、無限に時間があれば動的時間モデルでも無限の過程は完了可能なのではないか（アキレスと亀のパラドクスはあくまで「有限の時間内に無限の過程を終えることができるかどうか」が問題だったのではないか）？

このことについては前節でもすでに述べたが、未来を考えてみればよいのではないかと思う。無限の時間があれば無限の過程が完了するならば、無限の未来において時間は「終わる」のだろうか？　そもそも「無限の未来がある」とは「時間に終わりがない」ことなのだから、時間が終わるというのは矛盾でしかない。さきにも述べたが、動的時間モデルにおいて、時間が無限に続くというときの「無限」は可能無限を指しているのである。それゆえ、無限の過去があるということは現在までに可能無限が完了したということを意味するが、これもまた矛盾でしかない。

円環時間

　ここまで、「時間が流れるならば無限の過去は存在しない」という議論をした。だが、「時間にはじまりがない」という状態は、無限に過去があるという状態だけではない。つまり、「過去が有限であってもはじまりがない」という状態があり得る。たとえば、時間が円環になっているならばやはり「時間にはじまりがない」と言えるだろう。しかし、「時間が円環である」とはどういう意味だろうか？　図で描くと図1－11のようなイメージになる。これを言葉で表すと、

任意の時点t_1のN年後の時点をt_Nとして、t_1＝t_Nならば「時間は周期N年の円環である」

となる。

　まず、静的時間モデルならば時間が円環であることにとくに問題はないように思える。ただ、円環状の時間軸が存在するのみである（まさに図1－11のように）。その円環状の時間軸の上を絶対的現在が移動するとかはしない。しかし、たとえば任意の異なる二つの時点t_2とt_3のどちらがより過去で、どちらがより未来なのだろうか？　第3章でくわしく論

じるが、静的時間モデルにおける「時間の向き」は規約（約束ごと）によって決められる。だが、ここでそのような規約により、時間の向きを図1－11の矢印のように決めたとしても時間が円環であれば、t_3はt_2のM年後であるとも言えるし、t_2のN－M年前だとも言える。それゆえ、t_2とt_3はお互いに一方より未来でありかつ過去でもある。しかし、静的時間モデルにおいては向きは決めごとに過ぎないのだから、どちらが過去か未来かは時間軸上の距離の近いほうを優先するという決めごとをすればよい。すると、N－MがMより大きいならばt_3のほうがt_2より未来である。そもそも静的時間モデルにおいて、現在・過去・未来という区別自体が主観的で相対的なものに過ぎないのであった。

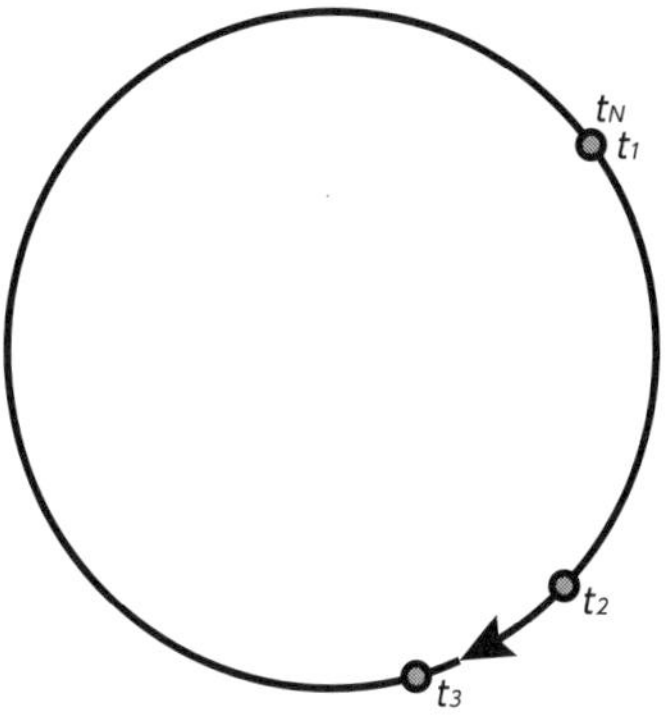

図1－11　円環時間

以上のように、静的時間モデルをとるならば時間が円環であることによる難点はとくに生じないように思える。だが、「時間が円環である」の定義をさきと同じt_1＝t_Nであることであるとして、動的時間モデルにおいてt_1＝t_Nであるとはいったいどういうことだろうか？　まず、成長ブロック宇宙説を考えてみよう。

【議論1―6　成長ブロック宇宙説では時間は円環ではない】

（1）時間は円環であり、$t_1 = t_N$である［前提］
（2）過去におけるモノは存在し、未来におけるモノは存在しない［前提］
（3）t_2が絶対的現在であり、t_1からブロックが成長しているとする［前提］
（4）このとき、t_1は過去であるからt_1にあるモノは存在し、かつt_Nは未来であるから（$t_1 = t_N$なので）t_1にあるモノは存在しない（1、2、3より）
（5）前提1は矛盾を導く（4より）
（6）それゆえ、時間は円環ではない（5より）

次に、動くスポットライト説を考えよう。このモデルでは円環状の時間軸が存在しその上を絶対的現在が動いていくことになる。いま、円環上の時点t_2が絶対的現在であるとしよう。すると、「t_2はこれまで何回絶対的現在になったことがあるのだろうか？」という問いを立てることが可能である。しかしまず、そもそもの話として「t_2が過去に絶対的現在であったことがある」という言明がなにを意味しているのかが理解できない。t_2は、いま、この、絶対的に現在である時点を指しているのだから、その時点が過去であったというのは単純に矛盾である。しかし、t_2はこの瞬間のその1回のみしか絶対的現在でないのならば、時間が円環であるのにもかかわらず時間にはじまりがあるということになってしまう。いま私たちが円環時間を考えているのは、無限に過去がある場合だけではなく時間が円環である場合も「時間にはじまりがない」と言えるからであった。それゆえ、t_2が絶対的現在であるのはこの1回のみであるという回答は私たちの望むものではない。

ここでメタ時間を導入すれば「t_2が過去に絶対的現在であったことがある」という言明が有意味であることが可能かもしれない。メタ時間導入の問題点は次章でよりくわしく議論するが、議論の都合上、ここではかりにメタ時間の導入がゆるされるとしよう。そうだとしてもさきの問いに有意味に答えることができない。有限回だとすると、1回の場合と同様、やはりどこかの時点で「時間がはじまった」ことになる。では、無限回であるという回答はどうであろうか？　この回答も有効ではない。なぜなら、それは「t_2が絶対的現在である」という出来事がこれまでに無限回生じた、つまり、無限の過程が完了していることを意味するからだ。

最後に、現在主義を考えてみよう。現在主義は、成長ブロック宇宙説や動くスポットライト説と違って絶対的現在が時間軸上を動いていくようなモデルではない。それゆえ、これまでのような$t_1 = t_N$という円環時間の定義を使えない。そうすると、たとえば、「N年ごとに世界がまったく同じ状態になる」という定義が、現在主義における円環時間の定義の候補となるだろう。[注17] しかし結局はこの定義でもこれまでと同様の問題が生じる。つまり「世界がこの絶対的現在の状態と同じ状態になったのは何回目か」という問いに有意味に答えることができないのである。有限回と答えると時間にはじまりがあることになるし、無限回であることは不可能である。

以上のように、静的時間モデルでは時間にはじまりがないことは可能であるが、動的時間モデルでは時間にはじまりがないことは不可能、つまり時間にはじまりがあるということになる。そして、時間にはじまりがあるということは、どこかの時点で無から有が生成されたということである。

なお、一般的に無から有が生成されることは不可能なように思えるが、物理学者のアレックス・ヴィレンケンやスティーブン・ホーキングなどは、量子力学を用いて無から有の生成の可能性を議論している（ただし、ここでいう「無」は時空の大きさが0ということで、場などは存在すると思われる[注18]）。

まとめ

本章では2つの時間モデル、すなわち、動的時間モデルと静的時間モデルを導入した。この2つのモデルの大きな違いは、「絶対的現在」を認めるか否かにある。「絶対的現在」とは、「ここ」や「あそこ」のような発話者に相対的な時点ではなく、世界の側に客観的に存在する時点を指している。この絶対的現在が時間軸上をいわば「動く」ことにより時間は流れるのである。

動的時間モデルは、さらに、未来や過去の存在を認めるか否かでいくつかのモデルにわかれる。現在のみが存在して未来や過去は存在しないと考えるのが「現在主義」、未来は存在しないと考えるのが「成長ブロック宇宙説」、未来も過去も現在と同様に存在すると考えるのが「動くスポットライト説」である。

しかし後二者には以下のような問題点がある。たとえば、いまこの文章を読んでいる瞬間を読者は「今だ」と思っているだろう。だが、過去も現在と同様に存在するのだから、いくらあなたが「この瞬間が今だ」と感じても、じつはこの瞬間は過去であり、絶対的現在は（この瞬間からみて）ずっと未来で、もう太陽系が崩壊した後かもしれない。時間が連続的であり、「現在」が無限小の大きさしかもたないのならば、この瞬間が絶対的現在である確率はほぼ0である。なお、本書では紹介しなかったが、このような問題点の回避法はいろいろと考案されてはいる。

現在主義はこのような問題点がないのに加えて、ほかの2つのモデルと「時間が流れる」ことに対する理解もやや異なる。ほかの2つはこの節のはじめの段落で述べたように、時間軸上を絶対的現在が動くことが「時間が流れる」ということであった。しかし、現在主義では、世界が変化していくことが「時間が流れる」ということである。この違いは次章において重要になる。

本章では、動的時間モデルと静的時間モデルの区別に加えて、三次元主義と四次元主義の区別も導入した。三次元主義は、存在者の存在は三次元空間にすべて現れているという考えであり、四次元主義は、存在者は時間的にも延長しており、各時点で三次元空間に現れるのは存在者の時間的部分であるという考えである。現在主義では三次元主義、ほかの時間モデルでは四次元主義というのが素直な組み合わせだが、それ以外の組み合わせも議論されている（が、本書では取り上げない）。

さて、こうしたモデルを導入することによって、アキレスと亀のパラドクスはいかにして解決可能か。このパラドクスはいくつかの前提からなっているが、本章ではとくに「無限の過程が完了することは不可能である」という前提について紙幅を割いて議論した。この前提が正しいか否かは動的時間モデルをとるか、静的時間モデルをとるかで変わるというのが本章での主張であった。すなわち、静的な意味では、無限の過程も完了することができる。しかし、動的な意味では、たとえ現実無限が存在しても、無限の過程は完了することができない。なぜなら、動的な意味で無限の過程が完了するということは、「(可能)無限」という概念と矛盾するからである。

この点については、「無限の過去から時間がはじまった可能性があるのか」という問いについて考えてみるとよいかもしれない。すなわち、無限の過去から時間がはじまったとすると、現在までに無限の時間が経ったということである。しかし、「無限の時間が経った」とはどういうことか。無限の時間は終わることがないから無限の時間ではないのか。もしこのようなことが可能であるならば、時間は未来に向けて無限であるとしても、その無限の未来に到達可能であり、時間は流れ終えるのか。

これが静的時間モデルであるならば、可能かもしれない。すなわち、もしこの世界に現実無限があり得るならば、空間が無限に大きいということもあり得るだろう。静的時間モデルでは、時間次元も空間次元と同等に考えられるので、過去にも無限だということはあり得る(そして未来も無限であり得る)。なにかがその「無限の過去」から動きはじめるわけではないので問題はない。だが、動的時間モデルを考えるならば、そもそも「無限の過去」から時間がはじまるということ自体が理解できない。

この議論は、有限の時間にある無限の過程についても適用できる。したがって、動的時間モデルであれば、アキレスと亀のパラドクスは有効であり、運動は実在しない（時間・空間が連続的であるなら）。だが、現実には運動はあるので、静的時間モデルが正しいはずだ。静的時間モデルが正しくそして四次元主義が正しいならば、アキレスが亀に追いつくとは図1－10で描かれたように、四次元的存在者としてのアキレスと亀がある時空点で交わるということに過ぎない。いわば、空間上で2つの棒（これらの棒が無限の部分から成り立っているとしても）が交わることにはなんの問題もないのと同様、四次元主義的静的時間モデルでは、アキレスが亀に追いつくことにはなんの問題もない。

なお、動的時間モデルと静的時間モデル以外の時間モデルもあり得るのかもしれない。たとえば、ここでいう静的時間モデルとは、いわば時間次元が空間次元と同等のものとして存在したが、そもそもこういう意味ででも時間は客観的に存在しないという考えもあるだろう。つまり、静的時間モデルで否定されているのは「時間の流れ／時間経過」であって、時間そのものの存在が否定されているのではない。しかし、たとえばカントは、時間や空間は客観的に存在するものではなく、私たちが世界を認識する際の条件（純粋直観）だとした。いわば、私たちは世界（物自体）を時間と空間というフィルターを通してみているのである。このような可能性については第3章の終わりにまた言及する。

第2章　時間は流れているのか？

前章では、アキレスと亀のパラドクスが、「時間は客観的に流れていない」という立場に立つことで解消できることをみた。しかし、「時間が客観的に流れていない（時間経過は実在しない）」という主張は、「運動が実在しない」という主張と同じくらいあり得ない主張ではないだろうか？

そこで本章では、別の観点から「時間が客観的に流れている」という主張を擁護しよう。しかし後半では、「時間はやはり客観的に流れていない」という立場からの議論も紹介する（その議論に対する再反論は第3章の後半で行う）。また、相対性理論からの客観的な時間経過を否定する議論もみる。そして、形而上学的な議論において非常に便利な概念である「可能世界」という概念も導入する。さらに、「形而上学とはなにか」「形而上学と自然科学の関係」についても議論する。本章はちょっと盛りだくさんになっているので、ゆっくりと読み進めよう。

時間が流れるための時間？

前章では、動的時間モデルを説明するために、何度か「時空を超えた神さまの立場に立って」と言った。しかし、そのような立場に立って「時間が流れている」ということを考えてみるとおかしなことに気づく。すなわち、「〈神さまにとっての時間〉とはなにか」と

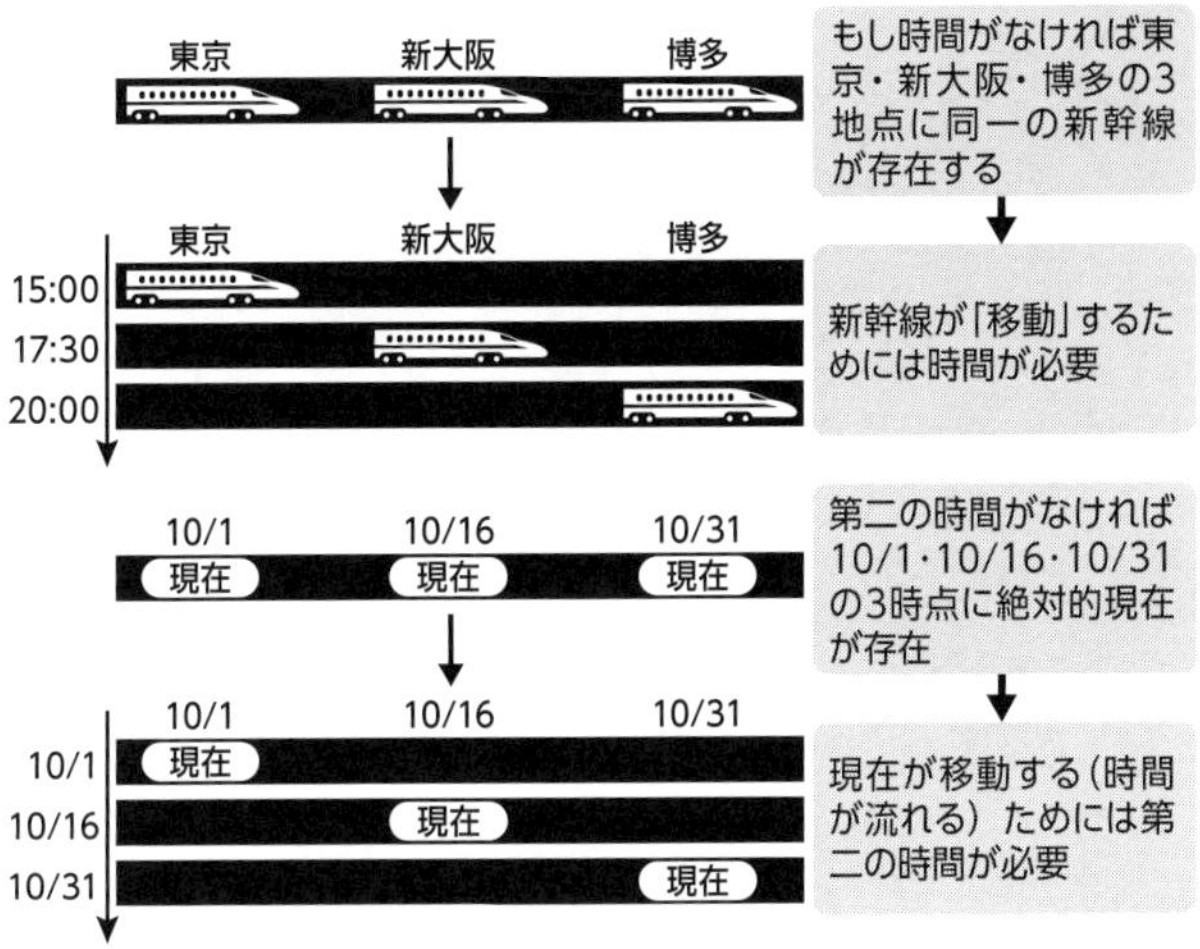

図２－１　新幹線の移動と動くスポットライト説

いうことである。

たとえば、動くスポットライト説をとりあげてみよう。これを神さまの立場でみたとき、「時間が流れる」とは四次元ブロック宇宙の時間軸に沿って「絶対的現在」が過去から未来へと移動していくことであった。だが、神さまの立場からすれば、ふつうの時間軸はあたかも空間のように認識されているはずである。つまり、私たちが空間内で電車（絶対的現在）が線路（時間軸）に沿って移動していく様をみているようなものだ。

たとえば、新幹線が東京から博多へ移動している様子を観察しよう（図２－１）。このとき、時間が存在しなかったらどうなるだろうか？　私たちは東京・新大阪・博多（など各地点）に「同一の」新幹線がいわば「同時に」あることをみるだろう。しかし同一のモノが複数の地点に同時に存在することはできない。それゆえ、新幹線が移動するためには空間とは別に時間が必要である。

同様にして、神さまが時間軸上を絶対的現在が移動する様子を観察するためには、絶対的現在が移動しているところの時間（新幹線のたとえでいえば線路方向の空間次元にあたる）とは異なる第二の時間——いわば「超時間」が必要ではないだろうか？　さらに、この神さまのいる超時間も流れているならば、超時間も超越した「超神さま」が超時間の経過をみる（超時間次元も含めた五次元ブロック宇宙が成長しているのをみる）ために同様にして超々時間が必要となり……という具合に無限の時間次元が必要となる。

別の視点で考えてみよう。上記の例で、かりに東京—新大阪間も新大阪—博多間も同じ距離だとしよう。しかし新幹線が東京—新大阪間と新大阪—博多間で同じ速さで走っているとは限らないので、東京から新大阪に行くのにかかる時間と新大阪から博多に行くのにかかる時間が同じとは限らない。

同様に考えると、0時から6時、6時から12時は同じ時間が経過しているが、絶対的現在はこの2つの区間で同じ「速さ」で移動しているとは限らないのではないだろうか（もちろん違うとしても私たちには決してわからない）。言い換えると、動くスポットライト説や成長ブロック宇宙説をとったとき、絶対的現在が時間軸上を動く「速さ」というものがあるように思える。もし0時から6時と6時から12時で絶対的現在の移動する速さが違うのなら、これら2つの区間を絶対的現在が移動するのにかかる「時間」も異なるはずだ。しかしどちらも同じ6時間なのにそれらが異なるとはどういうことか？　このことも時間が流れているならば通常の時間とは別に第二の時間が必要であることを示しているように思える（つまり、第一の時間で同じ6時間でもその6時間が経過する「第二の時間（超時間）」は5時間と6時間だったりするかもしれない）。

以上の議論から「もし私たちの感覚しているこの通常の時間が流れているならば無限の時間次元が必要となり、無限の時間次元はないから時間は流れていない」という結論が導かれることになるだろう。定式化してみよう。

【議論2―1　時間は流れていない①】

（1）通常の時間次元を第一の時間次元とする　［定義］
（2）第一の時間が流れている　［前提］
（3）第一の時間が流れているならば、第二の時間次元が存在する　［前提］
（4）第kの時間次元が存在するならば、第k次元の時間が流れている　［前提］

（5）第k次元の時間が流れているならば、第k＋1の時間次元が存在する［前提］
（6）したがって、無限の時間次元が存在する（1〜5より、数学的帰納法）
（7）無限の時間次元は存在しない［前提］
（8）前提2は矛盾を導く（6と7より）
（9）それゆえ、時間は流れていない（8より）

この議論は、1949年にジョン・J・C・スマートというオーストラリアの哲学者によって提出された議論を変形したものである。[注1]

もちろん、「時間が流れている」という前提以外にもこの議論にはいろいろな前提があるので、それらを疑うことで結論（時間は流れていない）を回避することは可能である。たとえば前提7の「無限の時間次元は存在しない」も疑おうと思えば疑える（現実無限の立場をとればすくなくとも概念的に不可能ではない）。だが、前章での「時空が連続である」という前提と同様に、この前提も絶対に正しいとは言えないだけで、まちがっているという確証もない。とくに、現代物理学でも（空間の次元は九次元だとか一〇次元だとか言われているらしいが）時間は一次元なので、そういう意味でもこの前提を疑う積極的な理由はないように思える。

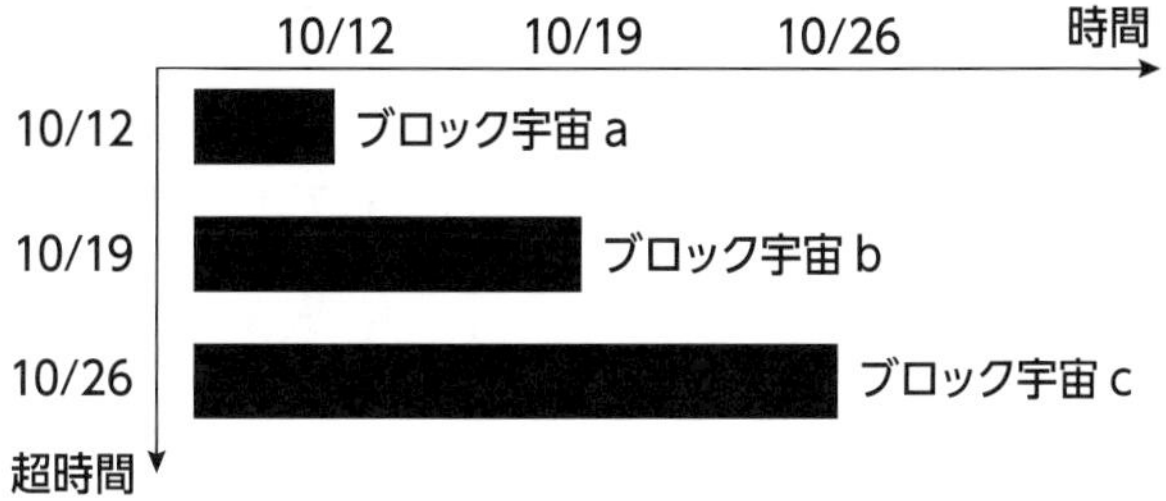

図２－２　第二の時間は流れているか？

　では、ほかの疑わしい前提はどれだろう？　前提４「第ｋの時間次元が存在するならば、第ｋ次元の時間が流れている」はどうだろうか？　たとえば、通常の時間が流れていてそのためには第二の時間が必要だとしても、その第二の時間は流れていなくてもいいのではないか？　そうすると、第三の時間次元を想定する必要はないだろう。

　しかし、第二の時間が流れていなければ通常の時間も流れていないことになるのではないか？　図２－２をみてみよう。もし第二の時間が流れていないのならば、大きさの違うブロック宇宙がただ並んでいるだけになる。ふつうの静的時間モデルと同様、各四次元ブロック宇宙は五次元ブロック宇宙（空間三次元＋時間１次元＋超時間１次元）の超時間的部分ということになるので、ブロック宇宙ａとブロック宇宙ｂは異なる超時間的部分ということになる。しかし、そうすると第二の時間が静的になるだけでなく、第一の時間もやはり静的になってしまう。超神さまからみた場合、ただ五次元のブロック宇宙があるだけで第一の時間も空間と同じようにしかみえない。それゆえ、第一の時間が流れているならば第二の時間も同じ意味で流れているべきであろう。

現在主義ではどうか

というわけで、なかなかこのパラドクスは手強そうだ。では前提3「第一の時間が流れているならば、第二の時間次元が存在する」はどうだろうか？　成長ブロック宇宙説や動くスポットライト説は「文字どおりに」時間が流れている（絶対的現在が時間軸上を動いている）ので、第二の時間次元が必要であった。空間上でモノが動くためには時間が必要なのと同様に、成長ブロック宇宙説や動くスポットライト説では通常の時間上を絶対的現在が動くために第二の時間次元が必要なのであった。言い換えれば、神さまは時間の「外」から時間軸上で絶対的現在が動いているのをみて、「時間が流れているなあ」と判断していたわけである。

しかし現在主義の場合は時間経過とは状態の変化である。すなわち、第1章で述べたように、現在主義では「時間が流れる」とは比喩でしかない。私たちは通常、時間の経過を物理的な変化によって知る。現在では「1秒」は「セシウム133原子の基底状態の2つの超微細準位のあいだの遷移に対応する放射の周期の91億9263万1770倍の継続時間」と定義されているが、この定義で計測した1秒が速くなったり遅くなったりするという想定をすることが動くスポットライト説や成長ブロック宇宙説では可能であるし、これらのモデルでは「変化のまったくない時間経過」も想定可能である（もちろん、どちらの場合にもほんとうにそのようなことが起こったかどうかは私たちは感知できない）。言い換えると、物理的な変化とは独立に時間経過を考えることができるのであった。

しかし現在主義では時間経過とは変化なのだから、現在主義にとっての「1秒」は「セシウム133原子の基底状態の2つの超微細準位のあいだの遷移に対応する放射の周期の91億9263万1770倍の継続時間」でしかあり得ない。それゆえ、神さまはそもそも時間の外に立つことができないが、これは言い換えると時間の外に立つ必要もないのである。神さまによる「時間が流れている」という判断は私たちと同様、世界の状態変化を観察することによってのみ行われる。したがって、現在主義では時間が流れるために第二の時間、超時間を想定する必要がないのだ。

やはり時間は流れていない

次に、時間は流れていないとする別の議論をみてみよう。

【議論2—2　時間は流れていない②】

（1）時間は流れる［前提］
（2）「時間が流れる」とは、未来であった出来事が現在の出来事となり、やがて過去の出来事となることである［前提］
（3）任意の出来事は未来であり現在であり過去である（1と2より）
（4）現在と過去と未来は互いに排他的である［前提］
（5）前提1は矛盾を導く（3と4より）
（6）時間は流れない（5より）

これは1908年にイギリスの哲学者ジョン・エリス・マクタガートが提出したもの（を変形したもの）であり、現代的な分析哲学的時間論の嚆矢となったものである。[注2]

前提2によると、「時間が流れる」とは、たとえば未来の出来事であった本書の出版がやがて現在の出来事となり、そして過去の出来事となるということである（ここで「本書の出版」というのは、本書の初刷がはじめて書店に並んだという出来事だと定義しよう）。しかし、私が本書を執筆している時点では本書の出版は未来の出来事であり、現在の出来事でも過去の出来事でもない。また、読者が本書を読んでいる時点では本書の出版は過去の出来事なわけであり、したがって、本書の出版は未来の出来事ではないし現在の出来事でもない（前提4より）。もっとも、前章までの議論から、そもそも前提2に疑いを抱くかもしれないが、議論をさきに進めるためにこれは受け容れたとして、では結論6にほんとうに導かれるのかという点に注目しよう（ちなみに、ネタバレをしておくと、結局は前提2を疑うしかない）。

議論2—2の要点は、「時間が流れるならば、ある特定の出来事は未来であり現在であり過去であるということになるが、ある出来事が（たとえば）現在の出来事であるならば、それは過去の出来事でも未来の出来事でもないのだから、矛盾であるので時間は流れない」ということである。これに対して、「現在の出来事は、未来の出来事**であった**のであり、過去の出来事**になるだろう**、なのだからここには矛盾なんてないのではないか？」と言うかもしれない。

しかし、「であった」や「になるだろう」という時制を用いているが、これは言い換えると「いま現在の出来事であるような出来事は、過去において未来の出来事であり、未来において過去の出来事である」ということである。つまり、議論2—1と同様に通常の時間次元の1つ上の次元を導入しているのである。すると、これもまた議論2—1と同様に、その第二の時間次元について矛盾が構成できる。

たとえば本書の出版を考えてみよう。現在（あなたが本書を読んでいるこの瞬間）からすると本書の出版は過去の出来事であるが、過去（あなたが本書を読んでいるより前の時点——それゆえ、「出版前」も「出版時」も「出版後にあなたが本書を読むまでの期間」も、あなたがこの文章を読んでいる時点からみると過去である）において本書の出版は「未来の出来事であり、現在の出来事であり、過去の出来事でもあった」はずだ。それゆえ、やはり矛盾する。

ここで、いま（この読書の瞬間、仮に２０２４年12月としよう）からすると同じ「過去」であっても「２０２３年12月には本書の出版は未来の出来事であったが、２０２４年5月には現在の出来事であり、２０２４年9月には過去の出来事である」と具体的な時点を導入すればよいのではないかと思われるかもしれない。つまり、マクタガートの考えている時間モデル（これがそもそもあまり明確ではないが）が特殊なのであって、動くスポットライト説や成長ブロック宇宙説であれば回避可能なのではないだろうか。しかし、「２０２３年12月には」とはどういうことだろうか？　それはつまり「２０２３年12月が現在であるとき」ということではないか。そして２０２３年12月が現在のときはすなわち（この読書の瞬間からすると）過去である。

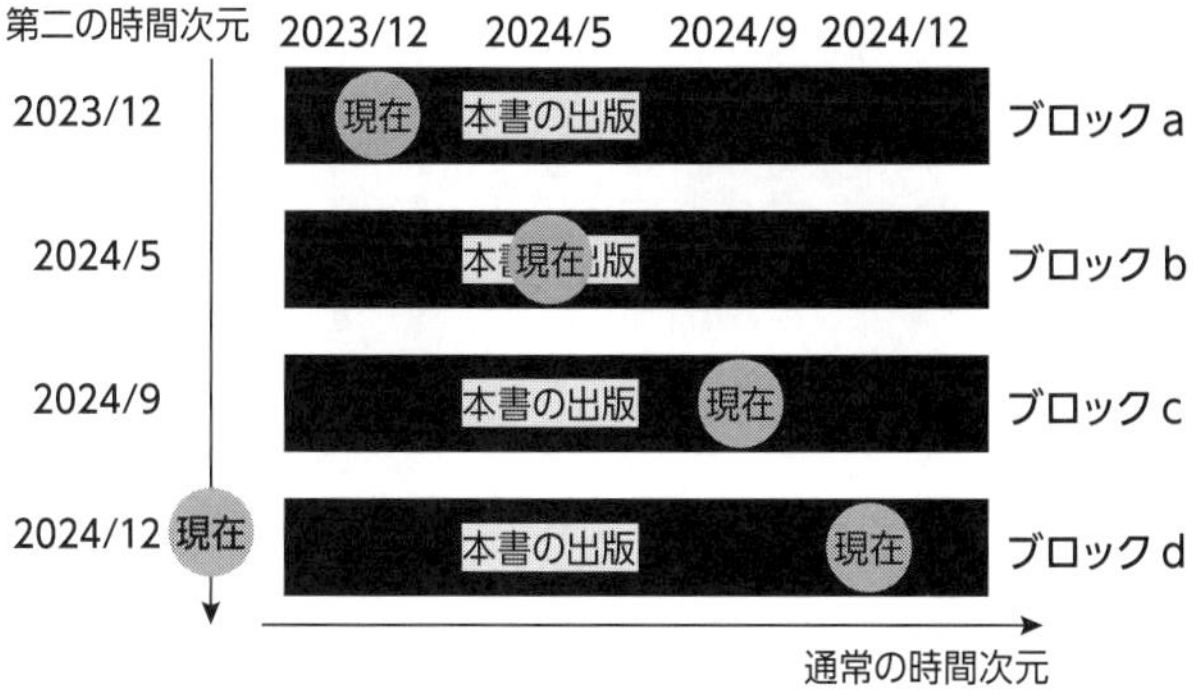

図2－3　日付を導入しても解決しない

動くスポットライト説を使って図示するとわかりやすいだろう（図2－3）。あなたが本書を読んでいるこの瞬間（2024年12月）からすると2023年12月は過去であったはずだから「2023年12月は過去において現在であった」わけである。そしてこの「」内に現れる「過去」と「現在」はそれぞれ異なる時間軸に属する。それゆえ、時点による語りを導入することで矛盾が回避できるようにみえるが、結局は第二の時間次元を導入しているに過ぎない。[注3]つまり、「2023年12月からみると本書の出版は未来の出来事であった」とは「本書の出版が未来の出来事であったのは第二の時間次元で過去の出来事である」と言っているに過ぎない（図2－3のブロックa）。

それゆえ、「本書の出版が未来の出来事であったのは〈現在の出来事であり、過去の出来事である〉」と矛盾を構成することができる。つまり、図2-3において、ブロック宇宙aは第二の時間次元（縦軸）において現在であり、過去である（図2-3はその中の「過去である」場合のみ描かれている）。繰り返しになるが、〈　〉に「どの時点（具体的な年月日）で」を入れてみても問題は解決しない。

もうすこし別の言いかたをすると、図2-3において、ブロック宇宙a、b、c、dはそれぞれお互いに相容れない（同じ出来事が過去であり現在であり未来であるということになるから――もしくは「絶対的現在」が複数あることになるから）。それが矛盾しないようにするためには、図2-3のように、あたかもそれぞれが別々のブロック宇宙であるかのように考えるしかないが、そのためには第二の時間次元を導入する必要がある。だが、第二の時間次元まで入れたより高次なブロック宇宙（五次元ブロック宇宙）に対して同じ議論が適用でき、互いに相容れない複数の高次のブロック宇宙が存在することになる。それを解消するためにはさらに高次の（つまり第三の時間次元を入れた）ブロック宇宙が必要となるのである。いまわかりやすさのために動くスポットライト説を用いたが、成長ブロック宇宙説でも、「未来である」がなくなるだけで同じ出来事が「過去でかつ現在」という矛盾が生じる（現在である出来事は近い過去となりやがて遠い過去となる）。

現在主義では解決可能か

一方で、現在主義をとると議論2―1を回避したのと同様にしてこの議論2―2も回避できるように思える。なぜなら現在主義では、未来であった出来事が現在となり過去となることが変化だったり時間経過だったりするのではないからだ。たとえば、1人の人間に注目したとき、幼児であった**その人が**成人し、そして老人となり死んでいくことが変化であり、時間経過なのである。それゆえ、「〈太郎が18歳であること〉が未来の出来事であり現在の出来事であり過去の出来事である」ということが時間経過なのではない。

だが、そもそも現在主義は「時間の経過」をうまく記述するモデルなのだろうか？　というのも、「モノの性質が変化していることをどのように保証するのか」という問題があるからだ。「性質が変化している」と言うためには、いま注目しているモノの現在の性質と過去の性質を比較しなければならない。しかし過去が存在していない以上、形而上学的に言っても（いわば神さまの視点に立ったとしても）、そのモノの過去の性質と現在の性質を比較することができない。

強調しておきたいのは、ここで言っているのは、経験的に過去の性質を実証することが不可能であるということではない（たとえば、有名なラッセルの「世界五分前創造説」は認識論的な話であり、今している話とは関係がない）。それはどの時間モデルに立っても同じである（どの時間モデルを採用しても私たち人間には過去を直接知覚することはできないから――そもそもどの時間モデルを採用するかで経験的な違いが出るならそれは形而上学の問題ではなく自然科学の問題である）。

そうではなくて、「かりに現在主義が正しいとして、神さまの立場に立ったとしても〈過去が存在した、それゆえ時間が流れている〉ということを言えない」という話をしている。成長ブロック宇宙説や動くスポットライト説であれば過去が存在しているので、神さまの立場に立てばその存在している過去と現在を比べることで変化があることが保証され、かつ時間が流れている（絶対的現在が移動している）ことも保証される（超時間の存在が要求されることにはとりあえず目をつぶろう）。しかし、現在主義では、たとえ神さまでもそれができないのである（神さまにとっても現在しか存在していないのだから）。

現在主義を支持する研究者のなかには「現在にあるモノはそのモノの過去の性質を現在もっている」という立場をとる人もいる。つまり、たとえば老人は若者であったときの性質を「過去の性質として」現在もっているのである。たとえば、現在は白髪の老人であっても「過去に黒髪であった」という性質をその老人は現在においてももっている。

だが、その「過去の性質」とされているものがほんとうに過去の性質であるかどうかを（たんに経験的にではなく形而上学的にであっても――つまりたとえ神さまであっても）知ることはできない。言い換えれば、現在にあるモノはまったく変化していないのかもしれない。時間は流れておらず、なにものもまったく変化せず、この世界はこの状態で「凍っている」のかもしれない。

過去の記憶は過去がなくても存在し得るし、時間が流れているという感覚も時間が流れていなくても存在し得るだろう（最後についてはほんとうかどうか問題であるが）。同様に、あるモノXの「過去の性質」も過去がなかったとしても現在のXがもつことができるだろう（この時点では因果が実在することも保証されていない以上、それを根拠にできない）。「いや、ここで想定しているのは過去がなければもてないような性質なのだ」と言ったところで、なぜ過去がなければそのような性質をもてないのかが説明できなければならない（そもそもそのような性質をもつということ自体、どのように論証できるのか？）。「それは形而上学的原理だ」と答えるのはひとつの回答である。しかし自然科学における原理と同様、たんに目の前の反証事例を処理するだけではなく、その原理を設定することでそのほかの独立と思われるような問題も解決できるようなものでなければ説得力はない。

このような、いまの問題だけに対処するような解決を**「アドホックな解決」**という。もちろん、アドホックな解決だから正解ではないとは限らない。はじめはアドホックでしかなくても、のちにさまざまな問題に応用可能であることがわかるかもしれない。それゆえ、アドホックというだけで否定はできないかもしれないが、しかしすくなくとも現時点では説得力に欠けるのはまちがいない。

因果的力能説

この問題のひとつの解決法は**「因果的力能説」**というものを取り入れることである。つまり、さきほど括弧内で「因果が実在することも保証されていない」と述べたが、これを認めようということである。

哲学では近代以降、因果概念はほかの概念に還元できる概念として、特に、複数の出来事のあいだに成り立つ「関係」として捉えられてきた。どういうことか?

たとえ話をしよう。たとえば、アニメ映画のなかで登場キャラの太郎が次郎を殴って次郎が倒れたとき、私たち観客は「太郎が次郎を殴ったから次郎が倒れた」と、「太郎が次郎を殴ったこと」と「次郎が倒れたこと」のあいだに因果関係をみるだろう。だが実際は(アニメなのだから)、「太郎が次郎を殴ったこと」が「次郎が倒れたこと」を「生み出した」わけではない。「太郎が次郎を殴った」コマと「次郎が倒れた」コマは別々に独立に存在している。

もしかしたら、この世界もそのようなものかもしれない。つまり、それぞれの出来事は独立に〈ただある〉のにもかかわらず、それらのあいだになんらかの関係を私たちが見出して、それを「因果関係」と呼んでいるだけかもしれない（客観的にそのような因果関係なるものが世界にあるわけではない）。

詳細は省くが、「では、ある出来事と別のある出来事のあいだにどのような関係があるときに、それを〈因果関係〉と呼んでいるのか」という問題は、18世紀のイギリスの哲学者デイヴィッド・ヒューム以降、現在に至るまでさまざまな提案がなされてきた。だが、これといった決定打がないのが実情である。[注4]

たとえば、「ある特定のタイプの出来事Cに空間的に隣接して、つねに別の特定のタイプの出来事Eが時間的に後続して生じている（〈モノを叩くと音が出る〉など）ならば、E（音が出る）の原因はC（モノを叩く）である」という考えかたは、共通原因の存在によって否定される。すなわち、たとえば気圧計の急激な低下に伴って天候が荒れるが、気圧計の急激な低下が天候の荒れの原因なのではなく、強い低気圧の接近がそれらの共通の原因なのである。また、「現実に出来事cとeが生じて、かつ〈もしcが生じなかったならばeも生じなかっただろう〉が真であるならば、cはeの原因である」という考えかた（反事実条件文による因果概念の分析）も、これはわりと直観にもよく合いそうだが、しかし問題点が指摘されている（第5章でその問題点の1つに言及する）。

そこで近年は、因果「関係」を考えるのではなく（そして、因果概念の実在を否定するのではなく）、「モノや行為が因果的力能（因果的な能力、パワー）をもつ」という考えが一部の哲学者に支持されている。この考えかた自体はアリストテレスなど古代哲学者がすでに提案していたものである（むしろヒュームはこの考えかたを批判した）。すなわち、可燃性の物質Xが燃えるのは、「火がXを燃やす能力をもっている」もしくは「Xは燃える能力をもっている」ということである。そして因果的力能をもっていることは、かりに現実にはXが燃やされたことがなくとも、「もしXに火をつけたら燃えるだろう」が成り立っていることである。

そもそも私たちがなにかを知覚できるのは知覚されるモノにそのような因果的力能が備わっているからである（と、因果的力能説の支持者は考える）。つまり、モノが私たちの知覚器官に因果的に働きかけることによって、私たちはそれを知覚している。あるモノが硬いとか、四角いなどという性質をもつとは、そのモノが私たちに対してそれを硬いとか四角いとかと知覚させるような力をもっているということだ。[注5] モノの性質のなかには私たちが直接知覚できないものもあるが、検出装置などで検出できるなら、そういう検出装置に検出されるような因果的力能をもっているのである。

ともかく、この因果的力能説は異なる2つの時点における出来事の関係性で因果概念を説明しようとするのではなく、モノや行為の能力として因果概念を解明しようとするので、異なる2つの時点での出来事を比較する必要がない（このことは、「現在」という1つの時点しか存在を認めない現在主義にとってはありがたいことである）[注6]。

そして、因果的力能とはまさに変化を引き起こす能力であるのだから、世界は凍っておらず、世界に存在するモノたちの因果的力能によって変化しているのである。変化することが時間が流れることであるならば、時間は因果と独立にあるのではなく、時間そのものもモノたちの因果的力能により存在するようになったとも言えるかもしれない。すなわち、ここでもっとも原始的な概念（ほかの概念に還元できないような概念）は因果概念であり、因果により変化、そして時間は生み出される、言い換えると、時間および変化という概念は因果概念に還元できるのである。

もちろんこのような解決も、前節の解決（現在のモノが過去時制の性質を現在もっている）に対する批判と同様の批判（現在主義をとるならば「過去に現在の状態を生み出す力能をもったモノがあった」と言える保証がないのではないか）が可能ではないかと思うかもしれない。しかし、ここでのポイントは、因果的力能説は時間論とは別に発展させられたものであるから、この理論で別分野である時間論の問題を解くことはそれなりの説得力をもつだろうということだ（アドホックな解決ではない）。

また、因果的力能説は前節で批判された解決を根拠づけることができる。つまり、あるモノXの状態がS_1であったならt秒後にそのモノの状態がS_2になるとしよう(「Xの状態S_1はt秒後にXの状態をS_2にする因果的力能をもつ」)。すると、現在のXの状態がS_2であるならば、「Xは〈t秒前には状態S_1であった〉という性質を現在においてもっている」とも言えるということだ。たとえば、人間が「乳児である」という状態は18年後に「成人である」という状態にする因果的力能をもつ。それゆえ、いま成人を迎えた太郎は、18年前に乳児であったと言える。

というわけで、次に、因果的力能をもち出すのはアドホックではないということを示すために、いまの問題以外への因果的力能説の適用例を述べておこう。以下、次々節最後から2つ目の段落(96頁)まで、急ぐ人は飛ばしてもよい。

静的時間モデルと自然法則

自然科学は自然法則の実在を前提としている。そのこと自体は、自然科学という「ゲーム」をする際の大前提である。しかし「自然現象が自然法則に従っている」とはいったいどういう意味なのだろうか?

もし静的時間モデルが正しいとすると、時間軸上の出来事は空間上に規則正しく並んでいるモノとなんら変わりない。たとえば、いま紙面上に1、3、5、7、9、11という数字が並んでいるとしよう。この数字は観測した範囲内では奇数が小さい順で規則正しく並んでいる。だがそのことは、1がそれに続く3を、3がそれに続く5を因果的に生み出していることを示しているわけではない。

静的時間モデルが正しいとすると、時間軸上に並んでいる出来事は、空間上に偶然的に規則正しく並んでいる数列と同じことになるのではないか？　私たちが「手を叩いてそれによって音が出る」と述べていることは、たんに時間軸上に「手を叩く」という出来事と「(手を叩いた空間位置から)音が出る」という出来事が隣り合って並んでいるだけで、そして同じタイプの出来事どうし(「なにかを叩く」「そのなにかを叩いた位置から音が出る」)がこれまでの観測した範囲内でつねに時間的に隣接しているというだけではないか？なぜなら、時空を超えた神さまからみると、時間軸上の出来事の並びは、まさに私たちが空間上の偶然的なモノの並びに規則をみるのと同じで、神さまは、先行する出来事が後続する出来事を「生み出す」過程をみるわけではないからだ。同じことの繰り返しになるが、ただそこに「すでに」ある出来事の並びだけがみえる。これらが規則正しく並んでいるのがなぜかは謎である。

私たちが空間上に規則正しく並んでいるモノをみたとき、それは偶然に並んでいる場合もあるが、「だれか」がある規則に従ってそれを並べたのかもしれない（アニメの例を思い出そう）。しかし、自然現象の場合、自然法則なるものが実在するとしても（そして「なぜ自然法則が存在するのか」「なぜそのような自然法則が成り立つのか」という疑問は置いておいても）、いったいだれがあらゆる出来事を時間軸上になんらかの規則（自然法則）に従って並べたのだろうか？　いったい、なぜ自然現象は自然法則に従って時間軸上に並んでいるのだろうか？　静的時間モデルではこの問題が解けないように思える。

因果的力能説と自然法則

一方で因果的力能説が正しいならば、自然に動的時間モデルをとることになると思うが、これは先行する出来事が後続する出来事を、自然法則に従って因果的に生み出しているのである。[注7]「すべての物質は、ほかの物質を、互いの質量に比例し距離の自乗に反比例する力で引きつける能力がある」「すべての物質は外力がなければ等速直線運動を続ける能力がある」などなどである。このように考えることで自然が自然法則に従っていることが説明される。ただし、ある特定のモノや出来事が別のある特定の出来事を必然的に生み出すわけではない――あくまで「傾向性」である（あとで説明する）。

もちろん、「そうだとすれば」ということで「そもそもそうである保証はどこにもないではないか」と言うかもしれない。それはそうなのだが、因果的力能説がもつのは科学的説明能力ではなく形而上学的な説明能力である。つまり、もしそうであるとすれば、「なぜ自然現象が自然法則に従っているようにみえるのか」ということが説明できるということだ。

すなわち、空間上のモノたちの並びに規則を見出すことができることがある（しかしそれはだれかが意図的に並べたのでなければ偶然）のとは違い、時間軸上の出来事の並びに規則性が見出されるのは偶然ではなく、そのような自然法則に従った因果的力能をモノたちがもつ限り、必然なのである（ここで「必然である」と言っているのは「規則性があること」であり、その規則性自体はさきに述べたように確率的なものでもよい）。

そして、すでに述べたが、因果的力能説が正しいとすると、このようにモノたちの因果的力能が変化を生み出し、それがまさに「時間が流れる」ということだと考えることができるだろう（モノたちに因果的力能があるから時間が流れる）。逆に言うと、因果的力能説が正しいならば、静的時間モデルが正しいとは思えない（この辺りにほんとうに論理的な結びつきがあるのかはよく検討するべきだが）。そうだとすると、因果的力能説は、私たちがなぜ自然に法則性を見出すのかだけではなく、動的時間モデルのもつ説明能力もそのまま受け継ぐことができるということになる。

さらに、二項関係に頼らない因果概念の分析は、たとえば、放射性物質の崩壊のような自発的で確率的な現象にも適用できる。つまり、ある放射性物質Rが時刻tで崩壊したとき、因果的力能説なら、「Rはある特定の確率で崩壊する力能をもっているからだ」と説明できる。それゆえ、紙幅の関係で本書ではこれ以上は詳論しないが、因果的力能説を用いると、量子力学に現れる確率をうまく解釈できるという利点もある。つまり、因果的力能説はアドホックな理論ではないということであり、これが因果的力能説の説明能力を説得力のあるものにしてくれる。

因果的力能説の話ばかりして本題からずいぶんと話が逸《そ》れてしまった。本筋に戻ってここまでをまとめると、動的時間モデルにおいて、成長ブロック宇宙説や動くスポットライト説では議論2―1や2―2で示されたパラドクスを解くことは難しい（もちろん、それぞれの支持者からはいろいろな提案がなされてはいる）。現在主義では可能なように思えるが、現在主義そのものに潜む問題がある。その1つが、過去や未来が存在しないとすることで、経験的にだけではなく形而上学的にも変化を語ることができないという問題である。ただし、これについては2つ前の節で述べたように因果的力能の理論を認めることで解決可能かもしれない。

つまり、「現在主義をとれば、議論2―1や2―2のパラドクスは解けるだろう」というのを一応の結論としよう。ただし、現在主義は、相対性理論との整合性の問題もあるし、本書では詳論しないがほかにも多くの哲学的問題を抱えている。[注8] 以下では話を変えて、今度は静的時間モデルに対する批判的な議論を紹介しておこう。

静的時間モデルへの批判

第1〜3章では時間を扱うが、それを読むと私自身が静的時間モデルの支持者であることを割り引いても動的時間モデルは論理的に擁護が難しい――すくなくとも積極的に支持するのが難しい立場であるように読者の目には映るだろう。しかし実際には時間論の研究者には動的時間モデルの支持者がすくなくない。もっとも不利だからこそそれを擁護する論文が多く出るというだけのことかもしれない。なぜなら、一般に不利だとみなされている立場を説得的に擁護できるならばその論文の学術的価値は高いからだ（逆に言えば、すでに有利な立場を擁護する論文を書いても仕方がないので必然的にそのような立場に立つ論文はすくなくなる――この話は近年、自然科学で問題となっている「再現性の危機」の話にもかかわるが、それはまたの機会に……）。

それはともかく、そのような事実が示すことは、動的時間モデルも哲学的にはすくなくとも完全には否定し切れるものでもないということだ。そこで、ここでは動的時間モデルが静的時間モデルに比べて有利な点について述べよう（さきの因果的力能説が適用できる点もメリットかもしれないが、それがどれほど一般読者にとって魅力的なのか不明なのでほかのメリットを挙げることは意味のあることだろう）。すなわち、「動的時間モデルは私たちの時間的に非対称な態度を説明できるが、（四次元主義的）静的時間モデルにはそれが難しい」という点である。次のような例を考えよう。

> あなたには古傷があり、その傷は天気の悪い日にひどく痛みます。2024年6月15日現在の天気予報によると明日（16日）は1日中雨です。あなたは明日にまた古傷が痛むのを想像して憂鬱な気分になります。

　だが、もし四次元主義と静的時間モデル（以下ではわざわざ「四次元主義と静的時間モデル」と書かずに、たんに「静的時間モデル」と書く）が正しいのならば、なぜあなたは憂鬱になる必要があるのだろうか？　あなたは時間的にも広がりをもった四次元的存在者であり、天気予報をみている6月15日のあなたと明日（16日）のあなたはそれぞれ異なる時間的部分であり、16日のあなたの時間的部分が苦しんだとしても15日のあなたの時間的部分にはなんの影響もない（各時間的部分はある意味で独立した意識をもっているのだから）。つまり、いま天気予報をみているまだ傷が痛んでいないあなたと**同一の**あなたが明日になれば傷が痛んで苦しむのではない。それゆえ、15日のあなたの時間的部分は痛みを「経験」することはない。すくなくとも静的時間論を本気で信じているならば、そのような感情は「自身の信念と整合的ではない」という意味で合理的な感情ではない。

それに対して、静的時間論者側は次のように反論するかもしれない。すなわち、「異なる部分ではあっても、四次元的に（全体的に）みると同じ自分の一部分が苦しむのを考えると憂鬱になるのは自然であり、（静的時間論者が憂鬱になっても）不合理ではない」というように。

静的時間モデルと時間的に非対称な態度

だが、この静的時間論者の反論を受け容れたとしても、やはり問題がある。次のような思考実験をしてみよう（図2－4）。

あなたは入院していて手術を受ける予定です。この手術では麻酔を受けることができず、激しい苦痛が伴うことがわかっています。また手術後、手術中の苦痛を忘れられるようにと、丸1日分の記憶を失う薬を処方されます。この手術はけっして失敗せずそのことをあなたも理解し信じています。さて、あなたは病院で目が覚めましたが、手術が済んでいた

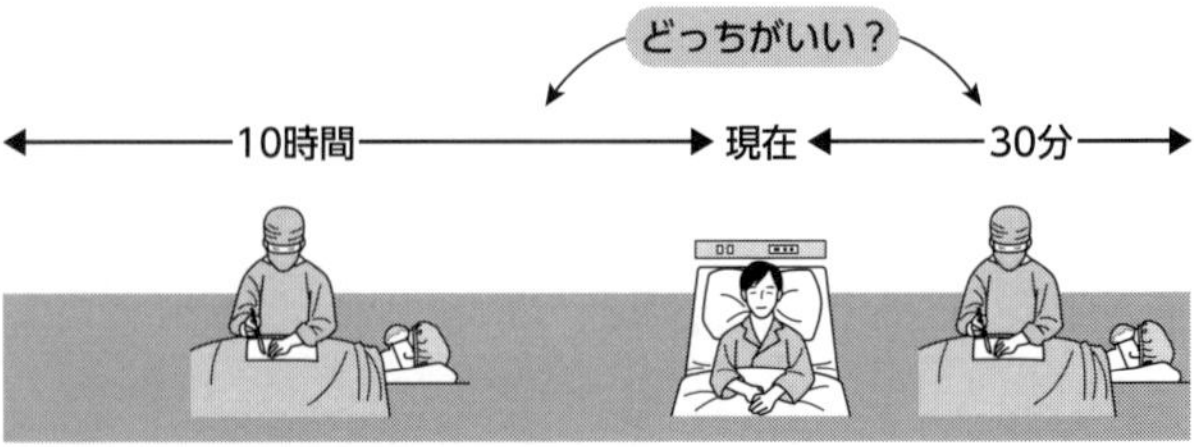

図２－４　どちらの手術のほうがよい？

のだとしても記憶を失う薬を服用しているので、その時点ですでに手術が済んだのかこれからなのかはわかりません。そこで、そばにいた看護師に聞いてみました。すると、じつはこの病院には同じ手術を受ける患者がもう1人いてどちらかの手術はすでに終わったのですが、どちらがどちらであったかはすぐにはわからない、と看護師は答えます。また、すでに終わった手術は10時間に及ぶ手術で、つまり当該の患者は10時間のあいだ激しい苦痛に耐えなければなりませんでしたが、これから行われる手術は30分程度で済むことがわかっているとも教えてくれました（まあ苦痛に満ちた30分もけっこう長いけれど……）。

つまり、あなたの手術がすでに終わったものならばあなたは10時間に及ぶ苦痛に満ちた手術を受けたのであり、あなたの手術がまだならばあなたは苦痛ではあるが30分で済む手術をこれから受けるのである。看護師はあなたの手術がもう終わったのかこれからなのかを確かめに行った。このとき、戻ってきた看護師の報告がどちらであることをあなたは期待するだろうか？

もしあなたが静的時間モデルの支持者であるならば、これから30分の手術があるほうを期待することが合理的なはずだ。なぜなら、かりにあなたがあなたのほかの時間的部分の苦痛について気を遣うとしても、それならば、10時間に及ぶ手術よりも30分の手術で済むほうがあなたのほかの時間的部分が被る苦痛はすくないはずだからである。しかし実際のところ、静的時間モデルの支持者であっても、すでに10時間の手術を終えたという報告を期待するだろう（私は静的時間モデルの支持者だが、正直、嫌なことはすでに終わっているほうがいい——もっともたんに私が合理的でないだけかもしれないが）。

こうした問題を静的時間モデルで説明するのは難しい。言い換えると、もし静的時間モデルが正しいのであれば（そしてそれを信じるのであれば）、私たちのこうした時間的に非対称的な態度は非合理的であり、すでに成功した10時間にも及ぶ辛い手術があったことよりも30分で済む辛い手術がこれからあることのほうを歓迎すべきなのである。もちろん、実際に人間というのは非合理的な生き物だという反論はあり得る（そして人間が非合理的だということを示す心理学的な実験結果は多くある）。

だが、それでは私たちが死を恐れるのはなぜだろうか？　動的時間モデルならば、いま全体として満足した生を送っている人は、死ぬことでその満足した生を「失う」のだから、それはその人にとって悪いことであり、したがって、それをその人が恐れるのは合理的であると言えそうだ。しかし静的時間モデルの場合、生まれる前と死んだ後は対称的なので死がその人にとって悪い出来事であるならば、生まれていなかったこともその人にとって悪い出来事であったと言えることになる。このことも、実際にそうなのであり、死だけを悪いことだと感じるのは人間が非合理的だからだということになるのだろうか。

もちろん、進化論的には、だからといって死を恐れないような生き物は滅びるであろう。同様に、未来に待ち受ける不快な出来事を、すでに終わったもっと不快な出来事よりも忌避するほうが進化論的には正しいだろう。だが、そのような進化論的説明のみが正しいのならば、私たちが未来の不快な出来事を過去の不快な出来事よりも忌避するのは、あくまで私たちに生物学的にビルトインされた感情であるだけで（結果的に「進化論的に」合理的な選択だというだけで）、やはり、もし静的時間モデルを支持するならば、信念と整合的な合理的な選択ではないということになる。[注9]

ところで、ほんとうに死は、たとえその人が現在十分に満足した生を送っていたとしても、その人にとって悪いことなのかという問いは現在盛んに議論されていることである。その議論についてはまた第4章でとりあげる。

さて以上のようにして、動的時間モデル（でかつ三次元主義）によると、どのような意味であれ、時間は過去から未来へと流れているのだから、私たちが過去の苦痛を気にかけず未来の苦痛を気にかけるのはなにもおかしくはない（過去の苦痛はもう経験し終えているが、未来の苦痛はこれから経験する）し、過去の非存在は恐れずに未来の非存在を恐れるのもおかしくはない、と非常に簡潔に説明できそうに思える。ただ、さきほど「動的時間モデルにとって有利な点」と言っておいてなんだが、じつは動的時間モデルによってもそう単純に私たちの時間に対するこの非対称的な態度を説明できないということを次章では示すことにしよう。

現在の私と過去／未来の私

では、「静的時間モデル vs.動的時間モデル」という構図を離れて、三次元主義と四次元主義ではどちらが私たちの直観に合っているだろうか？「もちろん三次元主義やん」と思われるかもしれない。じっさい、四次元主義は私たちの直観と合わない（私たちの直観を説明できない）という観点から批判されることも多い。

しかしそうでもないということを、「現在の私」と「過去／未来の私」の同一性に焦点をあてながら以下で議論しよう。三次元主義では、現在の私と過去や未来の私は同一であった。[注10] ところが四次元主義では現在の私と過去や未来の私は、同一の四次元的個体の異なる時間的部分である。そして、私たちは過去や未来の私に対してしばしば他者のように振る舞うことがわかっている――つまり、私たちは自分を四次元的個体と捉えている。

たとえば、今すぐに1万円をもらえるのと、1年後に1万5000円もらえるのとどちらがよいかを尋ねると、多くの人は前者を選ぶという。このような現象を「時間割引」と言い、さまざまな実験で確かめられている。しかしこの実験結果をどう解釈するかは問題で、たんに「1年後に1万5000円もらえると言ってもほんとうにもらえるかどうかわからない」という不確定な未来への心理があるのかもしれない(いくら「絶対に確実にもらえるという想定です」と言ったとしても被験者はそう考えてしまう可能性はある)。だが、「私たちは未来の自分を他人だとみなすから」という解釈も成り立つだろう。つまり、未来の自分は他人なのだから、それが得をしても仕方がないというわけだ。

このことをハル・ハーシュフィールドは以下のようにして実験的に検証した[注11]。被験者が未来の自分を思い浮かべたときの脳の状態と現在の自分を思い浮かべたときの脳の状態を観測したうえで、上記の時間割引の実験を行う。すると、これらの脳状態の違いが大きいほど時間割引が大きかったという(なお、現在の自分と未来の自分を思い浮かべたときの脳状態が違う場合、他者を思い浮かべたときの脳状態が未来の自分を思い浮かべたときの脳状態に近いことも確かめられている)。それゆえ、時間割引現象は、私たちが未来の自分を他者と同様に考えるから生じると言える。

このことはさらに、私たちの寿命が延びていっているのにもかかわらず、未来の自分のために貯蓄をすることがなかなかできないこととも関連する（とハーシュフィールドらは主張する）。未来の自分を他者と同様に扱うなら、貯蓄へのモチベーションが低下するからだ。言い換えると、貯蓄が苦手な人ほど未来の自分を他者とみなしているのかもしれない。こうした事実から、じつは私たち（の多く）は直観的には四次元主義者だと言えるかもしれない。

前節の手術の例でも、近い未来であればたしかに痛い目にあうのは嫌だが、たとえば手術が1年後とかになるとそれほど嫌ではなくなるだろう（もちろん、もうすでにその手術が終わったというほうがいいが――ただ、これは時間が過去から未来に流れている、という直観に基づく話、つまり静的時間モデルか動的時間モデルかの話であり、三次元主義的か四次元主義的かとは違う）。

ナラティブ説は直観的か

「自分とはなにか」を考えるときに、過去に自分がしてきたこと、そしてこれから自分がするであろうことを含めた全体が「自分／自己」であるという考えかたがある。そして、人生の各時点における出来事や自身の行為を人生という「物語」全体のなかで意義づけるのである**（ナラティブ説／物語説）**。つまり、この自分は、自分の人生を通して同一であるので、（ナラティブ説をとる人が明示的にこのように主張しているかは私は知らないが）三次元主義的に捉えているということになるだろう。

しかし、ゲーレン・ストローソンなどは、自分自身が過去（未来）にいた（いるだろう）という感覚が（彼自身には）ないと主張する。それゆえ、自己を物語として捉える考えかたに反発する。上記の実験結果を踏まえると、ストローソンのような感覚をもつ人はすくなくないと思われる。私自身も正直、老後の蓄えなどについて考えるのが苦手で妻から怒られるのだが、もしかしたら未来の自分を他者とみなしているからかもしれない（ただ「どうせやらなくてはならないこと」はさっさと済ませようとするので、その点は未来の自分も自分とみなしているのかもしれない――未来の自分がしんどくないように配慮している）。また、過去の失敗についてもあまり気にしないし、他者から被害を受けてもそのときは当然腹が立つがわりとすぐにどうでもよくなるタチなのだが、これもそういった理由からかもしれない（ストローソンは「復讐文化」は過去の自分を自分とみなす傾向が強い文化にみられるという）。

それゆえ、過去や未来の私が現在の私と同一であるとする三次元主義的な考えかたのほうが一見直観的なようであるが、じつは（過去や未来の私を現在の私とは異なるとみなす）四次元主義のほうが私たち（の多く）の直観に合うのかもしれない。そうだとすると、現在主義の大きな利点は直観とよく合うことにあったが、三次元主義をとるかぎりにおいては現在主義はさほど直観的ではないのかもしれない。もっとも、現在主義でも四次元主義をとることが可能だという論者はいる（が、やや苦しいと思う）。

ただ、そうはいっても、それは「遠い」過去の私であったり「遠い」未来の私であったりの話で、直近の同一性についてはやはり四次元主義は反直観的なのではないだろうか？たとえば、私はある時点t_1でお腹が減って空腹を満たそうと思う。そしてその空腹を満たすという目的のために時点t_2で料理をして、時点t_3でその料理したものを食べるわけだが、四次元主義が正しいとすると、料理をする私やそれを食べる私は、空腹を満たしたいと思った私とは異なる。つまり、私は時点t_1の私の空腹を満たすために料理をしたのに、空腹が満たされるのは時点t_3の私なのである。したがって、私たちがもし四次元主義を信じているとすると、空腹の私と実際に料理を食べる私は異なるのに、なぜ料理をするのかよくわからなくなる。

「いや、かりに時点t_3の私が時点t_1の私とは違うとしても、それでも料理して食べなければ、その時点t_3（か、さらにそのさき）の私が飢えて死んでしまうやん」と言うかもしれないが、そこではすでに実在的な因果関係が想定されている。つまり、「時点t_1の私の行為が時点t_3の私の状態を因果的に生み出す」という想定である。だが、静的四次元主義をとるなら、さきに議論したように、時点t_1の私の行為が時点t_3の私の状態を因果的に生み出すわけではない。

相対性理論と動的時間モデル

というわけで、私たちの直観的態度を考えると、いかに論理的な不整合を指摘されてもなかなか動的時間モデルを否定するのは難しい。それでも、ここまで議論してきた論理的な（形而上学的な）議論のほかに、自然科学の成果からも動的時間モデルを擁護するのはやはり難しい。すなわち、相対性理論の成果である。

【議論2―3　絶対的現在は存在しない】

（1）特殊相対性理論は正しい［前提］
（2）特殊相対性理論によると絶対的な同時性はない［前提］
（3）絶対的現在が存在するならば絶対的な同時性もある［前提］
（4）絶対的現在はない（1、2、3より）

（5）絶対的現在の存在は動的時間モデルが成立するための必要条件である［前提］
（6）ゆえに動的時間モデルは成り立たない（4と5より）

なぜかは省略するが、特殊相対性理論によると、次のような結論が導かれる。いま、慣性系Sに対して等速直線運動をしている宇宙船の中央部から前方と後方に向けて同時に光を発射したとしよう。その宇宙船内部の観測者からみると、当然、光は宇宙船の前方の壁と後方の壁に同時に到着する。ところが、特殊相対性理論によると、系Sにいる観測者からみたとき、前方へ向かう光の速さも後方へ向かう光の速さも同じcであり、しかし、光が進んでいるあいだに宇宙船は前方へと進むので、その分、後方の光は前方の光が前方の壁に到着するより早く後方の壁に到着してしまう（図2－5）。つまり、**宇宙船の中の観測者からは同時である出来事が、系Sにいる観測者からは同時ではない出来事であるようにみえる**のである（ここまでの説明がわからなかった人は、この結論だけ「そういうもんか」と受け容れてもらえればよい）。そして、**どちらのみえかたが正しいということはない。**

この例において、ちょうど系Sにいる観測者と宇宙船の観測者が同じ地点に来たときに、後方の壁に光が到着したとしよう。そして、それが絶対的現在であるとする。すると、宇宙船の観測者にとっては、光が前方に到着したときも絶対的な現在である（前方と

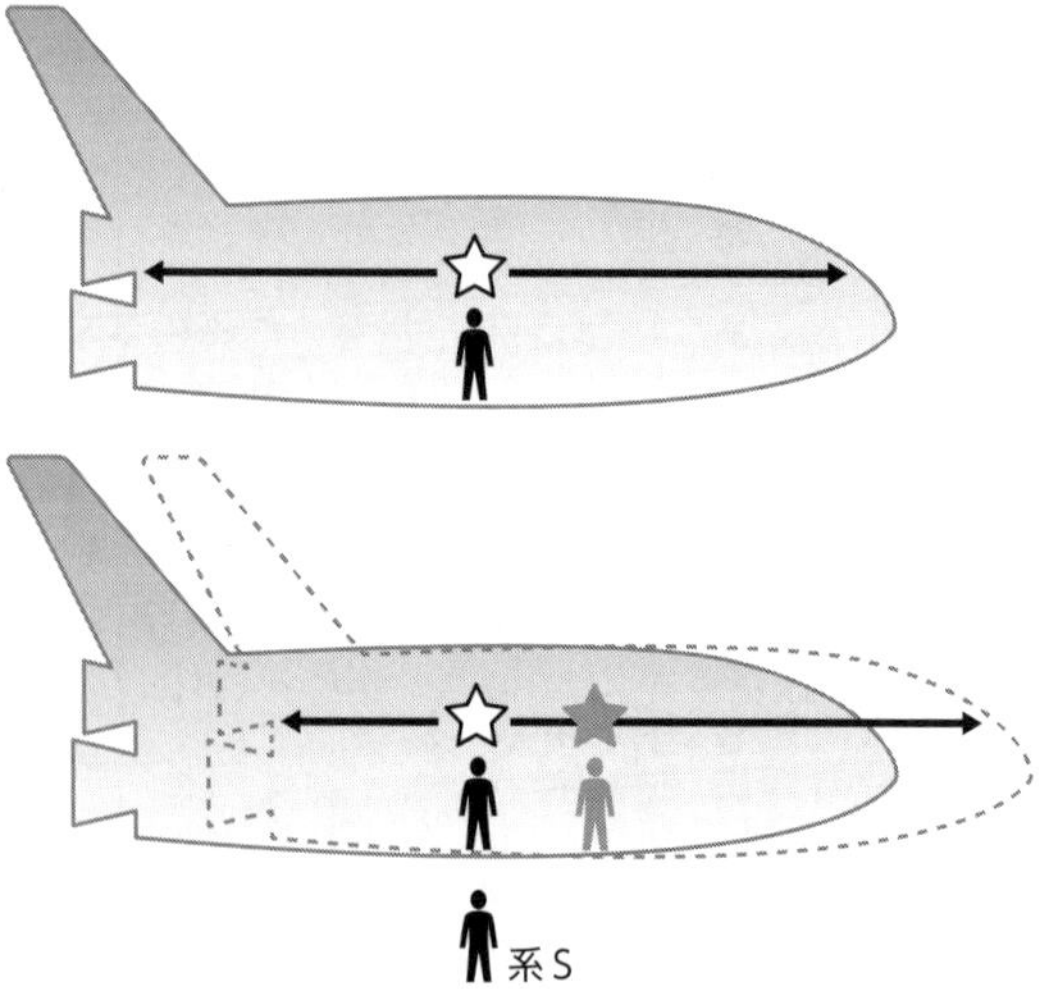

宇宙船内の観測者からは光が前方と後方に同時に到着したように
みえるが、系Sの観測者からは後方へ光が先に到着したようにみえる

図２－５　同時の相対性

後方に同時に光が到着しているから）。ところが、系Sにいる観測者からみると、このときはまだ光は前方に到着していないので、絶対的な現在において起きた出来事ではない（未来の出来事である）。つまり、同じ出来事が、観測者によって、現在に起きた出来事であったり未来の出来事であったりするということになる。

　しかし、絶対的な現在とは観測者に相対的な時点ではないのだから、この結論はおかしい。さらに、現在主義や成長ブロック宇宙説では未来は実在しないのだから、光が前方に到着するという出来事は、宇宙船内の観測者にとっては存在しているのに系Sにいる観測者にとっては存在していない出来事ということになる。

動的時間論者からの反論

これに対する動的時間論者の反論は次のようなものである。すなわち、特殊相対性理論はせいぜい「経験的に十全」なのであって、真であるとまでは言えないというものである(前提1の否定——ここで「経験的に十全」とは、現在知られている実験・観測結果をうまく説明・予言できるという意味)。もしくは、特殊相対性理論が真であるとしても、それが示しているのは経験的に絶対的同時性を決めることができないということであって、経験的にわからなくとも、絶対的同時性そして絶対的現在を決定する特権的な系があることまでが否定されたわけではない、というものである(形而上学的には絶対的同時があり得る)。つまり、前提2を否定し、正しくは「特殊相対性理論によると、絶対的な同時性を経験的に知ることはできない」となるのだということだ。

また、本書では詳論しないが「特殊相対性理論では絶対的同時性という概念は不要であるが、量子力学における非局所相関というものを考えると、絶対的同時性という概念が必要になるのではないか」と主張されることがある(しかし経験的には絶対的な系はわからない)[注12]。ただし、量子力学の「解釈」の中には、量子力学が完全な理論であることを認めても非局所性があることは認めなくともよいと考えるものもある。

私たちは時間経過を経験できない

いま、「相対性理論には絶対的同時という概念がないので、絶対的現在など存在しない、それゆえ、時間は経過しない」という議論に対する反論として「相対性理論は経験的に十全なだけで、真であるとは限らない」というものを挙げた[注13]。

しかし、もし相対性理論が経験的に十全であるならば、「時間経過」という現象は世界の物理状態になにも影響をもたらさないということになる(以下、ややこしいので先に流れを言っておくと、まず、時間経過が実在するという立場に対する「私たちは時間経過を経験できない」という批判――議論2―4を紹介し、それに対して「いや、それは物理理論のほうがおかしいのだ」という回答――議論2―5をみる)。なぜなら、時間経過が物理状態に影響を及ぼすならば、それは実験などによって検出されるはずで、そうすればそれを相対性理論は記述できなければならないからだ(経験的に十全なのだから)。

そうだとすると、時間経過は物理現象の「随伴現象」ということになる。ここで「随伴現象」とは、文字どおり、ほかの現象に伴って生じる現象のことである。つまり、「時間経過は物理現象Pの随伴現象である」とは「時間経過という現象は物理現象Pがあってはじめて存在する現象であり（かつ、つねに前者は後者に伴っており）、時間経過が物理現象に因果的に影響を与えることはない」ということである（ここでPが時間経過の原因となるのか、Pと時間経過に共通の原因がほかにあるのかは問わない——とにかく、時間経過がPにつねに「随伴」している）。

ここで、「認識主体Aがある現象Sを経験する」とは「現象Sが認識主体Aの脳状態に影響を与える」ということであるという立場をとろう。すると、時間経過が随伴現象に過ぎないならば時間経過がAの脳状態に影響を与えることはできないので、Aは時間経過を経験することはできない（時間経過が随伴している物理現象Pは経験できる——それによって私たちは「時間経過を経験している」と判断している）。すると、かりに世界に時間経過があったとしても私たちが時間経過を経験することはできないことになる。[注14] 以上を定式化しておこう。

【議論2—4　私たちは時間経過を経験できない】

（1）時間経過は現代物理学においてなんの役割も果たさない［前提］

（2）Xが現代物理学においてなんの役割も果たさないならば、Xは世界の物理状態に

なんの差異ももたらさない［前提］
（3）Xが世界の物理状態になんの差異ももたらさないならば、Xは存在しないか、なんらかの物理現象の随伴現象に過ぎない［前提］
（4）時間経過は存在しないか、なんらかの物理現象の随伴現象である（1〜3より）
（5）存在しないものが物質に因果的影響を与えることはできない［前提］
（6）随伴現象が物質に因果的影響を与えることはできない［前提］
（7）時間経過は物質に因果的影響を与えることはできない（4〜6より）
（8）Xを経験するには、Xが私たちの脳状態に影響を与えなければならない［前提］
（9）私たちは時間経過を経験できない（7と8より）

つまり、動的時間論者は、私たちが時間経過を経験していることを論拠に時間経過の実在性を論じるが、そもそも私たちは時間経過を（それがあったとしても）経験できないのだから、私たちの経験はなんの証拠にもならないということである。したがって、「相対性理論は経験的に十全なだけで、ほんとうは時間経過は世界に存在する」という反論は成り立たない……というか、もしかしたら時間経過は世界に存在するかもしれないが、したとしても、現代物理学において時間経過はなんの役割も果たさないのだから、それを経験することはできない（「私は時間経過を経験している以上、時間経過は存在するのだ」という反論は成り立たない）。

ここですこし術語を整理しておこう。「物理理論Tが経験的に十全である」ということは、「もし物理現象Pが存在するならば、TがPを記述・説明・予言できる」という意味であった。それゆえ、言い換えると、「もし物理現象Pが存在するならば、Pの存在がTでなんらかの役割を果たす」ということでもある。また、「物理現象Pが存在する」ということは「Pが世界の物理状態になんらかの差異をもたらす」ということであり、それゆえPはなんらかの方法で検出可能なはずである（現実的に可能かどうかは別として）。逆に、Pが世界の物理状態になんらかの差異をもたらす（検出可能）ならば物理現象Pが存在し、そしてPの存在がTでなんらかの役割を果たすはずだ（そうでなければTは経験的に十全とは言えない）。ただし、「非物理現象は存在しないか、存在しても物理現象に因果的影響を与えない」という前提である。

非物理現象が物理現象に因果的影響を与えるということ

本筋から外れるが、この「非物理現象は存在しないか、存在しても物理現象に因果的影響を与えない」という前提に疑問をもつ読者も多いと思うので、すこしだけこのことについて述べておこう。この節は急ぐ読者は飛ばしてもよい。

もし非物理現象が物理現象に因果的影響を与えるなら「物理学が閉じていないことになる」という問題が生じる。すなわち、物理現象が物理法則で完全には記述できないという問題である。たとえば、「非物理現象」として心的現象を例にとってみよう。もし心的現象が物理現象に因果的影響を与えるならば**（心身相互作用説）**、心的現象によって因果的影響を与えられた物理現象は物理法則によって記述できないだろう。

図2‐6aで太郎は自転車に乗って汗をかき、それによって体内の水分を失ったため喉が渇き、水を飲む。この「(1) 汗をかき体内の水分を失う→(2) 太郎の脳状態が変化する→(3) 太郎が水を飲む」という過程は物理過程である。しかし、太郎の脳が太郎に水を飲むという行為を生じさせるためには、「喉が渇いた」という物理状態に還元できない心的状態が必要であり、そのような心的状態が原因で脳が太郎に水を飲むという行為を生じさせたと考えるならば、上述の物理過程は物理法則のみで記述できないということになる（ステップ1と2のあいだに心的現象が必要）。

これに対して、図2‐6bのように、「心的状態は物理状態に随伴するだけで、心的状態は物理状態に因果的影響を与えることができない」とする立場**（随伴現象説）**もあるが、その場合、「そのような存在（心的存在者）を仮定することにどのような意味があるの

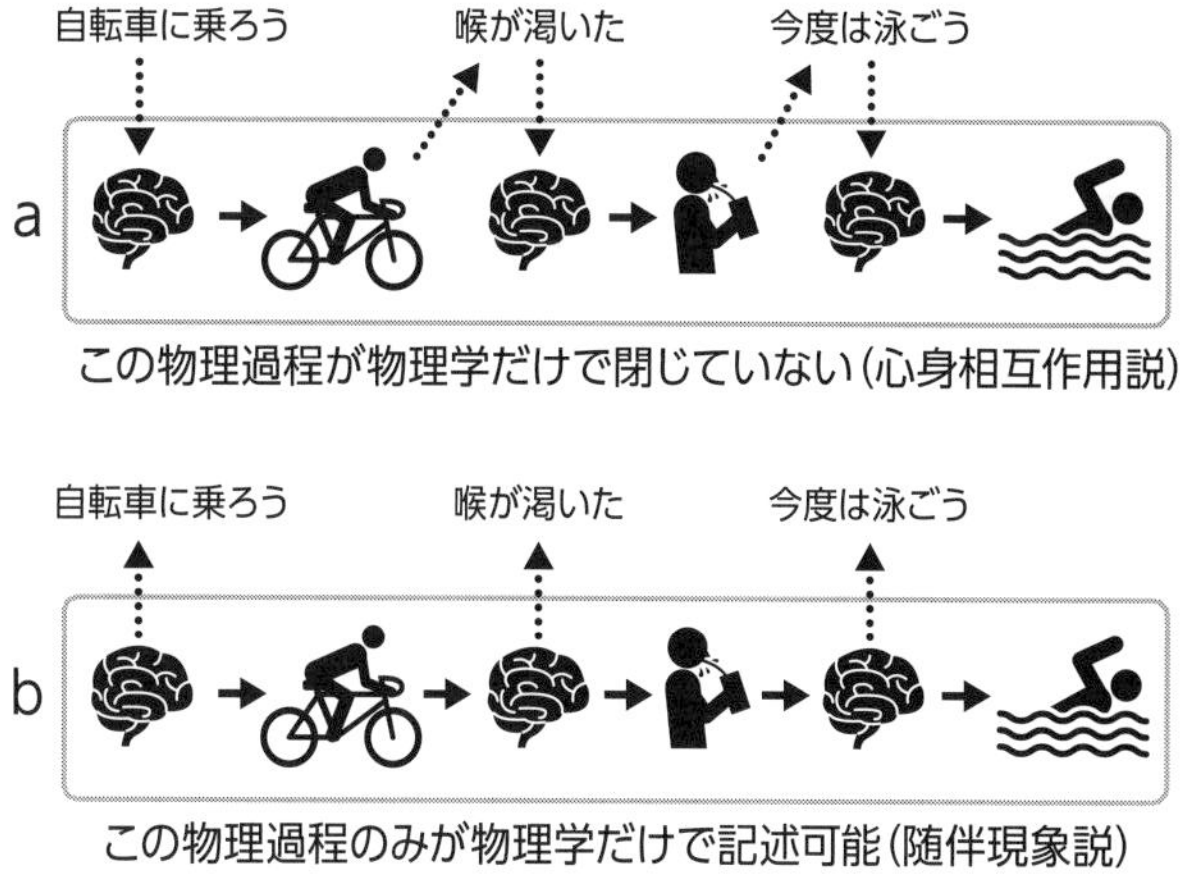
自転車に乗ろう
喉が渇いた
今度は泳ごう
a
この物理過程が物理学だけで閉じていない（心身相互作用説）
自転車に乗ろう
喉が渇いた
今度は泳ごう
b
この物理過程のみが物理学だけで記述可能（随伴現象説）

図2－6　心身相互作用説と随伴現象説

か？」という問題が生じる。なぜなら、心的存在者が物的存在者に因果的影響を与えないのならば、そのようなものはあってもなくても同じだからだ。

つまり、たとえば私がタンスの角に足の小指をぶつけて「痛い！」と叫んでうずくまっても、随伴現象説によると、このような身体的反応をするのは「痛み」という物理状態には還元できない心的状態が生じたからではない。たとえばなんらかの脳状態が、「痛み」という心的状態を引き起こすと同時にこのような身体的反応をも引き起こしているのである。ということは、この「痛い」という心的状態がなくても、私が「痛い！」と叫ぶことやうずくまることが説明できるのであり、心的状態はなんの説明上の役割も果たさないのである。それゆえ、言い換えると、他者がいくら「私はいま痛みを感じている」と訴えても、その報告はその人に痛みという感覚のあることの証拠にならない。[注15]

心身相互作用説の問題について、「物理学が閉じてなくてもええやんか」と言うこともできるが、それに伴うコストは大きい。物理法則の探究は「物理学が閉じている」という前提で行う。もし物理学が閉じておらず、観測される物理現象に非物理現象が影響を与えるならば、どこからどこまでが純粋な物理的因果過程なのかわからず、観測から物理法則をみつけ出すことができない。

「量子力学では観測者の意識が物理現象に影響を与える」という話を聞いたことがある読者もいるかもしれないが、現在では意識が物理現象に影響を与えるという説を唱える論者はほとんどいないと思う。[注16]この点については第3章でもあらためて議論する。

時間経過がなんの役割も果たさない物理理論は不完全である

さて、こうした静的時間論者側からの議論に対してサム・バロンは、「むしろ時間経過がなんの役割も果たさない物理理論は経験的に十全ですらない」という、より積極的な反論をする。[注17]なぜなら、私たちはたしかに時間経過の経験をしているからである。

まず一般的に、Xの経験があるのにもかかわらず、Xの存在を（ほかの論拠なしに）否定するのは極端な懐疑主義に陥ることになる。基本的にはXの経験があるのならばXの存在は認めるべきである。しかしそれに対して静的時間論者は「現代物理学では時間経過がなんの役割も果たさないが、それは時間経過が存在しないという十分な根拠であり、したがって立証責任は動的時間論者側にあるのではないか?」と主張するかもしれない。

だが、「現代の物理理論でXがなんの役割も果たさないからXが存在しない」と考えるならば、時間経過に限らず、現代の物理学理論に含まれていないにもかかわらず世界の物理的状態に差異をもたらすような存在者や現象は存在し得ないことになる。すると、私たちは現代の物理学理論に含まれないいかなる存在者や現象も今後検出する可能性はないということになる。だがそれを認める静的時間論者はさすがにいないだろう。

そして気をつけるべきことは、前章では時間経過を心霊現象に喩えたが、実際には時間経過は心霊現象のような体系的でも普遍的でもない経験ではないということだ。たとえば、現代において最良な物理理論Tに含意されていないある現象Pが発見されたとき、たしかに、まずはその現象Pがほんとうに存在するのかが疑われるだろう。しかし、いくつかの慎重な追試（これらには想定しうる錯覚を排除する実験も含まれるだろう）によっても現象Pが観測されたならば、むしろ疑われるのは理論Tか使用モデルであり、「理論Tに現象Pの居場所がない以上、Pが観測されるのは錯覚だ」という議論は基本的にはされない。そして、時間経過は、私たちが経験する現象のなかでもきわめて普遍的なものの1つではないだろうか。

たしかに「時間経過がほんとうに錯覚ではないのか」という体系的な実験はなされていないが、それはそもそも「どのような条件下であれば時間経過が観察されない可能性があるか」ということすらわからないくらい、普遍的に観察されるからである。たとえば、「太陽が東から昇って西に沈む」という現象が相対的な現象に過ぎないということは、古代ギリシアの時代から指摘されていたことで、想像の範囲を超えるものではない。

しかし、「時間経過は錯覚であり時間経過など実在しない」と言われても、ではそのような錯覚がいかにして生まれるのかについて見当すらつかない。現在、**「時間現象学」**といわれる分野において、認知科学などの成果を用いて静的時間モデルからいかにして時間経過の経験が生まれうるかという研究が行われているが、正直なところ、私がみる限り、特段の成果が生み出されそうな気配はない。そのようなこと（時間経過の経験が時間経過を前提としていない現代物理学で説明できていないこと）を考えると、現代物理学でなんの役割も果たさないからという理由のみで時間経過の実在を疑うことはできないのではないだろうか。この議論も定式化しておこう。

【議論2―5　時間経過がなんの役割も果たさない物理理論は不完全である】

（1）私たちは時間経過の経験をもつ［前提］
（2）Xの経験はXが世界の物理状態になんらかの差異をもたらしていることの強い証拠となり得る［前提］
（3）時間経過の経験は時間経過が世界の物理状態になんらかの差異をもたらしていることの強い証拠となり得る（1と2より）
（4）物理理論Tが経験的に十全であるならば、世界の物理状態になんらかの差異をもたらすXがTにおいてなんらかの役割を果たすはずである［前提］
（5）現代物理学の理論では時間経過はなんの役割も果たさない［前提］
（6）現代物理学の理論は不完全である（3〜5より）

以上のように、たしかに、バロンの議論によって議論2―4は反駁可能かもしれないし、バロンの趣旨はそういった類の議論を反駁することにあるので、彼の議論は成功していると言えるだろう。だが、これで時間経過の経験を論拠として現代物理学は修正されるべきだとまでは言えない。なぜなら、議論2―4以外にも私たちが時間経過を疑う論理的な根拠があり、それは本書でここまで議論してきた通りである。

可能世界と必然／偶然

ここで本書でのこれまでの議論を振り返りながら、「形而上学とはなにか」という問題に部分的に答えてみる。そのためにまずは**「可能世界」**という概念を導入する。

ここまでの2つの章ですでにいろいろな概念が出てきてもう頭がこんがらかっているかもしれないが、「はじめに」で述べたように、本書はゆっくりと読み進めていってほしい(場合によってはメモを取りながらというのもよいだろう)。この可能世界という概念は非常に便利で、本書でもこのあと何度も活躍する。可能世界の導入によって、形而上学においてこれまでしばしばあいまいに使われてきた「必然」や「偶然」という言葉の意味が明確になった。

可能世界とは「この現実世界とは異なるが論理的にあり得る世界」のことである。可能世界が実在するかしないかは意見がわかれる。「可能世界が実在する」という場合(**「様相実在論」**という)は、現実世界と同等の立場で実在するとするので現実世界も可能世界の一種である(なお、可能世界は実在しないという立場に立つ論者のほうが多いようだ)[注18]。たとえば、現実には本書は2024年5月に出版されたが、2023年12月に出版されたことも論理的には可能である。それゆえ、本書が２０２３年12月に出版された可能世界が存在する（「どこに？」という質問はしないでほしい）。

さて、現実世界で真である命題Pが、あらゆる可能世界で成り立っているならば「必然的に真である」という。ここで**「命題」**というまた新しい概念が出てきてしまって申し訳ないが、命題とは文や主張、信念などの「中身」だと思ってもらっていい。つまり、「雪は白い」と「snow is white」は文としては別だが、命題としては同じである。そして、「すべての命題は真か偽である」という原理を**「二値原理」**という。つまり、真であるか偽であるか定まらないとか、真でも偽でもあるとかということはないということである。この二値原理がつねに成り立つべきかどうかということについては次章で議論する。

話を戻そう。あらゆる可能世界で真であるような命題を「必然的に真である命題」というのであった。それに対して、現実世界では真であるが、すくなくとも1つの可能世界で偽であるならば、その命題はこの現実世界で「偶然的に真」なのである（図２-７）。そして、「Pが不可能」とはPがあらゆる可能世界で偽であることであり、「Pが可能」とはPがすくなくとも1つの可能世界で真であるということだ。すると、すこし考えてもらえればわかるように、ｎｏｔ-Pが必然的に真であるならば（二値原理のもとで）Pは不可能であるということになる。[注19]

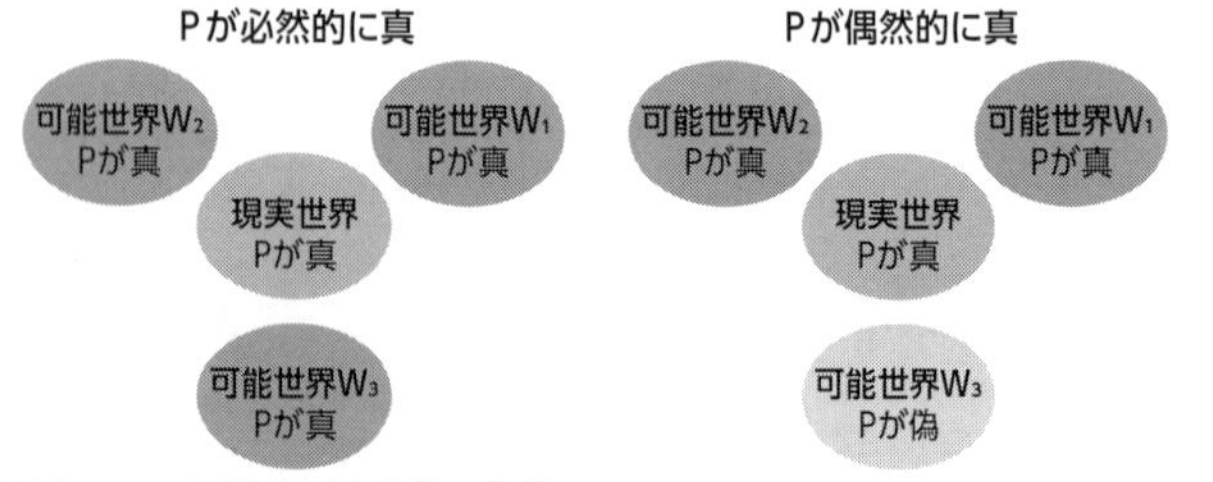

図２－７　可能世界と必然・偶然

ここで「あらゆる可能世界」というときの「あらゆる」が問題となる。一般に、命題Pがあらゆる可能世界で成り立つならば「Pは形而上学的に必然である」と言ってもよい。[注20] そして、もし「この現実世界と同じ自然法則が成り立っているあらゆる可能世界で」とするならば「物理的に必然／不可能」ということになる。

以上で可能世界という概念の説明は終わりである。急いでいる読者は、本章の残りは飛ばして次章に進んでよい。

形而上学とはなにか

本書でここまでやってきたことはなんであったか？　前章の議論1―1を考えてみると、自明に真だと思われる前提から論理的な推論によって「運動は不可能である」という結論を導き出したのであった。つまり、これらの前提はあらゆる可能世界で成り立つ（と考えた）のだから、そこから論理必然的に導き出された「運動は不可能である」という命題もやはりあらゆる可能世界で成り立つ。

それゆえ、議論1―1は「運動が形而上学的に不可能である」ということを証明しようとしたのである（あらゆる可能世界で運動は存在しない）。だが、前章で検討したように、「時空が連続である」とか「現実無限が存在する」というようなよく考えると自明ではない命題が前提とされていたことがあきらかとなった。なので運動は不可能であるという命題はすくなくとも形而上学的に不可能な命題ではない（「時空が連続である」や「現実無限が存在する」があらゆる可能世界で真でない限り）。

一方で、その後、「過去が無限にあるか」という問題を考えた。この場合、時空が連続であるかないかは証明には無関係であった。また現実無限が存在するという前提についても、これを否定するならば「過去は無限である」も同時に否定されることになるので、前提としては外せない。そして、動的時間モデルが正しいと前提すると「過去が無限にあることは不可能である」という結論が導き出されたのであった。

もちろんここに「無限の過程は完了不可能である」という前提もあるが、前章で述べたように、無限という概念からしてそれは（動的時間モデルが成り立つ世界では）完了することが不可能である。つまり、ここでは「動的時間モデルが正しいようなあらゆる可能世界」で過去が無限であることは不可能であるということが示されたのであった（つまり、動的時間モデルが正しいならば過去が無限であることは形而上学的に不可能である）。

また、本章の議論２―２で行ったことは、「時間が流れる」とは未来の出来事がやがて現在となり過去となることだということを認めるならば矛盾が生じるということを導いたのであった。ここでの矛盾は（無限の時間次元がないという前提の下では）論理的矛盾であるので、時間が流れることは形而上学的に不可能だということである。もちろん、「時間が流れるとは未来の出来事がやがて現在となり過去となるということだ」という前提を否定することも可能であり、それが本書で示した現在主義をとることによるこのパラドクスの回避法であった。

つまり、形而上学のひとつの仕事は、「形而上学的に必然である／不可能である」ような命題を見つけ出すことにあると私は思う（ほかには、因果的力能説のような「形而上学的説明」を提供することも重要な仕事）。しかし、ここまでの議論であきらかなように、それはなかなかに難しいことである。それゆえ、「命題Ｐが不可能（もしくは必然）である」という主張（つまりあらゆる可能世界で命題Ｐが偽もしくは真）に対して、どこまで「あらゆる」を緩めるとそれが成り立つかを調べることにあると言ってもよいかもしれない。もちろん、その緩めた前提は、この現実世界（とその近傍の可能世界）では成り立っているものであるべきだろう。

形而上学と自然科学

ところでなぜこのようななかなか答えの出ない議論をしているのだろうか。世界のことが知りたいのであれば自然科学で経験的に調べればよいのではないか？　それはその通りなのだが、まず、自然科学ではまだ正しいか否かを明らかにできないような事柄に興味がある場合は自然科学に頼ることができない。

つまり、形而上学が形而上学的に必然／不可能な命題を議論するのは、科学によって明らかにされた自然法則がどのようなものであっても、その結論に揺るぎがないようにすることを目指しているからである。そういう意味では、たとえ論理的にはそれが偽であることが可能であるような前提であっても、まずこの現実世界ではまちがいがないだろうと思われる前提ならば使ってもよいことになる（しかしそもそもどのような前提がそれなのかがもちろん難しい）。

第二に、現在の科学理論で正しいと認められているからという理由（だけ）で採用した前提から導かれた結論は、将来的にその理論がまちがっていたことがわかったならば結論も真であるとは言えなくなる（そしていったん受容された科学理論がのちにまちがっていた、もしくは不完全であったとわかることは科学史上しばしば起こることである）[注21]。そのような事態を避けるためにも、現在の科学理論に依存しない議論をしたい。

それゆえ、議論2―3に対して動的時間論者の立場で反論するならば、「議論2―3は動的時間モデルが形而上学的に不可能だということは示せていない」と言える。もし将来的に科学的に「絶対的同時性がある」ということが明らかになれば議論2―3は無効ということになるからだ。つまり、動的時間モデルは（相対性理論が正しいという前提で）物理的には不可能であるが形而上学的には可能であるので、議論2―3の結論は十分に「強い」主張ではないということだ。

ならば、形而上学者にとって自然科学の成果というものはまったく無視してよいものなのだろうか？　いや、そうではないということは強調しておきたい。まず、至極当然のことだと思うのだが、「現在の科学理論はまちがっているかもしれないがやはり正しいかもしれない」（そして後者の蓋然性が高いと思われる）というのが第一の理由である。

それゆえ、まちがっているかもしれないから現在の科学理論に基づいた反論は無視してよいということにはならない。議論2―3に対しても、たしかにこの議論では動的時間論がまちがっているということを決定的には示せていないのかもしれない。だが、動的時間論者は同時に、もっと積極的に動的時間モデルが成り立つことを示すことができなければならない。そのような試みのひとつがバロンの議論2―5であろう。

形而上学者が自然科学の成果を無視してはならない第二の理由は、自然科学は私たちが想像もしなかった「可能性」を示してくれるからである。たとえば、「無から有は生まれない」というのは一種の形而上学的原理だとみなされていたが（神——ユダヤ／キリスト教的神は例外）、前章の終わりのほうで少しだけ言及したように、無からの創生の科学的可能性が議論されている（ほんとうの意味で「無からの創生」を議論できているのかという批判はあるが）。これも自然科学の発展がなければ疑われなかった原理かもしれない。無限についても同様である。カントールの議論が登場するまで、「閉じた無限／現実無限」という概念が可能だとは考えられてこなかっただろう。それゆえ、形而上学者たちが自明な前提から論理的推論によって導き出したと思っている結論も、科学理論からみると、用いられている前提がかならずしも自明ではないことがあるかもしれない。

第三の理由は、ここまで話してきたのとは異なる形而上学の仕事、すなわち概念分析にかかわる。概念分析を行う際、従来、哲学者たちは自分たちの概念的直観に基づいて、提案された概念分析の是非を語ってきた。しかし、哲学者たちの概念的直観が哲学者以外の人たちの概念的直観と一致しているとは限らない。そこで心理学実験などで一般的な概念的直観について調べるということが行われるようになってきた。これについてはより具体的な事例を第5章で示そう。また、次章ですこし言及する「時間現象学」と呼ばれる分野や認識論などでは、認知科学の成果が用いられることもある（もしくは哲学的な議論を認知科学的な実験で検証しようという試みもある）。

以上のように、形而上学はたしかに現存の科学理論に縛られない議論（より強い主張）を目指すが、同時に形而上学は自然科学の成果を無視することはできないし実際に無視してはいないのである（単純に形而上学者側の無知はあり得る）。

それからもうひとつ、形而上学と自然科学の関係について重要なことを述べておこう。形而上学的な主張が科学理論と矛盾することがある。実際には、形而上学はまさに形而上学なので、そもそも科学的に検証できる主張をすること自体がすくないことからそういう事例自体がすくないのだが、たとえば「時間にはじまりはない」だとか「絶対的現在がある（それゆえ絶対的同時がある）」などがそのような例と言えるかもしれない。とりあえず、上でもすこし言及した現行の科学理論のほうがまちがっているという可能性は置いておこう（つまり、それらの哲学的主張がまちがっている場合を考えよう）。

その場合でも、こうした主張を真剣に検討する価値はある。なぜなら、なんらかのそれらしい前提から妥当な推論で導かれた結論であるのにその結論がまちがっているならば（そして推論が実際に妥当なら）、その「もっともらしい前提」のいずれかがまちがっているからである。それゆえ、私たちがこれまで疑問をもたなかった信念について考え直す機会が与えられたわけである。そのような検討なしに形而上学的議論の結論だけをみて、それが自然科学の帰結に相反するからといって「このような主張は馬鹿馬鹿しい」と一笑に付すのはもったいないことである。

可能世界が実在することのメリット

さきほど、可能世界が実在するという立場(様相実在論)をとる論者はすくないということを述べたが、様相実在論をとるメリットもある(もちろんデメリットもある)。せっかくなので、本章の最後にそのことについて簡単に触れておこう。

たとえば、現代物理学において、多宇宙仮説と呼ばれる仮説がそれなりに賛同を集めている。現代物理学では、自然法則に現れる定数(自然定数:重力定数など)がこの私たちの宇宙で成り立っているものと異なる可能性を許す。そうなると、「ではなぜ私たちの宇宙ではこの定数が成り立っているのか」ということが問題となる。この定数がわずかに異なると、たとえば、宇宙膨張の加速度が重力に負けて宇宙が潰れたり、逆に重力が負けて天体が構成されなかったりする。つまり自然定数が絶妙な数値をとっているおかげで私たちの宇宙が天体で溢れ、また地球のような生命体の存在する星があるような宇宙になっているのであり、きわめて稀な偶然が実現したということになってしまう。そしてこのような偶然がなぜ実現したのか、「奇跡」で済まさずに説明することが自然科学の課題となる。

しかし、物理法則で許される宇宙はすべて実在していると考えると、私たちの宇宙はそのなかの1つに過ぎないということになる。そして、さきに挙げたような、自己重力で潰れるような宇宙、天体が構成されないような宇宙では、そもそも「なぜ私たちの宇宙はこのような宇宙なのか？」という疑問をもつ存在者がいない。言い換えると、そのような問いを立てることができるということは、そのような問いを立てることのできるような宇宙にいるからである（このような説明の仕方を**「人間原理」**という）。

この論法はほかの現象にも応用できる。たとえば、地球がこのように生命に都合がいい星であることは、もし宇宙に惑星が地球しか存在しなかったならば不思議であり、「なぜ地球がこのように生命に都合のよい星なのか」は答えるべき問いである。しかし宇宙には無数の惑星がある（さまざまな〈可能な〉環境の惑星が存在する）ので、そのなかに地球のような星があってもさほど不思議ではない。そして、私たちがその地球に存在するのは、生命に都合のよい星でなければそもそも私たちは存在できないからだ。

「現生の生物の形態がなぜこれほど環境に適しているのか」という問いに対しても同様に答えることができる。ランダムな突然変異で多様な形態の生物が誕生し（つまり、さまざまな〈可能〉な生物の形態が存在した）、そのなかで環境に適さない形態の生物は滅びたから、いま生存している生物種は環境に適しているのである。

この説明方法は、より広く形而上学にも利用できる。たとえば、17世紀ドイツの哲学者ゴットフリート・ライプニッツが問い、しばしば「哲学でもっとも重要な問い」などと言われる「なぜなにもないのではなくなにかがあるのか」という問いも、すべての可能世界がこの世界と同等に存在するならば、とくに疑問に思うべき問いではない。宇宙論における人間原理的説明と同じく、無数にある可能世界のなかで「なぜなにもないのではなくなにかがあるのか」という問いを発する意識的存在者が存在するのは、なにかがある可能世界だけだからだ。

しかし、この私たちの存在している現実世界だけが実在するならば（つまり、可能世界が実在しないと考えるならば）、上記の問いは形而上学が答えるべき問いであることになる。もちろん、「なにかが存在する」ということがそもそも不可能である（なにかが存在するような可能世界は存在しない）ことを示す説得的な議論が存在するならば、様相実在論的な立場に立っても不思議であるが、すくなくとも私はそのような議論を知らないし、その場合でも、本書でみてきたように、結論があきらかにおかしいならば（そして私はたしかに存在している！）、疑われるのは前提のいずれかである。

こうした議論に対して、「いや、欲しいのはそういう答えではない」という反論はあり得る。つまり、ある現象Pが現実に存在し、それが存在するための条件群Cが成立しているとして、「なぜCが成立していなければならなかったのか」という問いに対する答えが欲しいのだということである。

このような批判は前提に対する理解の違いによって生じる。批判者は「特定の結果にはただ1つの特定の原因がある」もしくは「すべての事象にはそれが生じた〈理由〉がある」という前提に立っている（ライプニッツは可能世界論を提唱した哲学者でもあるが、同時に充足理由律を唱えた哲学者であることは注目すべきだろう。すなわち、可能な世界のうち実現するのに十分な理由があるもののみが実現する——現実世界となるのである）。

しかし、人間原理を提唱するとき、提唱者は「原理的にCであることが偶然的である」という前提に立っているのだ（量子力学など）。そして、（Cの成立している）この現実世界しか実在しないならば、Cが成立しPが存在することは奇跡であるということになり、それ以上の説明がなくなってしまう。しかし、Cの成立している世界以外の可能世界も実在し、しかしそのような世界は消滅するか、認識主体が存在し得ないような世界であったならば、この認識主体の存在する（そしてCが成立する）世界に私たちがいることは不思議ではない（むしろ必然）ということである。

まとめ

第2章も「余談」が盛りだくさんになってしまい、すこし読みにくかったかもしれない。中心となるパラドクスは以下のようなものであった。川が流れているところの空間次元とは別の時間次元が必要なのと同様に、時間が文字どおりの意味で流れているならば、時間が流れている（絶対的現在が動いている）ところの時間次元とは別の第二の時間次元が必要なのではないか。

もしこれを認めると、さらに第二の時間が流れるために第三の時間が、第三の時間が流れるために第四の時間が……と、無限の時間次元が必要となるが、無限の時間次元の存在は認めがたい（すくなくとも認めるための積極的な理由がこのパラドクスを避けること以外にない）。それゆえ、時間は流れていないというパラドクスが成り立つ。

このパラドクスは現在主義をとることで避けられるのではないかという主張を検討した。すなわち、現在主義では「世界が変化する」ということが「時間が流れる」ということであり、動くスポットライト説や成長ブロック宇宙説のように、文字どおりの意味で時間（絶対的現在）が動いているのではない。それゆえ、上記のパラドクスは適用できない。

しかし、現在主義では、過去や未来が存在しない以上、形而上学的に時間が流れる（世界が変化する）ということを保証できないという問題点があった。すなわち、たとえ神さまでも、現在しか存在しない以上、過去をみることができず、過去をみることができないのだから現在との比較で「変化した」と言えない。

そこで、因果的力能説という因果概念の分析において近年注目されている理論を導入した。因果的力能説では、因果概念は原始概念であり、それ以上ほかの概念に還元できないような概念である。世界に存在するモノたちは、因果的力能をもっており、たとえば電子はマイナスの電荷をもった物質を斥け、プラスの電荷をもった物質を引きつける力能をもっている。それゆえ、世界は自然法則に従い変化し、その変化が時間経過を生み出す（というより、その変化＝時間経過）のである。

これは、現在主義の問題を避けるためにだけ導入されたアドホックな理論ではなく、上述のように、もともと因果概念の分析において提案された理論なので、それを適用することは問題ない。とはいえ、現在主義には、本書では紹介しきれなかったが、ほかにも特有の問題があるし、因果的力能説ももちろん問題がない理論ではない。

本章ではもう1つ、可能世界という重要な概念を導入した。論理的に可能な世界を「可能世界」という。そしてあらゆる可能世界で成り立つ命題を「形而上学的に必然な命題」といい、いずれかの可能世界で成り立っている命題は「形而上学的に可能な命題」というのであった。

第3章　運命は決まっているのか？

前章では、時間が流れていないという立場を擁護する議論をいくつかみてきた。しかし、もし、時間が流れていないのだとすると、未来は決まっているということではないだろうか？　本章では、「世界にどのような出来事が起こるかはあらかじめ決まっているのか」について議論していこう。そして、「この現実世界でなにが起こるかは確定している」という立場が運命論だと定義したならば、運命論が論理的に証明できることをみる。その後、すこし話が変わって、かりに時間が流れているとしても、「私たちが感じている時間方向」と「客観的な時間方向」がかならずしも一致しない（なので、動的時間論の立場は私たちの時間的に非対称性な態度を説明してくれない）ということをみていく。さらに、時間が流れているとしても、そのことは私たちの「時間が流れている」という感覚を説明しないということも議論する。

運命は決まっている①

「世界にどのような出来事が起こるかはあらかじめ決まっている」という主張が運命論であり、とくにそれを論理的に議論するものを**「論理的運命論」**という。本章では論理的運命論について考えていこう。

たとえば、2024年5月1日に花子と華代が、太郎が明日（5月2日）カレーを食べるかどうかの議論をしているとしよう（「なんでそんなくだらんことを議論してるねん」とかは考えないでおこう）。花子は「太郎は明日カレーを食べる」と言い、華代は「太郎は明日カレーを食べない」と言った。花子と華代のどちらかの発言が正しいはずである。そして、5月2日になり太郎はカレーを食べたとしよう。すると、5月1日の花子の発言は正しかったということになるだろう。一方、5月2日に太郎はカレーを食べなかったならば5月1日の華代の発言が正しかったということになる。

つまり、5月2日に太郎がカレーを食べるならば花子の5月1日の発言は真であり、カレーを食べなかったならば華代の5月1日の発言は真であるが、太郎はかならず、5月2日にカレーを食べるか食べないかのいずれかであるのだから、5月1日の時点で花子の発言が真であるか華代の発言が真であるかのいずれかであった、ということである。それゆえ、「5月1日の時点で、太郎は明日カレーを食べるか、それとも食べないかはすでに決まっていた」ということだ。以上を定式化してみよう。

【議論3—1　運命は決まっている①】

（1）花子は「太郎は明日カレーを食べるだろう」と言い、華代は「太郎は明日カレーを食べないだろう」と言った［設定］

（2）太郎は明日、カレーを食べるか食べないかである［前提］
（3）次の日に太郎はカレーを食べたとする［設定］
（4）花子の発言は今日の時点で真であった（1と3より）
（5）次の日に太郎はカレーを食べなかったとする［設定］
（6）華代の発言は今日の時点で真であった（1と5より）
（7）花子の発言か華代の発言が今日の時点で真であった（2と4、6より）
（8）太郎が明日カレーを食べるか、食べないかは今日決まっている（7より）

すべての命題は真か偽かのいずれかであるという二値原理を認めると、この議論は正しいように思える。たしかに、明日になってから今日を振り返ると、花子の発言か華代の発言のどちらかが真で**あった**ことがわかるだろうからだ。

だが、それは、明日が今日となって太郎がカレーを食べたときに遡及的に今日（明日からいえば昨日）の「明日太郎はカレーを食べるだろう」という命題が真になるというだけのことかもしれない（逆向き因果があると言っているのではないことに注意）。つまり、明日になってから「昨日の花子（もしくは華代）の言ったことは正しかった」と言えるかもしれないが、今日の時点では花子（もしくは華代）の発言が正しいとは言えないのではな

図３－１　運命は決まっている？

いか。

もし明日についての命題（もっと一般的に言うと未来についての命題）は真でも偽でもない（これを「真理値をもたない」という）ならば、今日の時点では花子の発言も華代の発言も真理値をもたず、明日になってはじめて真理値をもつことになるのである（図3－1）。それゆえ、排中律（Pもしくはnot－P）は成り立

たない（前提2が成り立たない）ことになり、議論3―1は成り立たない。[注1]

言い換えると、議論3―1ではある意味で未来が確定していることがすでに前提とされている。すなわち、未来は不確定ではない（確定している）。未来命題の真偽が確定していて（二値原理が成り立っていて）、かつ、その確定した命題の真偽が変化しないならば、この世界で生じる出来事は「確定している」と言おう（これを本章では証明する）。

「確定している」は「必然的である」とは異なる。どういうことか。5月2日に太郎がカレーを食べたとして、それは5月2日の時点で確定している出来事であったとしよう。ここで、5月1日までこの現実世界Aとまったく同じ歴史をたどり、かつAとまったく同じ物理法則が成り立っている可能世界の集合を考える。このとき、その物理法則が決定論的な法則であるならば、5月2日に生じる出来事は、あらゆる可能世界でAとまったく同じである（図3－2a）。

ここで**「決定論的な法則」**とは、現実世界でのある時点における全宇宙の状態と法則からそれ以外の時点の宇宙の状態がただ1つに決定できるということである。それゆえ、このとき、5月2日に太郎がカレーを食べるという出来事は必然的だともいえるだろう（ここでは「あらゆる可能世界」とは「Aと同一の歴史をたどり同じ物理法則が成り立つあらゆる可能世界」ということになる）。

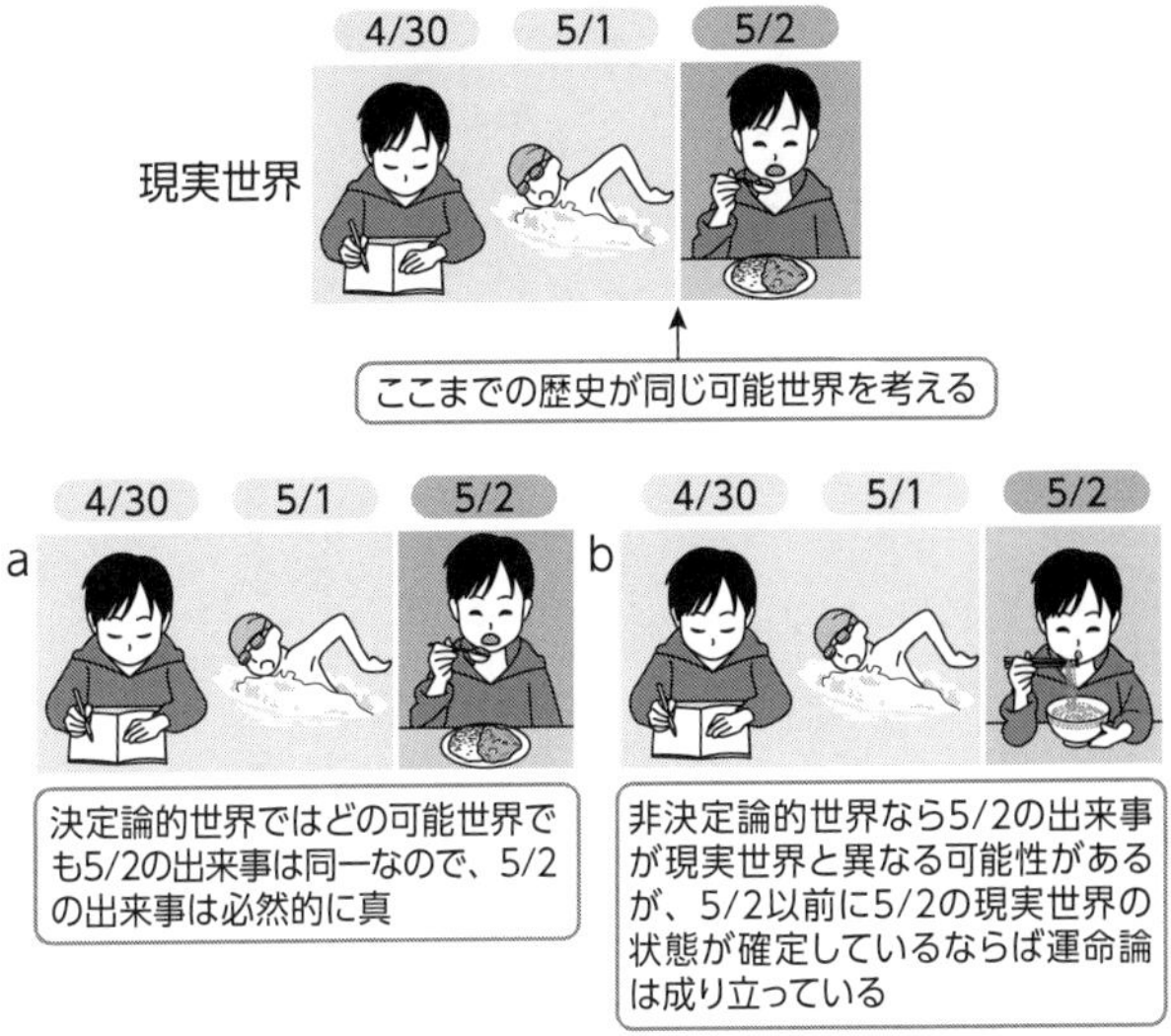
4/30
5/1
5/2
現実世界
ここまでの歴史が同じ可能世界を考える
a
4/30
5/1
5/2
決定論的世界ではどの可能世界でも5/2の出来事は同一なので、5/2の出来事は必然的に真
b
4/30
5/1
5/2
非決定論的世界なら5/2の出来事が現実世界と異なる可能性があるが、5/2以前に5/2の現実世界の状態が確定しているならば運命論は成り立っている

図3－2　確定と必然

だが、現実世界で成り立っている物理法則が非決定論的であればどうだろうか？　すなわち、ある時点での全宇宙の状態が完全にわかっても、そのほかの時点で宇宙の状態がどのようになるかはただ1つには決まらないということである。すると、5月2日に生じる出来事がAと異なるような可能世界があるだろう（現実世界Aでは太郎がカレーを食べても、そこでは太郎がカレーを食べていない可能世界がある）。

だが、それでも運命論は成り立っていると言える場合がある。すなわち、それが「この現実世界Aではその出来事（太郎がカレーを食べる）

が確定している」場合である（図3－2b）。

ここで読者のなかには、「未来が決まっていない」場合について、ここまで述べてきたような「5月1日の時点では太郎は5月2日にカレーを食べているのでも食べていないのでもない」というような状態（不確定な状態）ではなく「5月1日の時点では〈太郎が5月2日にカレーを食べる未来〉と〈太郎が5月2日にカレーを食べない未来〉に枝わかれしている（そして5月2日になればどちらかの枝のみが残る）」状態を考えないのか、と思った方もいるかもしれない。しかし、このような状態は未来が「〈Pである〉かつ〈Pではない〉」になっている状態である。すなわち、矛盾が生じている。一般に、矛盾律（「矛盾はない」という原理）はかなり強い制約なので、このような状態は考えない（注1参照[注2]）。

運命論とは

ここであらためて、本書での運命論の定義を述べると、

現在において真であるような任意の命題Pは過去においてそれが真であることがその現実世界において確定していた（過去においてすでにPの真理値が確定していた）

となる（「現在において」を「未来において」に変えたものも運命論と呼ぶことにする）。

　もっとも、運命論をこのように定義することに対する批判もあると思われるのですこし補足しておこう。通常、哲学で運命論（宿命論）と言うとき、「任意の命題Pが真であるか偽であるかが**必然的に**決まっている」ということである。何度も言うように、「必然的」とはあらゆる可能世界で真（もしくは偽）であるということで、かなり強い主張になる。

　また、運命論と言うからには（第5章の自由意志のところでも言及されるが）「Pであり、Pでないようにすることが不可能であった」でなければならないように思える。しかし、たんに本書のように、この現実世界でのPが真であることが確定していたというだけでは、Pではない可能世界がある場合には「不可能」とは言えないことになる。

　だが、可能世界による分析は、可能（不可能）という概念の分析のひとつに過ぎない。現実世界における未来の時刻tでPであることが確定していたならば、この現実世界の人物がPではない未来を実現することはやはりできないのではないか（確定しているのにどのようにしてその未来を変更するのか）？　私たちの「できない／不可能」という言葉の自然な使い方としてそうではないか？　それゆえ、本書の定義による運命論も運命論と言うのにふさわしいだろう。

運命は決まっている②

次に未来命題の二値原理を前提としない運命論の議論をみてみよう。[注3]

【議論3―2　運命は決まっている②】

（1）2024年5月2日に太郎はカレーを食べた［前提］
（2）過去に真であったすべての命題は真であることが確定している［前提］
（3）「太郎が2024年5月2日にカレーを食べる」は2024年5月2日以降、真であることが確定している（1と2より）
（4）いま真であることが確定している命題は、過去においても真であることが確定していた命題であった［前提］
（5）「太郎が2024年5月2日にカレーを食べる」は2024年5月2日より過去の時点ですでに真であることが確定していた（3と4より）

前提2と4については説明が必要であろう。「過去に真であったすべての命題は真であることが確定している」とは以下のような意味である。たとえば「太郎が2024年5月2日にカレーを食べた」という事実があるなら、その事実は2024年5月2日以降、事実ではなくなる（真ではなくなる）ということはあり得ない。それゆえ、「太郎が２０２４年５月２日にカレーを食べた」という命題は真であることが確定しているということである。

一方、「いま真であることが確定している命題は、過去においても真であることが確定していた」は、たとえば現在が２０２４年５月２日だとして、「〈太郎が２０２４年５月２日にカレーを食べる〉が真であることが確定している」がいま成り立っているならば、２０２４年５月１日の時点でも「〈太郎が２０２４年５月２日にカレーを食べる〉が真であることが確定している」が成り立っている、ということである。議論３―２の特徴は、議論３―１と異なり、未来命題の二値原理を使っていない点にある。

とはいえ、この２つの前提は正しいのだろうか？　前提２は過去の出来事は確定しているのだから正しいように思えるが、前提４はかならずしも真ではないように思える。

たとえば、さきの図３‐１のような、５月１日が絶対的現在であるとき５月２日の状態は不確定であるようなモデル（動くスポットライト説の特殊なヴァージョン）を考えよう。すると「太郎が５月２日にカレーを食べる」はこの時点では真であることが確定していない。そして時間が経過して５月２日が絶対的現在となり、太郎はカレーを食べたとしよう。すると、これ以降は「太郎が５月２日にカレーを食べる」は確定している（これが真でなくなることはない）。つまり、真であることが確定していない命題が真であることが確定している命題になった（前提4が成り立っていない）。一般に、動的時間モデルでは前提4が成り立っていることは自明ではない（静的時間モデルでは成り立っていると考えるのがふつう）。

ここで、必然的に真な命題ならば、それがそうではなくなったり（必然的に真である命題が必然的に真ではなくなったり）、かつてそうではなかったことがそうなったりはしないだろう。だから「確定」を「必然」に変えれば前提4は成り立ちそうだが、そうすると今度は前提2が成り立ちそうにない。過去に関する真なる命題だからといってそれが必然的に真な命題とはならないだろう（非決定論的な世界であれば、現在の世界の状態が同じであるが異なる過去をもつ近い可能世界は存在するだろう）。

いま起きたことはなんであれ、いま起きることが過去において決まっていた

以上のように、議論3—1も3—2も自明ではない前提を使っていたので、運命論の説得力のある証明にはなっていなかった。それではこうした疑わしい前提を用いずに運命論を証明することはできないのだろうか？　それができるということを以下に示そう。[注4]

以下の議論で用いられる前提は、

［F1］〈PかつQ〉が確定していたならば、「Pは確定していた」かつ「Qは確定していた」

［F2］Pが確定していたならば、Pである

［F3］「Pではない」ことが論理的に証明されたならば、Pであることは不可能である

［F4］Pならば、「Pが確定していた」ことは可能である

の4つである。そして証明することは

［F］Pならば、「Pが現在において真であることが過去において確定していた」

である。

一見わかりにくいが、なにを言っているかがわかればどれもほぼ自明である。［F1］は、「〈太郎が朝にパンを食べかつ昼にラーメンを食べる〉が確定しているなら、〈太郎が朝にパンを食べる〉は確定していたし、〈昼にラーメンを食べる〉も確定しているだろう」ということだ。もしどちらかが確定していなかったなら、太郎が朝にパンを食べかつ昼にラーメンを食べるということも確定していない。

［F2］はそのままで自明であろう（「確定している」とはそういうことである）。［F3］は時間論とは無関係に一般的に認められている論理的関係である。「Pではない」が論理的に証明されたということは、どのような論理的に可能な世界においてもPは成り立っていないのだから、Pは不可能である。それゆえ、これもおかしなところはないと思う。

やや引っかかるのは［F4］であるが、これは要するに、運命論が可能であることを認めるということである。いま命題Pが現実世界で成り立っているとしよう。すると、Pが成り立っているようなあらゆる可能世界のなかにすくなくとも1つ、「Pが確定していた」が成り立つ可能世界があるということを主張している。

つまり、この証明は、（［F1］～［F3］が自明であれば）**運命論が可能であることさえ認めれば、そこから運命論が正しいことが導かれる**という驚くべき証明である。しかし運命論について、それが可能であるという弱い主張であってもそれを疑う読者はいるだろう。それについてはすぐ後で議論する。

そして、肝心の議論であるが、議論3―1や3―2と異なり、残念ながら直観的に理解しやすい議論ではなく、論理記号を日本語に訳して議論を書いてもかえって読みにくくわかりにくくなると思う。そこでそれは避けて、論理記号で書いたものを152頁に示しておく（この議論を以下では議論3―Aと呼ぶ）。記号アレルギーの読者もいるかもしれないが、そうはいってもそこまで複雑な議論でもなく、がんばれば解読できないというほどでもないので是非とも挑戦してほしい。

量子力学と運命論は両立するか

すでに説明したように「Pが可能である」とは、どれか1つの可能世界でPが成り立っていればいいということであるので、非常に弱い主張（真である蓋然性が高い主張）である。そしてこの弱い主張から運命論が必然的に成り立つという強い主張（信じがたい主張）を導き出すのが、議論3―Aということになる。

さてしかし読者のなかには「量子力学は運命論を否定しているのではないか、もしこの議論3―Aが論理的に妥当であるならば、むしろ運命論が論理的に不可能だということを示したことになるのではないか」と思う方もいるかもしれない。つまり［F1］～［F3］は自明的に正しく、かつ［F4］を正しいと仮定したら、論理的に妥当な推論によって「運命論が成り立つ」という結論が導かれるわけであるが、その結論があきらかに偽であるならば、この議論はむしろ（［F1］～［F3］は正しいのだから）［F4］が偽であることを示しているだろう。いわば、議論3―Aはむしろ「運命論が形而上学的に不可能である」ことを背理法により証明したものだというわけである。

[議論3－A] 新しいタイプの運命論

＊ $\mathrm{F}p$ で「p は確定していた」と読む。すると、「p かつ q」が真であることが確定していたならばかならず「〈p が確定〉かつ〈q が確定〉」が成り立っていなければならないので（後者が成り立っていないのに、前者が成り立っている状況は考えられるだろうか？）、[F1] は正しい前提。また [F2] は、p が不可避なのだから、そうであるならば p であるも明らかだろう（つまり [F2] も明らかに成り立つ前提）。

＊ $\Diamond p$ で「p は論理的に可能」と読む。

＊ $\vdash p$ で「p は証明可能」と読む。

＊ [F3] は、$\neg p$ が論理的に成り立つ（仮定なしに成り立つ）ということは、p が論理的に不可能だということだと述べている。本文でも説明したが、$\neg p$ が論理的に成り立つということはあらゆる可能世界で $\neg p$ であるということだから、p は論理的に不可能なのである。

＊以上から、この論証で用いられている前提で疑えるのは [F4] だけである。しかし、[F4] ももっともらしいことを以下で議論する。

＊いきなり（1）を仮定することに疑問をもつかもしれないが、のちに背理法でこれを否定するためである。つまり、（1）を仮定して矛盾（3）が導出されたので、（1）は偽であり、それゆえ、（4）で（1）の否定が導出されているのである。

＊（6）は [F4] の p に「$(p \wedge \neg \mathrm{F}p)$」を代入して得られる。

＊ $\neg(A \wedge \neg B)$ より $A \rightarrow B$ が導かれるという定理があるので、（7）から（8）が導かれる。

＊いま二値原理を証明しようとしているのに、証明の過程で二値原理を用いているのではないか？と思うかもしれないが、証明しようとしているのは未来命題の二値原理であり、証明過程で用いられているのは、無時制的な命題の二値原理である。後者はふつうは（古典論理では）認められている。

[原理]

[F1] $\mathrm{F}(p \wedge q) \rightarrow \mathrm{F}p \wedge \mathrm{F}q$　　[F2] $\mathrm{F}p \rightarrow p$　　[F3] $\dfrac{\vdash \neg p}{\vdash \neg \Diamond p}$

[F4] $p \rightarrow \Diamond \mathrm{F}p$

[証明]

(1) $\mathrm{F}(p \wedge \neg \mathrm{F}p)$	仮定
(2) $\mathrm{F}p \wedge \mathrm{F}\neg \mathrm{F}p$	(1) と [F1]
(3) $\mathrm{F}p \wedge \neg \mathrm{F}p$	(2) と [F2]
(4) $\neg \mathrm{F}(p \wedge \neg \mathrm{F}p)$	(1) と (3)、背理法
(5) $\neg \Diamond \mathrm{F}(p \wedge \neg \mathrm{F}p)$	(4) と [F3]
(6) $(p \wedge \neg \mathrm{F}p) \rightarrow \Diamond \mathrm{F}(p \wedge \neg \mathrm{F}p)$	[F4]
(7) $\neg(p \wedge \neg \mathrm{F}p)$	(5) と (6)
(8) $p \rightarrow \mathrm{F}p$	(7)

たしかに、もし量子力学が運命論と両立不可能であるならば(量子力学がまちがっている、もしくは不完全であるという可能性はとりあえず無視すると)そう言えるだろう。だが、量子力学にはさまざまな「解釈」があるので、運命論と量子力学はかならずしも両立しないわけではない。[注5]

以下、「未来が開いていることも証明できる?」の節(160頁)まで、量子力学をまったく知らない読者は飛ばしてしまってもよい。しかしすこしでも知っているなら理解できない議論ではないと思うので挑戦しよう。

さて、そのことを議論するために、まずは**法則的決定論**と運命論を区別しておこう。法則的決定論は、

ある時点における全世界の状態と自然法則から、ほかのあらゆる時点の世界の状態が決定される

という考えである。一般的には「因果的決定論」という言いかたのほうが人口に膾炙していると思うが、哲学では、すでにみたように「因果」という概念に問題があるので因果という言葉を使わないこの言いかたがよく使われる(また、以下でも述べるように、自然法

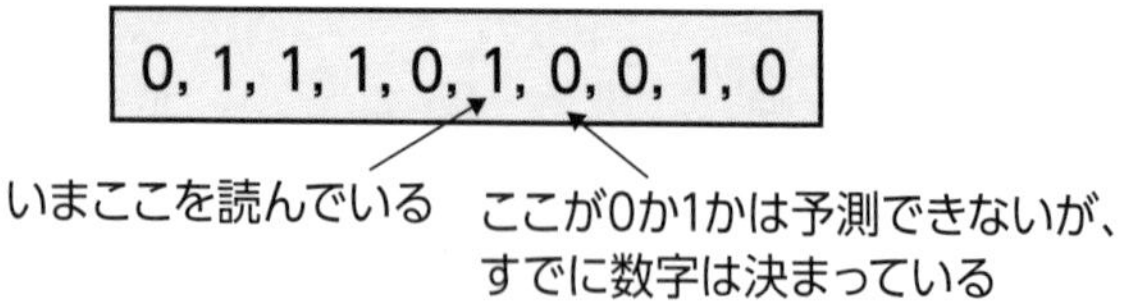
0, 1, 1, 1, 0, 1, 0, 0, 1, 0
いまここを読んでいる
ここが0か1かは予測できないが、すでに数字は決まっている

図3-3　1と0のランダムな数列

則そのものには因果という概念が含まれていないという理由もある)。

いま、この現実世界では決定論的な自然法則L_1が成り立っているとする。同じ法則L_1が成り立ちかつ現在の状態が現実世界とまったく同じ可能世界は、その未来の状態(そして過去の状態)もまったく同じはずである。それゆえ、どのような未来の出来事も確定している(そして物理的に必然でもある)。

一方で、現実世界に成り立っている法則L_2は決定論的な法則ではなく確率論的な法則だとしよう(量子力学の法則はまさにそのようなものである)。つまり、同じ法則L_2が成り立ちかつ現在の状態が現実世界とまったく同じ可能世界であっても、その後の状態(および過去の状態)も現実世界と同じとは限らないということである。しかし、本書での運命論の定義によると、そのような場合でも、**この**現実世界の未来がすでに存在し、ただ1つに確定しているならば未来は確定しているから運命論が成り立っている。

次のような比喩を考えよう(図3-3)。完全にランダムに1か0

かを書き出すコンピュータが存在するとする(「そんなコンピュータはあり得ない」という反論は置いておこう。あくまでたとえ話である)。いま、このコンピュータで1と0からなる10桁の数列を紙に書き出す。それを左から右へと読んでいく。現在、6桁目を読んだ。

このとき、仮定より7桁目の数値が1か0かは原理的に予測不可能である。だが、すでに7桁目の数値は確定しており、紙に書き出されている。「法則的決定論が成り立っていない運命論的世界」とはこのようなものである。法則的決定論が成り立っていないのだから、現在の状態から未来の状態を一意的に(ただ1つに)予測することは原理的に不可能である。だが、それでも未来の状態はすでに確定していることはあり得る。そして量子力学はかならずしもそれを否定していない。たとえば、量子力学の解釈のひとつに様相解釈というものがあるが、この解釈では測定前に系の物理量は確定した値をもっていると考える。[注6] このことは量子力学がいわゆる「隠れた変数」をもっていることを意味しない。

波動関数の収縮

だが、「未来が確定していない(つまり運命論がまちがっている、未来が開いている)」と量子力学を解釈することも可能ではないか。そのような解釈のひとつがいわゆる「標準解釈」と言われる解釈である。この解釈が正しいのならばやはり「運命論が不可能である」という結論になるのではないか。そこで本節と次節では「非物理過程が物理過程に因果的に影響を与える」ということを認めない限り、標準解釈は成り立たないことを議論しよう（そして前章で説明したように、一般に非物理過程が物理過程に因果的影響を与えることは受け容れがたい）。

量子力学における重要な関数に「波動関数」というものがある。標準解釈では、この波動関数は系の物理状態を完全に記述していると考える。それゆえ、ある未来の時刻t_1におけるある物理量Qの波動関数を計算したとき、これがQの「固有関数」というものになっていないならば、時刻t_1におけるQの値は確定していない（逆も真）と考える。

もうすこし説明しよう。量子力学にはスピンという独特の物理量がある。電子の場合、スピンは＋1/2か－1/2の2つの値しかとらず、それ以外の値をとらない（正確には$+\hbar/2$と$-\hbar/2$）。さて、物理量Qを電子のスピンとしたとき、その波動関数が固有関数になっていないとは、スピンが＋1/2の状態と－1/2の状態が「重なり合っている」ということを意味する（重なり合っているので、その電子のスピンは1つの明確な値をもたない）。「完全に記述している」とはそういう意味である（「固有値－固有状態リンク」と呼ばれる）。つまり、物理状態を完全に記述している波動関数が固有関数になっていないのだから、物理状態も確定的な状態になっていないはずだということだ。

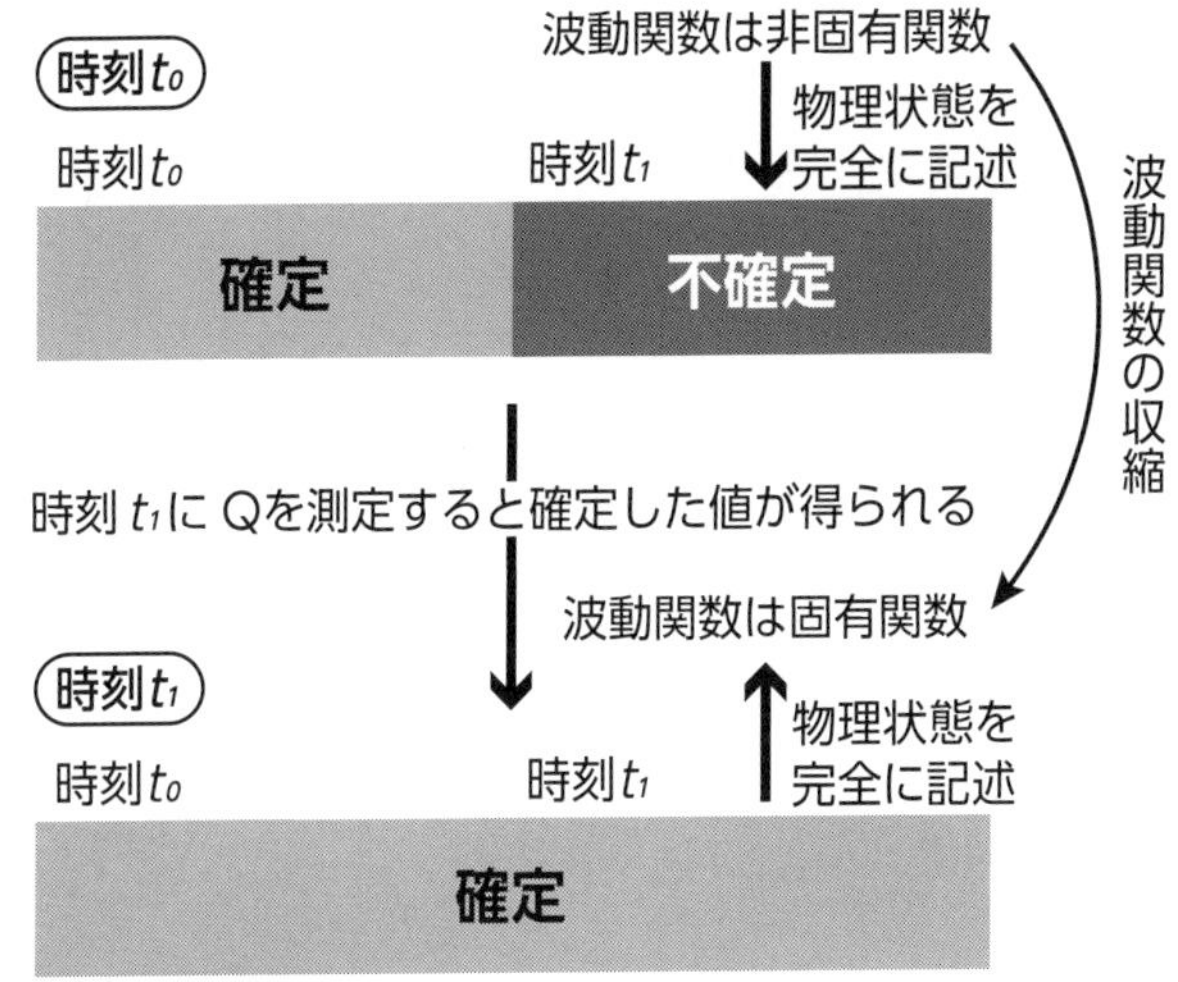

図3－4　波動関数の収縮

しかし、実際にt_1になってQを測定すると1つの確定した値が得られるはずだ（たとえば、電子のスピンを測定したら＋1/2か－1/2のどちらかになるはず）。この事実とつじつまを合わせようとすると、固有値－固有状態リンクより、測定の瞬間、その直前まで固有関数ではなかった波動関数は固有関数に「収縮」しなければならない（図3－4）。だがこの収縮のメカニズム（測定過程）は不明である。

標準解釈と心身二元論

　波動関数の時間発展はシュレーディンガー方程式という方程式によって記述されるが、シュレーディンガー方程式では測定後の波動関数がどうなるかは予測できない（シュレーディンガー方程式では測定過程を記述できない）。言い換えれば、もし予測できるならば（どのように波動関数が収縮するのかを一意的に記述できるならば）、量子力学において法則的決定論が成り立っているということでもある（シュレーディンガー方程式自体は決定論的方程式）。

それゆえ、この波動関数の収縮はシュレーディンガー方程式以外の物理法則で記述されなければならないということになる。だが、測定過程以外の物理過程はすべてシュレーディンガー方程式で記述されるという前提であるから、もし測定過程だけがシュレーディンガー方程式で記述されないとするならば、なぜ測定過程だけが特殊なのかを説明できなければならない。

1つの方法は、測定過程では人間の意識が介入しており、そしてその介入は物理過程ではないということである。物理過程ではないのだからシュレーディンガー方程式では記述できない。しかしこのように（人間の意識に限らず）非物理過程が物理過程に因果的影響を与えるという考えかたには、前章に述べたような哲学的問題があり、これを受け容れることは難しい。

したがって、「標準解釈」と呼ばれているものの、実際には量子力学の解釈としてこれを受け容れることは難しく、支持している者はほとんどいないか、いたとしても、次のような主張かそれに類似した主張をしている（もしくは量子力学を、あくまで自然現象を記述するための「道具」としてみなしている）ように私には思える。

すなわち、問題としている系だけではなく、測定装置や測定者など環境系も合わせた全体系にシュレーディンガー方程式を適用すると測定過程も記述できるという主張である。たとえば、電子のスピンを測定する機器と電子が相互作用するまでは電子のスピンの値は不確定であるが、測定器と電子が相互作用することによってどちらかの値に確定するのである。その主張が真である可能性はあると思うが、しかしその場合は量子力学において法則的決定論が成り立っていると主張することと同等である。[注7] したがって、運命論とは矛盾しない。

なお、さきの標準解釈の問題点（不連続な測定過程はシュレーディンガー方程式で記述できない）に対して、波動関数の不連続な収縮は、シュレーディンガー方程式では記述できなくても、（別な仕方で）数学的に記述することは可能なので標準解釈には（もしくは波動関数の収縮という概念には）問題がないとされることもある。

科学的な実践としてはたしかにそれで問題ないのかもしれないが、哲学的に問題なのは、数学的に記述できるかどうかではなく、測定過程（収縮過程）が観測しているとき以外の物理過程と異なることを正当化できないということである。つまり、測定過程が数学的に記述できるのだとしても、測定過程以外はシュレーディンガー方程式で記述できるのに、なぜ測定過程は（物理過程であるならば）シュレーディンガー方程式で記述できないのかということである。同じ物理過程であるのに、測定過程とそれ以外を区別する正当な理由がないのである。

それゆえ、量子力学的世界観を未来が開いた世界として解釈する標準解釈はむしろもっともらしくない（と私は考える）。なお、波動関数を、物理状態ではなく私たちの認識状態を完全に記述するものだとする議論も存在する（このような解釈のひとつがさきに述べた様相解釈になる）。そうすると、時刻t_1の波動関数が物理量Qの固有状態ではなくても、時刻t_1のQの値は（時刻t_0からt_1のあいだで系になんらかの相互作用がないとすれば）時刻t_0の時点で確定していると考えることができる（波動関数は物理状態を記述しているのではないから[注8]）。

未来が開いていることも証明できる？

以上のようにして、議論3―Aでもっとも疑わしい前提である［F4］が正当化された（すくなくとも偽であるとはただちには言えない）。しかし、議論3―Aと同じ構造で「未来が開いている」ということも証明できそうに思える。たとえば、「Pならば〈Pであり、かつPは不確定だった〉が可能」であるならば「Pならば〈Pであり、かつPは不確定であった〉」が証明できるのではないか。

なぜなら、「〈Pであり、かつPは不確定であった〉ならばPである」という議論3―Aの前提［F2］に相当するものはあきらかに真であるし、［F3］はすでに述べたように、運命論云々とは関係なく正しい。［F4］に相当するのが「Pであるならば〈Pであり、かつPは不確定であった〉が可能である」になり、これを否定する根拠もなさそうだ。注9

問題は［F1］に相当する前提である。これを日本語で書いてみると、「〈PかつQ〉が不確定であるならば、Pは不確定であり、かつQも不確定である」となるが、これはかならずしも成り立たない。なぜなら、Pが不確定であればQが確定していた（「Qが不確定である」が偽）としても、「〈PかつQ〉が不確定である」が成り立つからである。

未来に起きることはなんであれ、起きることがいま決まっている

議論3―Aで示されたことは「いま起きたことはなんであれ、それは過去においてすでに確定していた」ということである。運命論を証明すると言うとき、やはり「未来に起きることはなんであれ、現在においてすでに確定している」ということが証明できなければならないのではないかという疑問をもつかもしれない。ここでついでに、いずれにせよ、

運命論をこの現実世界にのみ限った本書の定義にそもそも不満がある読者もいると思うので、それも含めて述べておこう。

これについて考えるべきことは「そもそもなぜ運命論が哲学的に興味のある話題なのか」ということである。運命論の正否はこの世界がどのようにあるかに関わる。本書で定義した運命論が成り立たないのならば、未来は確定していない（もしくは過去からみて現在は確定していなかった）のであり、正しければ未来は確定している（もしくは過去からみて現在は確定していた）ということになる。

形而上学は「この世界がいかにあるか」についての学問であるから、（本書で定義した）運命論が成り立つか否かは当然形而上学的に興味深い議論である。そしてその動機から考えると、運命論が「いま起きたことがなんであれ、過去においてすでに確定していた」という意味であろうが「未来に起きることはなんであれ、現在においてすでに確定している」という意味であろうが、形而上学的に意義のある議論であろう。

また、運命論が成り立つかどうかで（どちらの意味であっても）、第5章そして第6章で議論するように、ほかの哲学的議論に影響を与える。とはいえ、せっかくなので、上記の証明（議論3―A）で「未来に起きることが確定している」ことも証明できていることを議論しておこう。

今月は2023年の8月だとしよう。そして、Pを「森田はこの章を2023年8月に書いている」とする（ここで「森田」は本書の著者を一意的に指示するものとする）。すると、上述の議論から「森田はこの章を2023年8月に書いている」という出来事が生じることは、たとえば、1923年にはすでに確定していたということが証明された。すると、1923年が〈現在〉であったとき「森田がこの章を2023年8月に書く」という出来事は未来の出来事であるのだから、1923年からすると「未来に起きる出来事がいま確定している」ということになる。また、2123年はやがて〈現在〉となる。2123年が〈現在〉であるという視点に立てば、上述の議論から、2123年に生じたことはなんであれ、2023年には（2123年に）起きることが確定していたということになる。

ここで、「1923年が〈現在〉のときには『森田がこの章を2023年8月に書く』は1923年には確定してなかったが、2023年が〈現在〉のときには『森田がこの章を2023年8月に書く』は1923年に確定していた」という可能性があるのではないかという反論があるかもしれない。しかし「確定している」とはさきに言及していたように「真理値が不変である」ということである。それゆえ、上のような想定を認めることは「確定している」の定義に反することになるので、この反論は受け容れられない。

未来が未来ではないかもしれない

本章の残りは運命論とはまた別の話題になる。ここまで本書ではさまざまな動的時間モデルの哲学的問題を議論してきた。以下ではさらに、動的時間モデルが正しいとしたならば、「私たちが未来であると信じている時間方向がじつは過去であるかもしれない」ことを議論しよう。急ぐ読者は以下も飛ばして次章に進んでもよい。

前章で、動的時間モデルが直観的に正しいと思える理由に、過去と未来に対する私たちの態度の非対称性があるということを述べた。しかし以下で議論するように、動的時間モデルが正しいとしても、実際の時間の流れている方向と私たちが時間が流れていると考えている方向が一致している保証がないのである。それゆえ、（静的時間モデルではなく）動的時間モデルを選択する1つの重要な根拠が失われることとなる。

この議論で「私たちは時間経過を経験することはできない」とまでは主張できないが、それをある程度サポートする議論にはなるだろう。そして物理学の特定の理論に依拠した議論にはなっていないので、前章で紹介した議論2—5に対する反駁にもなっている。

そのことを説明する前に、**内在的方向**という概念を導入しよう。たとえばこの矢印↓の向きは、ふつう下向きだと言うと思うが、それは「約束ごと（規約）」によって決められたものである（これを「規約的方向」と呼ぼう）。一方、川が流れる向きは規約ではなく、実際に川の水が水源から海側へと流れている。このような方向を「内在的方向」と呼ぼう。電流はプラスの極からマイナスの極へと流れるが、これは「そういうことにしよう」という規約で決められた方向である。一方、電子はマイナスからプラスへと実際に移動しており、それゆえ、この電子のマイナスからプラスへ流れる方向は内在的方向である。つまり、電流の方向（規約的方向）と電子の内在的方向は逆を向いている。

さて、もし時間がほんとうに流れているなら、川の流れる方向や電子の移動方向と同様に内在的な方向が存在するはずである。いま議論したいのは、では、時間は、私たちが過去だと思っている方向から私たちが未来だと思っている方向へ流れているのだろうか？ということである。

もちろん、その前に「過去」や「未来」をどう決めるのかという議論をしなければならない。まず内在的方向があって、それが向かう側が未来であると決めるならば、必然的に時間は過去から未来へと流れることになる（川の水が向かう側が川下で水源のほうを川上と決めたら川が川上から川下に流れるというのはあたりまえである）。すなわち、動くスポットライト説や成長ブロック宇宙説の場合、絶対的現在は過去から未来へと動いているということになる。しかし、私たちの記憶のある側、もしくはエントロピー（エントロピーについてはあとですこし説明する）が低い側が過去であると決めたとき（そして私たちはそう思っているはずだ）、「動的時間モデルが成り立っているとしても時間は過去から未来へと流れているのか」というのがここでの疑問である。

いま、私たちが経験的に感じている時間の流れる方向を「時間の経験的方向」と呼ぼう。つまり、さきほど述べたように、記憶のあるほうから記憶のないほう、エントロピーが低いほうから高いほう、への流れのことである。それゆえ、いまの問いは言い換えると、「時間の経験的方向と内在的方向は（必然的に）一致するか？」である。

なお、静的時間論ではそもそも時間が客観的には流れていないのだから内在的方向は存在しないので「経験的方向と内在的方向は一致するのか」という問いはそもそも発生しない。また、（静的時間モデルであろうが、動的時間モデルであろうが）規約的方向は経験的方向（記憶のあるほうからないほうへと時間が流れている）を根拠として決めているので、規約的方向と経験的方向が一致するのは不思議ではない。

内在的方向性と内在的非対称性

ここで、時間に内在的方向性があることと、内在的非対称性があることは異なることに注意しよう。いま述べたように、静的時間モデルが成り立っているとするならば時間に内在的な方向性はない。しかし、もし時間が半直線のようなもので一方の端はあるが他方の端はない（無限）のだとすると内在的な非対称性はある。

また、時間の非対称性と世界の時間的非対称性も区別しなければならない。空間で考えてみよう。たとえば球面はどの点にいても、（球面内で考える限り）そこからどの方向へ向いても球面そのものは対称的である（特別な方向がない）。しかし、この球面上にモノを配置していくとき、非対称的に配置していくことは可能である。いま、かりにこの宇宙空間の形は、たとえば四次元球の球面（ここでの「四次元」とは空間のみでの四次元である。そして、ここでの「球面」は三次元である）のようなものだとすると（とりあえず空間に実体があると仮定する）、宇宙空間そのものには非対称性はないということになる。しかし、宇宙空間にどのように天体などの物質が配置されているかには非対称性があるかもしれない。その場合、空間は対称的だが世界は空間的に非対称だと言おう（もっとも厳密に言うと、物質の存在によって空間の形状に影響があるが、これはたんなる説明のための例なので厳密な話はしないでおく）。ちなみに、空間には内在的な「方向」はないことはいいだろう。

同様に、かりに時間が対称的であっても世界は時間的に非対称的であるかもしれない。じっさい、私たちの経験上では、過去の記憶はあるが未来の記憶はないとか、異なる温度の物質を接触させると熱はつねに高温物質から低温物質へ移動しその逆はないとか、透明な水に赤いインクを落とすと拡散していくが拡散した赤インクが自発的に一ヵ所に集まることはないなど世界にはさまざまな時間的非対称性がある。そして、たとえば、高温物質から低温物質へ熱が移動する時間方向を規約的時間として定義する。なぜならこの方向に時間が流れていると感じるからである（経験的時間方向）。

なお、さきの「熱はつねに高温物質から低温物質へ移動しその逆はない」を熱力学第二法則という。たとえば熱湯と冷水を混ぜたら、熱湯は冷めていき冷水は温かくなっていくのであって、熱湯がさらに熱くなり冷水がさらに冷たくなる（低温物質から高温物質へ熱が移動する）ということはない。そして、熱が高温物質から低温物質へと移動することによって「エントロピー」という量が増大するので、熱力学第二法則は別名「エントロピー増大則」とも呼ばれる。

このように、もともとはエントロピーは熱に関する概念であったのだが、20世紀に入り熱力学が力学に還元されるなかで（統計力学）、エントロピー概念も拡張され、いまでは「乱雑さ」もしくは「均質さ」のような意味で用いられることが多い（エントロピーをこのように単純に「乱雑さ」「均質さ」と解釈してしまうことには問題がある――あとで言及する）。そして、時間が非対称的であろうが、世界が時間的に非対称であろうが、そのことと、時間に内在的方向性があることとは異なる。しかしこれらはしばしば混同されているように感じる。

たとえば、時間の向きについて論じられるとき、しばしば「物理学の基本法則（ニュートンの運動方程式、シュレーディンガー方程式、アインシュタイン方程式など）は時間的に対称的であるのに、なぜエントロピーは未来へ向けて増大するのか？」という問題が議論される。しかし、これは実際には「物理学の基本法則は時間的に対称であるのに、世界が時間的に非対称なのはなぜか」という問いである。そして、本書で問題にしているのはそういう問いではない。[注10] かりに時間対称的な方程式から「なぜ現実世界がエントロピーに関して時間的に非対称的なのか」を説明できたとしても、そしてさらに、私たちがエントロピーが低い時間方向の記憶があり、高いほうの記憶がないことも説明できたとしても、それでも内在的時間方向とエントロピーが増大する向きが一致するとは言えないということを論じているのである。ここは混乱しないようにしてほしい。

成長ブロック宇宙説と因果的力能説

さて、いま考えたいことは「時間の内在的方向と経験的方向が一致しているのか」ということであった。そのことを考えるために、「いったいどうであれば、時間の内在的方向と経験的方向が一致していると言えるのか」を考えてみよう。

まず、因果的非対称性を考慮してみよう。すなわち、「原因はつねに結果に時間的に先行する」という非対称性である。たとえば、「出来事Eの記憶」とは「出来事E」が生じたことが原因で引き起こされるものであるならば、原因→結果の向きと経験的時間方向は一致するはずだ。そして、因果の方向が内在的時間方向と一致するならば、結果として、内在的方向と経験的方向が一致すると言えるだろう。

前章でもすこし触れたように、因果概念を分析する哲学的理論にはさまざまなものがある。だが、因果概念を実在のものとみなさない、すなわち、ほかの概念に還元できるとみなす理論は、いまの場合、内在的方向と経験的方向の一致についての議論に役立ちそうにないので(なぜなら因果の向きが還元されるところのほかの時間の向き、すなわち、熱力学的な向きなどは規約的だから)、因果概念をほかの概念に還元できない「原始概念」とみなす理論をとりあげよう。

すなわち、前章で取り上げた因果的力能の理論である。この理論によると、モノや行為は因果的な力能(パワー)を有しているのであった。しかし、因果的力能説を用いたところで動くスポットライト説ではあまり事態は進展しないように思える。というのも、たとえば、「(太郎の)投石→ガラスが割れる」という方向に因果的な方向があったとしても、

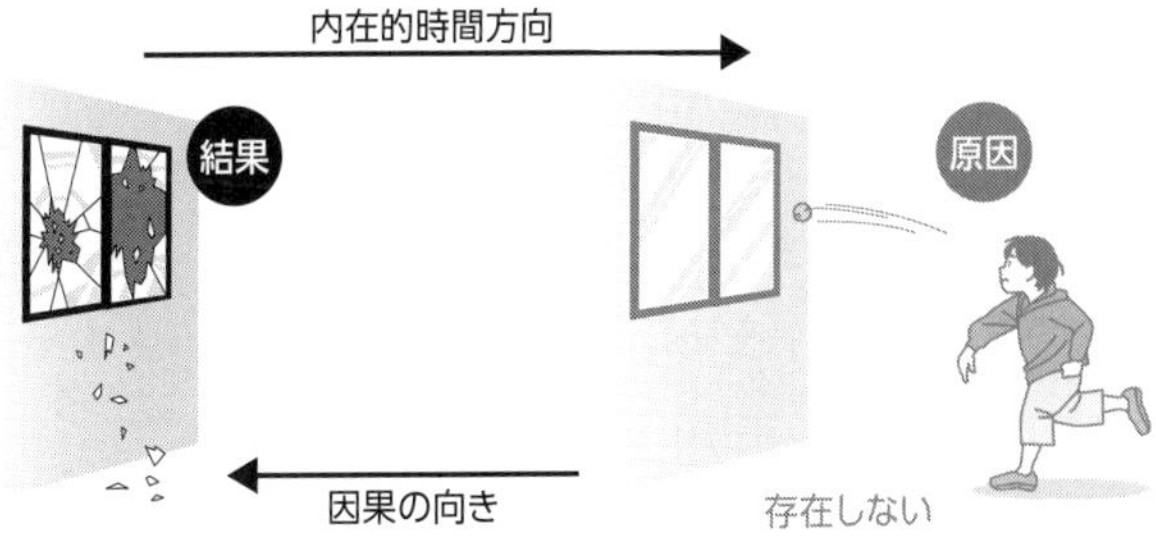

図3－5　成長ブロック宇宙説と因果の向き

そのことと絶対的現在が移動する方向が一致しなければならない根拠はないように思えるからだ。

しかし成長ブロック宇宙説の場合、投石→ガラスが割れるという因果の向きと内在的方向が逆を向いている（それゆえ、投石という出来事がガラスが割れたという出来事より未来にある）ならば、ガラスが割れた時点でまだ投石という出来事は存在していない（図3－5）。つまり、存在しない出来事によってガラスが割れるという出来事が引き起こされたことになり、問題があるように思える。したがって、成長ブロック宇宙説と因果的力能説を前提とするならば、経験的時間方向と内在的方向は一致するのではないだろうか？

だが、ここで重要なことは、因果的力能説が正しいとしても、だからといって、因果の方向が投石→ガラスが割れるという方向になっているとは限らないということだ。つまり、ガラスが割れることが原因で投石が生じたのかもしれない（「割れた」「投石」という言葉自体に方向性が含まれているのでややこしいが――〈ほんとうに〉生じている出来事は割れたガラスが1ヵ所に集まり、石が太郎の手元に戻っていくという過程である）。これを否定する根拠はとくにないように思える。

ある出来事Eとその出来事の記憶R_Eの関係も同様で、Eが原因でR_Eが生じたともいえるしR_Eが原因でEが生じたともいえる。どちらでもすくなくとも物理学的には問題がない（物理学には「方向性」が内在されていない――それはかりに物理学の基礎法則が時間非対称的であってもそうである）。それゆえ、ほんとうの因果の方向性（そのようなものがあったとしても）を知ることは私たちにはできない。

そうすると、記憶R_Eが存在している時点では出来事Eが存在していないとしても、因果的力能説には反しないことになる（R_EがEを引き起こすのだから）。それゆえ、因果的力能説と成長ブロック宇宙説のどちらも認めたとしても、そして、それゆえ、内在的方向と因果的方向は一致するのだとしても、内在的な時間方向と経験的方向（過去の記憶のみがあり未来の記憶はない）は逆を向いている可能性がやはりあるのだ。

このような問題の回避法として、「1つもしくは少数の物理過程から多数の物理過程が因果的に生み出される」と仮定することが考えられる。[注11] たとえば、1枚のガラスが割れると多数のガラスの破片にわかれる。また、コップに入った透明な水に一滴の赤いインクを垂らすと、落下点から水全体へとインクが広がる。このように考えると、物理過程は、一方向に向けて「枝わかれ」しているように思える。それゆえ、この枝わかれの方向と因果の内在的方向が一致していると考えるのだ。

しかしまず、このような回避法はアドホックなように思える。この問題が解決できること以外に、因果の内在的方向と枝わかれの方向が一致しているとする根拠はどこにもない。次に、「そもそもほんとうに例外なく一方向に向けて物理過程は枝わかれしているのか」という問題もある。宇宙は一時的に均質であったが、重力作用により天体などが構成されていった（分散して存在する物質が一点に集まり天体が構成される）[注12]。この過程は枝わかれが私たちの経験的方向の逆を向いている。この回避法を認めるためには、例外なく枝わかれ方向がすべて私たちの経験的方向を向いていなければならないだろう（しかしそうではない）。それゆえ、さきに述べた、エントロピーの増大は均質さや乱雑さの増大だという解釈は重力作用を考慮しない場合であり、重力作用を考慮すると、天体が構成されていく過程（均質さや乱雑さが減る——秩序が生まれる過程）もエントロピー増大過程と言える。

私たちが未来だと思っている時間方向はじつは過去かもしれない

したがって、動的時間論が正しいとすると、「私たちが未来だと思っている時間方向はじつは過去かもしれない」という可能性は否定できない。私たちがこれから生じると信じている出来事は、もうすでに生じた出来事であり、私たちの記憶にあるすでに生じたと信じている出来事はこれから生じるのかもしれない。そして、私たちは死んだ状態から生まれる状態へと「成長」していっているのかもしれない。

なお、ここで言っているのは、F・スコット・フィッツジェラルドの小説『ベンジャミン・バトン』の主人公のような年老いた状態で生まれ若返っていく人〝も〟いる可能性があるという話ではない。そのような可能性はかなり低い（ほぼ0）だろう（なぜなら物理学・生物学に反するから）。そうではなく、私たちすべてがベンジャミン・バトンかもしれず、しかしその場合、環境も含めてすべてが「逆行」しているので、そうだとしても経験的にはまったくわからない（自然科学に反しない）ということである。

ここまでの議論は、現在の物理法則が時間対称的であるということを根拠にしているのではないということにも注意されたい。たとえ、将来的に基礎的な物理法則が非対称的であることがわかったとしても（それゆえ、この世界は内在的に時間非対称的なのだとしても）、時間の経験的方向と内在的方向が一致するとは言えない。それはすでに述べたように、物理法則には「方向性」が含まれていないからだ。

また、未来が開いているかどうかも関係がない。本章前半で未来が開いていないということを証明したが、それがまちがっており、じつは未来が開いているのだとしても以上の議論は成り立つ。一見、未来が開いているとしたならば内在的時間方向と経験的時間方向は一致しそうである。なぜなら、もし未来が開いていて、物理法則が世界を記述できるのであれば、その物理法則も未来が開いている形になるだろう。それゆえ、その物理法則には方向性も含まれており、それが示す方向が内在的な未来であり、それは（物理法則に含まれているので）経験でわかるから必然的に経験的方向と内在的方向は一致することになるだろうからだ。

前章の議論2―5で、私たちが時間経過を経験している以上、時間経過がなんらかの役割を果たさない物理理論は不完全であるということを示した。この議論が正しいならば、時間経過がなんらかの役割を果たさない物理理論を前提とした議論も意味がないのではないか。では、どのような物理理論であれば時間経過がなんらかの役割を果たしていると言えるのか。考えられるものとしては、いま述べたように、未来が開いていることを示すことのできる理論であろう。

だが、なんらかの基礎方程式Eで未来が開いていることが示されているというのはどういうことか？　量子力学と同様に、系の物理状態をあらわすなんらかの関数があり、未来の時点t_1でのその関数をEで計算すると、系の状態が不確定であることが示されているということになるだろう。しかしt_1が現在になれば系の（すくなくとも観測される）状態は確定するのだから、その関数は不連続に変化することになる（量子力学でいう波動関数の収縮）。もちろんこの変化はt_1以前にはEによって予測することは原理的にできない。

　さてそうすると、t_1が現在になってから、t_1で確定した系の状態を用いてt_1より過去の時点t_0をEにより遡言《そげん》しようとしても、やはりできないはずだ（t_1以前以後で系の状態およびその系の状態をあらわす関数が不連続に変化しているから――つまりt_1での系の状態には系の過去の情報が含まれていない）。つまり、未来が開いていて、かつ物理学で世界が記述できる（時間経過が物理理論においてなんらかの役割を果たしている）ならば過去も開いていなければならない（過去の状態も不確定になるのでなければならない）。未来も過去も開いているのだから、経験的な時間方向と内在的な時間方向が一致していることはやはり保証できない。

　以上のように、時間がほんとうに流れているのだとしても、そしてそのことが物理学により保証されるとしても、私たちが過去と信じている方向から未来と信じている方向へと時間が流れているとは限らないということが示された。このことは、動的時間モデルが正しいとしても、結局のところ、内在的時間方向と私たちの経験的時間方向は無関係なのだから、時間に非対称的な私たちの態度を説明することはやはりできないということである。

たとえば、自分を撮った動画があり、その動画は私たちの意識をも閉じ込めるようなものだとしよう。すなわち、その動画のなかの私は意識をもっているのだ。だが、その動画を停止状態にしても、正しい再生方向で再生しても、逆再生をしても、動画のなかの私にはそのことがわからない。動画のなかの私は通常通りに時間が流れているように感じるだろう。動的時間モデルが正しいとしても、私たちの時間に非対称的な態度を説明できないということはこのたとえのようなものである。

「時間が流れる」という感覚

これに対して、「動的時間モデルでは私たちの時間に非対称的な態度を説明できないかもしれないが、そもそも〈時間が流れている〉という強い感覚は否定しきれず、それは動的時間モデルでなければ説明できない」と言うかもしれない。しかしかりにほんとうに時間が流れていても(時間経過が実在していても)私たちはやはりそれを直接には経験できない。さきに述べたように、物理理論が未来が開いていることを示すことができたならば、それは時間が経過していることの経験的証拠ではあるが、だからと言って、私たちの時間経過の経験が客観的な時間経過に起因しているとは限らない。

第2章でもすこし言及したように、時間現象学という分野で、認知科学の成果を用いて静的時間モデルで私たちの「時間が流れる」という感覚を説明しようとする試みはある。だが、すくなくとも現時点では説明できていない。この点は静的時間モデルを支持することを戸惑わせる大きな要因である。しかしでは動的時間モデルで実際に時間が流れているという私たちの感覚が説明できるのか、というとこれも怪しい。

現在主義では「時間が流れる」ということを形而上学的に説明できないのではないか、という批判を前章でした。これについては、因果的力能説によって答えることができるのではないかと議論した。だが、以下では、現在主義（に限らず動的時間モデル）では、かりに客観的に時間が流れているとしても、私たちが時間経過を経験していることを説明できないことを議論しよう。

つまり、私たちの時間経過の経験と客観的な時間の流れは無関係ではないかということである。それゆえ、議論2―5の前提1もしくは3が成り立たないのではないかと思われる。より正確に言うならば、動的時間モデルによってどのように私たちが時間経過を知覚しているのかを説明できるのかもしれないが、そうだとしても、それはそれほど簡単なものではなく、静的時間モデルから私たちの時間経験を説明するのが難しいのと同様に難しいということを議論する（それゆえ、この点での動的時間モデルの静的時間モデルに対する優位はない）。

図3-6　時間の流れをどのように知覚するか？

まず、私たちが直接知覚できるのは現在のみであると考えてみよう（もちろん、正確に言うと、対象から網膜へ、そして網膜から視神経を通って脳へと到達するまでに有限の時間が必要なので、知覚した対象の状態は現在の状態ではない。ここで述べているのは、知覚できるのはある瞬間のみであるということ）。すると、私たちは「時間の流れ」そのものを知覚しているのではない。これに対して、記憶や予期で説明できると言うかもしれないが、もしそうであるならば、静的時間モデルでも説明できるということになる。つまり、時間そのものは流れていなくても、ある時点の認識主体の時間的部分が記憶と予期から「時間が流れている」と認識していると説明できる（具体的なメカニズムはともかく）。

これに対して、「現在には幅があり、かつ私たちの知覚能力にも幅がある」という反論はあり得るが、それでも解決しない。図3-6をみてみよう。「現在」は図3-6の瞬間1〜3までを含むとしよう。しかし私たちがこれらを「同時に」知覚したとして、順序が1→3であることはどのようにしてわかるのだろうか？「私たちの知覚能力として、それらを同時にではなく〈流れ〉として捉えることができるのだ」というのは1つの答えであるが、その回答が有効であるならば、静的時間モデルでも「意識的存在者の時間的部分は1~3の幅で1つの意識をもち、これらを〈流れ〉として捉えるのだ」と言えばいい。つまり、動的時間モデルで私たちが「時間が流れている」という感覚をもつことを説明できるのならば、静的時間モデルでも同じメカニズムで説明できるということになり、動的時間モデルの優位はない。

さらに、認知科学における実験では、非常に短い時間間隔で与えられた2つの刺激に対して、どちらの刺激が先なのか、しばしば人はまちがうことが示されている。もし客観的な時間経過を「そのまま」受け取っているならば、このような錯覚はなぜ生じるのだろうか。むしろ、なんらかのメカニズムが介在してもともとは順序づけられていない刺激を順序づけているから、その過程で錯誤が生まれるとするほうが納得できるように思える。

時間が流れていない世界とはどのような世界か

ところで、動的時間モデルは、現在主義、成長ブロック宇宙説、動くスポットライト説とさらにいくつかのモデルにわかれていたが、静的時間モデルの下位モデルはとくに言及されなかった。だが時間が客観的に流れていない場合、さらに2つのケースが考えられるように思える。すなわち、時間経過は存在しないが時間は存在する場合と、時間そのものが存在しない場合である。

前者は、時間があたかも空間と同様なありかたをしている場合である。四次元主義的静的時間モデルがこのようなモデルである。この場合、時間もしくは時間軸上に並ぶ出来事に非対称性があり、その非対称性がなんらかのメカニズムで私たちに時間の流れがあるかのように錯覚させているという可能性がある。それに対して、後者の立場は、（流れないものも含めて）時間というもの自体を否定するという立場である（この場合、空間の存在も否定するのが一般的である）。

いわゆる「錯覚」という場合、なにかその錯覚を生じさせるような原因が主観のみならず世界の側にも存在する場合と、純粋に主観的な要因のみがある場合があるだろう。「静止しているのに動いているようにみえる図形」などは前者のパターンで、そのようにみえるのは、もちろん私たちの認知機能の問題もあるが、その図形がそのような錯覚を生じさせるような図形であることにも原因がある。

一方で、私たちは「ないはずのモノがみえる」という経験もする。つまり、実際には経験していないものを経験したかのように信じるのだ。たとえば、自動車事故のビデオをみせられたあと、その事故を「激突」と表現すると、実際のビデオには窓が割れるシーンがなかったにもかかわらず、窓が割れるところをみたと語る人が$\frac{1}{3}$ほどおり（つまり、「窓が割れるシーンをみた」という経験をしたと信じている）、「衝突」という表現であればそのような人は10％程度しかいないという実験がある。[注13]

この場合は「過去」の記憶の問題であるが、現に「みえた」と報告しているモノが存在しない場合もある。たとえば、20世紀初頭、N線という放射線がルネ・ブロンロというフランスの物理学者によって「発見」された。そしてこのN線はほかのフランスの物理学者たちの追試によってもみることができた。しかしフランス以外の物理学者たちにはみえなかったので、調査が行われたところ、N線なるものは存在しないことがわかった。

ブロンロをはじめ「みえた」研究者たちは、おそらく、虚偽の報告をしていたわけではなくほんとうに「みえた」と信じていたのだと思われる。つまり「N線を観測した」という経験を実際にはしていないのに、したと思っているのである（そして、それはさきのビデオの例と異なり、その実験のそのときに「みえている」と信じていただろう）。

そうだとすると、時間の経過も、なにか錯覚を起こさせるようなモノや現象が世界の側になくても、なんらかの理由によって人間は「時間が経過している」という信念をもち、その信念から「自分は時間経過を経験している」という信念が生み出されているのかもしれない。つまり、動的時間論者の「時間が流れている」という主張のもっとも重要な根拠は「私たちは実際に時間経過を経験している」というものであったが、「経験している」と思っているだけで経験していないのかもしれない。

静的時間モデルの支持者でも、私たちが実際に時間経過を経験しているということを認める立場（**幻想主義**）と、時間経過を経験すらしていないという立場（**真正主義**）がある。[注14] いま述べたような、そもそも経験の対象となる時間そのものが存在しないという立場は、真正主義のなかでもとくに**「無内容主義」**と呼ばれる。そして、幻想主義や真正主義の立場などから、私たちが「時間を経験している」と信じるのはなぜか、どのようなメカニズムによってか、などを研究する分野が時間現象学なのである。

第1～3章までのまとめ

第1～3章では時間に関するパラドクスを扱った。そのなかで、私たちの「時間が流れている」という直観が疑わしいことがあきらかになった。第1章では、時空が連続的であり、無限系列が完了しないのであれば、時間が流れることはできないことをみた。

また第2章では、時間が流れているならば時間次元の無限後退が生じるというパラドクスを論じた。このパラドクスは現在主義をとり、なおかつ因果的力能説をとれば解決できそうだった。さらに因果的力能説は高い形而上学的説明能力をもち、因果的力能説が成り立つなら三次元主義的動的時間モデルが成り立ちそうに思える。それゆえ、三次元主義的動的時間モデルは一転、説得力をもつようにみえる。また、そのほかの、動的時間モデルでは説明できて静的時間モデルで説明できなさそうなこととして、私たちのもつ時間的に非対称的な態度があった。

しかし、現代物理学は動的時間モデルと矛盾するようにみえる。すなわち、動的時間モデルが正しいならば絶対的現在が必要であるが、相対性理論は絶対的現在の存在を否定しているように思えるからだ。この議論に対する、「そもそも相対性理論が正しいという前提で議論することに問題がある」という動的時間論者側からの反論があった。なぜなら、現代物理学が認めない存在者は存在しないのならば、将来的にも現代物理学が認めない存在者は発見されないだろうということになるが、それはおかしいからだ。私たちは時間の経過を経験している。しかもそれは普遍的な経験であるように思える。それなのに物理理論Tにおいてそのような存在者がなんの役割も果たさないのならば、修正されるべきはTではないだろうか?

第3章の後半では、このような動的時間論者からの反論について議論した。すなわち、動的時間モデルが正しいとしても、私たちの時間的に非対称的な態度を説明できないし、また私たちが時間経過を経験することも説明できないことを議論した。それゆえ、前段落の動的時間論者の議論は成り立たない。

第3章の前半では運命論について議論した。従来の運命論の論証は、未来命題の二値原理や過去命題の必然性が前提とされていたが、これらの前提は自明ではない。また、「運命論」でなにを意味しているかもやや曖昧であった。

そこで、運命論を「この現実世界において成り立っているあらゆる（出来事についての）命題について、それが成り立つことは過去においてすでに確定していた」ととった。そして、この意味での運命論が形而上学的に可能であるならば、運命論は必然的に真であることを論証した（運命論は形而上学的に必然である）。本書での運命論の証明は、未来命題の二値原理が成り立つことを示したとも言える。

さてしかし、もし運命論が正しいのならば、私たちには自由がないということではないか。この点については第5章で議論する（結論をさきに言うと、自由はある）。その前に、話がガラリと変わるようであるが、次章では「死は死ぬ当人にとって悪いことか」ということを議論しよう。

第4章　死は悪いことか？

本章で話はガラリと変わる。とはいえ、ここまでで導入した概念も使う。本章では「死が死んだ当人にとって悪いと言えるのはなぜか」ということについて考えていこう。ここで「悪い」というのは倫理的な意味ではなく、痛みや不快感などのような意味での「悪い」である。「なんでそんなこと考えなあかんのや」と思うかもしれないが、この議論を通して、私たちはそもそも「私たちにとって〈良い〉とか〈悪い〉とはどのようなものなのか」についてよく知らなかったということが明らかになるだろう。なにが良く、なにが悪いのかを知ることは、倫理的な意味での善い悪いにももちろんつながっていく。なぜなら、一般的に言って、他者にとって悪いことをするのは倫理的に悪いことだし、良いことをするのは倫理的に善いことだからだ。また、私たちにとって「良い人生」とはなにかを考えることにもつながっていき、さらに次章での議論も踏まえて、第6章において「人生の意味」を考えることへとつながっていく。

死が恐ろしいのはなぜか

一般に、例外はあるものの、私たちの多くは死を恐れるだろう。それはなぜだろうか？もしくは人を殺すことはなぜ倫理的に悪いことなのだろうか？ ひとつの答えとしては「死が死んだ当の本人にとって悪いことだからだ」というものがあり得る。ここで「悪いこと」というのは倫理的な意味ではなく、痛みや不快感などのような意味での「悪いこと」という意味である。そして一般に、相手にとって悪いことをすることは倫理的に悪いことである。もし死が私たちにとって悪いことであるならば、死を恐れることも、殺人が倫理的に悪いこともおかしなことではない。たとえば、怪我が私たちに「痛み」という悪いことを与えるものなので、怪我をすることを恐れるのはおかしなことではないし、他者を傷つけることは倫理的に悪いことである、というのと同様である。

だが問題は「死はなぜ悪いのか？」という点にある。死者はもう存在しないのだから意識も感覚もない（というのがふつうの考えかたなので本書でもこの立場をとる）。それゆえ、死者には痛みも不快感もない。それなのに、なぜ死は、その当人にとって悪いことだと言えるのだろうか？　「死そのものが悪いのではなく、死は（死の前もしくはその瞬間に）痛みを伴うから、その痛みが悪いのだ」と言うかもしれない。しかしそれならば、なんの前触れもなく痛みもなく、いつも通りに床について眠ったまま死ねば死は悪いことではないのだろうか？　もちろん実際に死に伴う痛みさえなければ死は怖くない人もいるのだろうが、「なんとなくそう思っているだけでよくよく反省するとそうではなかった」という人もいるだろう。それを判断するために次のような思考実験を考えてみよう。

あなたはある病気にかかりましたが、我慢できる程度の苦痛を伴う手術を受ければ絶対に治ります（今後の研究のために手術代は無料にしてくれるとする）。しかし手術を受けなければ確実に半年で死にます（過去の統計では100％）。ただしその半年間も死ぬ瞬間もまったく苦痛はありません。なお、あなたはとくに生きること自体に苦痛を感じているわけではありません。

もし死を恐れる理由が痛みにしかないならば、手術を受けるのはおかしい（手術をすると痛みがあるのだから）。だが、多くの人は手術を受けることを選ぶだろう。なかには、それでも手術を拒否するという人もいるかもしれないが、おそらく稀《まれ》であろう。

また、「死は当人にとって悪いことではないとしても、家族や友人などにとって悪いことであり、家族や友人を悲しませるのを恐れるのだ、そして同様の理由で人を殺すことも（その被害者の家族や友人を悲しませることになるので）倫理的に悪いことなのだ」というのも適切な答えとは言えない。もしそうならば、身寄りもなく親しい人もいない者は痛みを伴わない死を恐れないということになるし、そのような人物を痛みなく前触れもなく殺すことも倫理的に悪いことではないことになる。もしかしたらそうなのかもしれないが、「身寄りもなく親しい人もいない者を痛みを感じさせずに前触れなく殺すことは倫理的に悪くはない」という見解は、すくなくとも精査なしに簡単に受け容れるべき見解ではない。
本章では、死が死を被る当の本人にとって悪いことなのかどうかを、古代ギリシアの哲学者エピクロスによって提出された以下のパラドクスを分析しながら議論しよう。

【議論4―1　死は悪いことではない】

（1）出来事EがXにとって悪いとき、それはEが起きた後に悪い［前提］
（2）Xの死がXにとって悪いとき、それはXの死後に悪い（1より）
（3）Xの存在は、Xの死によって消滅する［前提］
（4）Xの死が生じた後にはXは存在しない（3より）
（5）XにとってのXの悪さはXが存在しているときにのみ生じる［前提］
（6）Xの死はXにとって悪くない（2と4と5より）

なお、前提1について、たとえば試験が迫ってきているとき、そのことが苦痛になることがあるのではないか、と思う読者もいるかもしれない。しかし、これは「試験が迫ってきていると認識すること」が悪い出来事なのである。というのも、もし当日になってその試験がなんらかの理由で中止になったとしても、前日までの苦痛がなくなるわけではないからだ。そして、もちろんそのためには試験がその人にとって悪いこと（少なくとも当人はそう考えていること）が必要である。同様に、末期癌などを宣告され「死が迫っている」ということを認識することも死が生じる前に悪いが、そのためにはその当人が自分にとって死そのものが悪いことだと考えていなければならない。

さて、議論4―1が主張するように、死は死者にとって悪いことではないのだろうか？そして、もし死が悪いことではないのならば、死を恐れることは「恐れなくてよいものを恐れている」という意味で不合理なことになるのだろうか？

もっとも、死が悪いことではなくとも死を恐れることは生物として重要なことだと思われるので、人が死を恐れることは、かりに死が死者にとって形而上学的には悪いことではなくとも進化論的には意味があると言うかもしれない（人間以外の動物が死を恐れているのかは疑問であるが、議論の都合上、そういうことにしておこう）。しかし死を恐れる理由がそれだけならば、私たちの死への恐怖は真理に基づく感情ではなく、たんに進化論的に私たちにビルトインされた感情だということになる。つまり、死というのは、この私個人にとっては悪いことではないのに、種の保存であるとか遺伝子の伝達であるとか、そういった個を超えたもののために、いわば死が恐ろしいと「思わされている」ということだ。

もしかしたら最終的にそういう結論になるかもしれないが、ここで結論を出さずにもうすこし考えてみよう。死が死んだ当人にとって悪いことであるかどうかを考えるために、まずは死に限らず「ある出来事がある人にとって悪いことである」とはどういうことなのかを考えていく。なお、もう1つ、「死を恐れるのは、死とはなにかがわからないからだ」という意見もあるかもしれないが、この点についてはのちほど検討する。

内在的価値と外在的価値

ある出来事がXにとって悪いことであるとは、その出来事がXにとって「負の価値をもつ」ということである。哲学では一般的に「価値」を**内在的価値**と**外在的価値**の二種類にわける（ほかのわけかたもあるが、それについては第6章であらためて議論する）。

「Aに外在的価値がある」とは、Aがそれ以外のものとの関係で価値があるということである。たとえば、貨幣は一般的にはそれ自体に価値はない。それがモノやサービスなどほかの価値があるものと交換できるから価値をもつのである。それゆえ、貨幣の価値は外在的な価値である。なお、「お金を貯めることにのみ執心し、それを使おうとしない人もいるのではないか」と思うかもしれないが、貨幣についてそういう価値のもちかたをする人がいても、貨幣が外在的価値をもたないことを意味していない（第6章で再論する）。

一方で、「Aに内在的価値がある」とは、Aそのものに価値があるということである。

「なにが内在的価値をもつのか」のリストをつくるのは非常に難しい問題である（そもそも内在的価値なるものは存在するのか、という疑問もある）。しかし一般に「快」は内在的価値があるとされる。貨幣に価値があるのは、いま述べたように、モノやサービスと交換できるからであるが、そのモノやサービスに価値があるのは、それを所持したりそれを享受したりすることによって快を得ることができるからであると考えられる（が、この考えはあとで批判的に検討される）。では、内在的に負の価値をもつものはなにか。これもそのリストを作成するのは容易ではないが、一般に「苦痛」は内在的に負の価値をもつとされる。

このような、あるもののある人にとっての内在的価値を**「福利（well-being）の価値」**と呼ぼう。快は正の福利をもち、苦痛は負の福利（の価値）をもつ（以下ではくどいので「福利の価値」をたんに「福利」と呼ぶ）。なお、人が快を求め苦痛を避けることは生物として進化論的に説明できるかもしれないが、そのように、説明できることはかならずしも快に内在的価値がないということを帰結しない。

比較説

さてそうしたとき、単純に考えて、ある出来事がXにとって悪いのは、その出来事が苦痛をもたらすからである。だが、局所的にみると苦痛をもたらすが総合的にみると快をもたらす、もしくはより大きな苦痛を取り除いてくれるような出来事がある。すなわち、手術などである。ほとんどの手術は苦痛を伴うが、しかしそのことによってより大きな苦痛を生じさせる病を取り除いてくれる（もしくは軽減してくれる）。このとき、手術は手術を受ける患者にとって苦痛を与えるのにもかかわらず、（成功したならば）悪いことではない。

それゆえ、ある出来事EがXにとって悪いかどうかを判断するためには、「Eが生じた現実世界でのXが享受した快の量」から苦痛の量を引いたもの（福利の総量）が、「Eが生じなかった現実世界にもっとも近い可能世界でのXが享受した快の量」から苦痛の量を引いたもの（福利の総量）より小さかったなら、Eが生じたことによってXが享受する快の量が減った、もしくは苦痛の量が増えたということなのだから、EはXにとって悪いことだということになる。現実世界ではEが生じ、Eが生じた時刻をtとすると、

「現実世界でt以降にXが享受した福利の総量」が「Eの生じなかった現実世界にもっとも近い可能世界でt以降にXが享受した福利の総量」より少ないならXにとってEは悪い

となる（「可能世界」については第2章の122―124頁を参照）。

このような考えかたを**「比較説」**という。比較説ではなぜXの死はXにとって悪いことになるのだろうか。Xは死ぬことによって、現実世界では苦痛も被らない代わりに快を享受することもできない。つまり、死が生じた現実世界で死後にXが享受する快の量も苦痛の量も0である。しかし、もし生きていて、かつそのときにXが享受する快の総量が苦痛の総量を上まわるなら、死ななかったときのほうがより多くの快を享受できているわけだから死はXにとって悪いことだということになる（議論4—1の前提5を否定）。

それゆえ、言い換えると、もし死ななかったなら被ったであろう苦痛の量が快の量を上まわるならば、死ぬことは悪いことではないということになる。したがって、比較説では、もし不治の病にかかってあとは苦しむだけで回復することなく死ぬのを待つだけなのだとしたら、安楽死は悪いことではない。もっとも、生きているというだけでなにがしかの正の福利をもつ（それゆえ安楽死は悪いもの）という説もある。

また、念のために述べておくと、安楽死を容認すべきか否かという問題は、単純に死が良いか悪いかだけの問題に還元できない。安楽死が容認されていない現状では、選択肢がないのだから治療を受け続けるしかない。ところが、安楽死が容認されると、患者本人が死を強く望んでいるか否かにかかわらず、周りから安楽死を選択するように陰《いん》に陽《よう》に迫られる可能性がある。たとえ、実際は周りの人間がそう考えていなかったとしても、とくに日本人は勝手に周りに気を遣ってほんとうはもっと生きたいのに安楽死を選択する可能性がある。このような可能性がある以上、安楽死の容認の問題は単純に、死が良い場合があるか否かの問題に還元できない。安楽死の問題はあとでもう一度出てくる。

良いか悪いかは本人が決めるのか？

比較説では、ある出来事Eが直接的にXに快（苦痛）をもたらしても総合的に考えると悪い（良い）ことになることがあるのであった。さて、総合的に判断するにしても、EがXにとって良いことなのか悪いことなのかはX本人が決めることのように思える。しかしそれはほんとうだろうか？　次のような例を考えよう。

太郎はカジノでスロットマシーンをしていましたが、負け続けていました。そこで、太郎は「いま諦めてゲームをやめることが自分にとって良いことだ」と考え、実際にやめてその場を去りました。しかしそのあとにきた花子が同じマシーンでゲームをすると、大当たりでした。

太郎は立ち去ったので、あとからきた花子が大当たりになった事実を知らない。それゆえ、太郎自身はあくまで「スロットをやめたことは自分にとって良いことだ」と考えているだろう。だが直観的に言って、太郎がスロットをやめたことは、太郎自身がどう思おうが、やはり太郎にとって悪いことであったように思える。

たとえば、この顚末をみていた人たちは、「太郎がもうすこし続けていたら当たったのに」と思い、それをやめたことを「太郎にとって悪いこと」とみなすだろうし、その判断は正しいように思える。なお、議論の都合上、太郎にとって勝ちは快であり負けは苦であることは前提とする。また、福利の増減自体は完全に太郎自身の快・不快で決まることにも注意しよう。

もちろん長期的にみると、太郎がスロットを続けた可能世界では、大金を得るが、その大金を得たことで詐欺にあったり、強盗にあったりしてより不幸な人生を送るかもしれない。それゆえ、最終的に、ある出来事が悪いことかどうかを判断できるのは可能世界を含めたすべてを見通せる神さまだけである。いずれにせよ、ここで言いたいのは、スロットをやめたことが太郎にとって良いことなのか悪いことなのかは、太郎自身が決めることではないということだ。

すると結局のところ、いま問題となっている「死が死者にとって悪いのかどうか」を現実的には決めることができないということになってしまう（「Xが死ななかった可能世界」

でXになにが起こるのかは正確にはだれにもわからない)。しかし、ここでやっていることは、「〈悪いこと〉とはどういう意味か」を形而上学的に分析しているのであって、ある特定の出来事が悪いことであるかどうかを判断するための現実的な(認識論的な)基準を提供しようとしているのではない。

このようなことを考えるもともとの動機は、「死を恐れたり人を殺したりするのが悪いのはなぜか」ということだった。そして、もし死が悪いことであるならば、その理由が説明できる。しかし、「(当人にとって)悪い」ということがどういうことなのかが明確ではなかった。それを明確にすることで、たとえば「私はこのまま生きていればさまざまな楽しいこと(快を感じること)があると予測できるから、死んでしまうことを私にとって悪いことだと〈感じている〉のであり、それゆえ死を恐れているのだ」と言うことはできる。

もっとも、「実は」ある時刻t以降、苦痛ばかりで快のない人生を送るかもしれないが、とりあえず、「死を恐れている理由」は明確になるだろう。そこからさらに自分の人生についてどう考えるかはまた別の話である。なお、比較説で考えるのはあくまで「近い」可能世界なので、突拍子もない想定をする必要はないから、可能世界でどのようなことが起きるのかはまったく想定できないわけではないことにも注意しよう。

悪いと思っていたけど良い

ところで、もしかしたら上の例では「うーん、やっぱり太郎自身がスロットをやめてよかったと思っているなら、太郎にとってはええことなんちゃうかなあ？」としっくりこない読者もいるかもしれない。これはあとで議論する「快と苦痛の非対称性」の問題にも関わる。「ある出来事Eによって、Eが生じなかったならば得られた快が得られなかったとしても、Eを悪い出来事だとは直観的に思わない」という人は一定数いる（私自身もその傾向がある）。

それゆえ、「本人が悪いと思っているのに、本人にとってじつは良い出来事」の例も挙げておこう。こちらの方がよりしっくりくると思う。

次郎は希少なゲーム機を買おうと、近所の電気屋さんに向かいました。店に着くとあと1台しか残っていません。慌てて購入しようとしてつまずいてよろけてしまいました。その隙に花子に最後の1台を取られてしまいました。それゆえ、次郎はつまずいたことが自分にとって悪いことだと考えています。しかし翌日花子がこのゲーム機でプレイをしたら爆発して後遺症が残るような大怪我をしてしまいました（次郎がつまずかなかった可能世界では次郎がゲーム機を手に入れ、プレイ中にゲーム機が爆発して後遺症が残る大怪我をしていた）。ところで次郎は翌日にはネット環境の整っていない海外の僻地に1年間の出張をしたため日本のニュースはほとんど入ってこず、日本に帰ってきたころにはゲーム機爆発のニュースも下火でした。それゆえ、次郎は自分があのゲーム機を手に入れていたら大怪我しただろうことを知らないままなので、自分にとってつまずいたことは（総合的に判断しても）悪いことだと信じたままです。

もちろん、ここではゲーム機を入手できないことより後遺症が残るような大怪我をすることのほうが次郎にとって苦痛だとする（繰り返しになるが、「なにが苦痛か」は次郎の心的状態もしくは感覚で決まる）。すると、「次郎自身は〈つまずいたこと〉を自分にとって悪いことだと思っているが、しかしそれは次郎にとって良いことだ」という直観はほとんどの読者にも共有できるのではないだろうか。たとえばあなたが次郎の友人だとして、上の事情を知ったなら「次郎はあのゲーム機を買えなかったのを悔しがっていたけど、買えなくて結果的には（次郎にとって）よかったなあ」と思うだろう。

このように、なにを快と感じ、なにを苦痛と感じるか（つまり、福利の増減自体）はあくまで当人の心的状態によって決まるのではあるが、しかし「どの出来事がよい出来事か」は当人が決めることではないのである。

快と苦痛の非対称性

死の害にかかわらず、「害の理論一般としての比較説」の問題点について以下では議論しよう。次のような例を考えてみる。

太郎は夏休みに沖縄に旅行するか北海道に旅行するか迷っていました。そして結局は沖縄旅行を選択し、その旅行をとても楽しみました。しかし、北海道に旅行した可能世界では、太郎は現実世界での沖縄旅行よりもさらに楽しんでいました（沖縄に行くか北海道に行くか迷っていたので、現実世界に近い可能世界は北海道に旅行に行った可能世界）。

そうすると、比較説によれば沖縄旅行を選択したことは太郎にとって悪いことになるが、太郎が沖縄旅行も十分に楽しんだならばそれが悪いことであったというのは奇妙なことのように思える（もっとも比較説の支持者の中には沖縄に行ったことは悪いことだと言う者もいるかもしれないが、多くの人たちの直観に外れるのではないだろうか？）。

私たちは人生においてさまざまな選択をしているが、それに対して選択しなかった無数の選択肢もある（可能世界の近さによってある程度は絞れるかもしれないが）。こうした選択肢のなかにはいまよりも快の多い人生を送ることができた選択肢もあるかもしれない。というより、あるだろう。そうだとすると、私たちの実際にした選択は、いかにいまの人生が楽しく充実したものであったとしても、悪いことになるのだろうか？

比較説では、「快がないこと」も「苦痛があること」もともに悪いことであるかのように扱っている。しかし、苦痛の存在はつねに悪いことであるが、快の不在はかならずしも悪いことではないのではないか（**快と苦痛の非対称性**）。それゆえ、ある出来事Eによってこれから享受するだろう快が享受できないとしても、Eが起きたことは悪いことであるとは言えないのではないか。

これに対して、たとえば「２０１９年の段階で２０２０年の夏休みに旅行に行く計画を立てていたのにコロナのせいで行けなくなったら、旅行に行かない生活自体がとくに苦痛ではなかったとしてもやはり旅行に行けなくなったことは私たちの直観では悪いことになるのではないか」と言うかもしれない。しかし、これは、「夏休みの旅行」という予測されていた快を得られないことが苦痛なので、悪いことになるのではないかと思われる。つまり、この事例は快と苦痛の非対称性を否定している事例ではなく、「得られることが当人によって期待されていた快が得られないことは苦痛」だということなのである。

なお、快と苦痛の非対称性が認められないならば、次のような問題が生じるのではないか。すなわち、一般に、他者にとって悪いことを為すことは倫理的に悪いが、もし快の不在が悪いことであるならば、他者に快を与えないことは倫理的にも悪いことになる。そして、もしそれが倫理的に悪いことであるならば、私たちはつねに悪いことをしていることになってしまうだろう。だが、そのような結論は受け容れがたい。

そのほかの比較説の問題点

そのほかの比較説の問題点としては「直観的に悪いと思われる出来事E_1について〈E_1が生じなかった可能世界ではより悪いE_2が生じる〉ような状況では、E_1が悪い出来事ではなくなってしまう」というものがある。具体例で考えてみよう。

太郎は、殺し屋の花子と華代に狙われています。花子はターゲットをあっさり苦痛なく殺しますが、華代はサディスティックな性格でターゲットにあらゆる苦痛を味わわせて殺します。現実世界では、太郎は花子によって苦痛なく殺されました。しかし華代も非常に腕のいい殺し屋なので、花子が失敗した可能世界では、華代によって、太郎はあらゆる苦痛を味わわされて殺されます。

すると、比較説によれば、花子により殺されたことは、もしそれが生じなかったならば華代によって苦痛を味わわされたうえで殺されていたので、悪いことではないということになってしまう。これは第5章で説明する「先まわり因果」と呼ばれる、反事実条件文による因果関係の分析に対する反論の変形版である。比較説も反事実条件文を用いているのだから同様の反例が構成できるのは不思議ではないだろう。

この点について、上記の例ではまだその問題性についてピンとこないという読者もいるだろう。しかしこの問題点の深刻なところは「直観的に悪いと思われる出来事E_1について〈E_1が生じなかった可能世界ではより悪いE_2が生じる〉ような状況」を人為的に作り出すことができる点である。以下の例を考えてみよう。

太郎は不治の病に冒されています。これまでこの病から回復した例はなく、特効薬など回復のための治療法が完成する見込みもありません。また、この病はあまり苦痛が伴いません。太郎はこの病による死が悪いことにならないように、殺し屋の華代に「もし自分がこの病から回復すれば、あらゆる苦痛を味わわせたうえで殺してほしい」と依頼しました。

直観的には、この太郎の華代への依頼によって太郎の不治の病による死が（太郎にとって）良くなったり悪くなったりすることはないように思えるが、比較説では、この依頼によって太郎の不治の病による死が太郎にとって良くなるということになる。つまり、私たちは、もし確実に死ぬと予測できる病に罹《かか》ったならば、このような依頼をすることによって、その死を自分にとって良いものへと変えることができるということになる。しかしそれは受け容れがたいように思える。

もちろん、このような事例が可能になるのは、可能世界の中に太郎の病が治るものがなければならないので、回復が不可能な病であればこのような想定は無理であるから、なんらかの回復の可能性が（ごくわずかなものでも）なければならない。しかし、たとえほぼ0であっても、回復の可能性があるならば、現実的にはそのような依頼をすることはないだろう。だが、そこはこの問題の本質的なところではなく、そのような依頼をするかどうかで、現実世界でその病で亡くなったときに、そのことが悪いことになるかならないかが変化してしまうという点にある。

人生の形

ここまでは、死の害を考える際に、各時点での福利の単純な総和を考えてきた。しかし、ある時点での死が悪いことかどうかは、「人生の形（shape of life）」を考慮に入れなけ

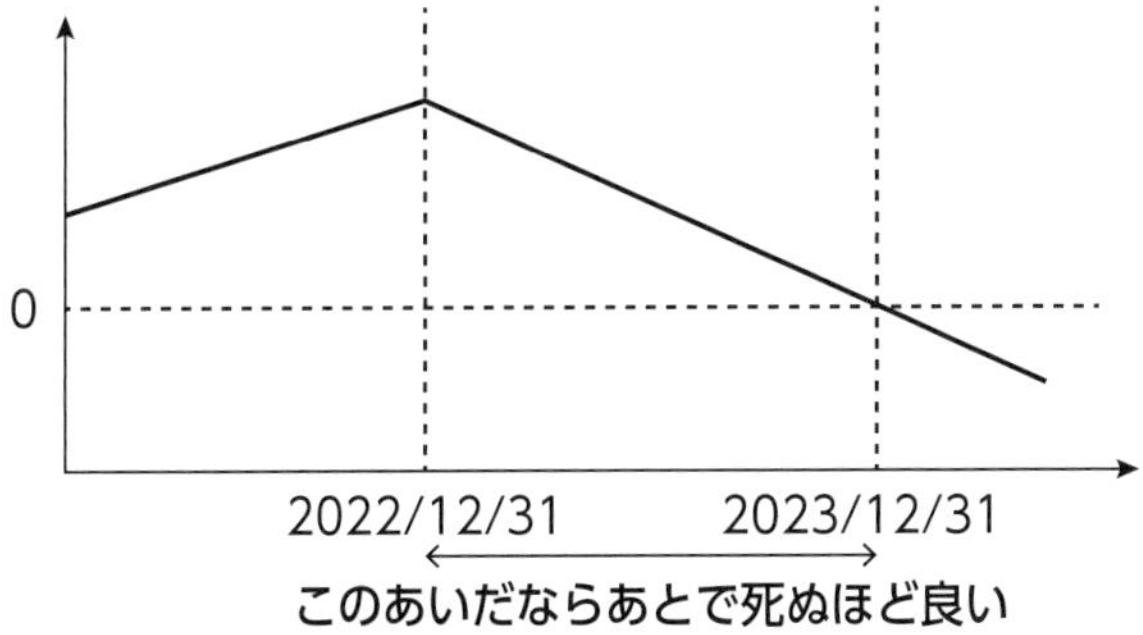

図4－1　人生のピークを過ぎたあとの死は良いのか？

ればならないのではないか、という点を議論しよう。次のような例を考えてみる（図4－1）。

太郎は２０２２年12月31日まではつねに正の福利を得ていてかつその得られる福利が右肩上がりの人生を送っていました。しかし２０２３年に入ってからは得られる福利の量が減り始め、２０２４年の１月にはついに得られる福利が負に転じました（つまり、以降は福利が減り続ける）。このあと太郎が何年生きても、福利の量は減り続けます。

比較説を適用すると、太郎にとって、２０２２年12月31日に死ぬことは、すくなくとも２０２３年の12月31日（このときまでは量は減ってきているものの正の福利を得ているので福利の総和は増えつづける）に死ぬことより悪いことだということになる。

だが、2022年12月31日は太郎にとって人生のピークであり、これからは落ちていくだけである。

そうすると、もし太郎がなんの死の前触れもなく苦しみもなく、これから落ちていくという予期もなく2022年12月31日に死んだならば、その後の落ちていくだけの人生を経験せずに死んだのは良いことであるように思える。このように、死が悪いことか否かを考えるときは、人生全体の「形」を考慮に入れるべきであり、比較説はその視点がないという問題点がある。

次のようなエド・ディーナーのグループによって行われた心理学実験がある。[注1] ジェンという、自動車事故で少しも苦しまずに死んだ、子どものいない独身女性を設定する。第一のシナリオでは、ジェンは非常に幸せな一生を送る（死亡年齢は30歳または60歳）。第二のシナリオでは、そこに5年ずつが加わる（死亡年齢は35歳または65歳）。その5年間もまず楽しい人生ではあったが、以前ほどではない。

被験者はジェンの人生の物語を読んだうえで、次の2つの質問に答える。「ジェンの人生を全体としてみたとき、どのくらい好ましく感じますか？」「ジェンが人生で経験した幸せまたは不幸せの総量はどの程度だと思いますか？」

シナリオごとに別々の被験者が読んで質問に答えた場合、ジェンの寿命が倍になっても、人生の総合的な好ましさにも幸せの総量の評価にもまったく影響を及ぼさなかった。そして、5年間が加わったシナリオでは、被験者はジェンの幸せの総量を大幅に減らした。また同じ被験者が異なるシナリオを続けて読んで質問に答えた場合も、5年間が加わったシナリオはそうでないシナリオより人生全体の評価が大幅に下がった。

こうした実験からも、「人生全体の良さ」はピークで終わるかどうかに大きく影響されることがわかる（ピークエンドの法則）。この点について、次節でもうすこし議論しよう。

記憶する自己と経験する自己

以下のようなダニエル・カーネマンらの実験がある。この実験では、被験者は「終わり」と言われるまで片手を冷たい水に手首までひたし、その後にあたたかいタオルを渡される。実験中は空いている手でキーボードの矢印を操作し、そのとき感じている苦痛の度合いを継続的に記録する。被験者は全員、片手ずつ次の二種類の実験に参加した（それぞれの実験は違う手で行う）。

・短時間の実験では、摂氏14度の水に60秒間片手をひたす。60秒が過ぎると、実験者は手を水から出すように指示し、あたたかいタオルを渡す。

・長時間の実験では、摂氏14度の水に60秒間片手をひたす。60秒が過ぎると、実験者はいくらかあたたかいお湯を水槽に流し込み、水槽の温度を約1度だけあげる。被験者はそのままさらに30秒間、約1度上昇した水に片手をひたしたままでいる。

被験者には実験を3回行うと予告するが、実際には短時間の実験と長時間の実験の2回しか行わない。そこで1回目が右手で短い実験、2回目が左手で長い実験のグループ、手が逆のグループ、1回目が長く2回目が短いグループなどにわける。

さて、2回の実験が終わったあと被験者に、3回目は1回目と2回目のどちらかとまったく同じ実験をするが、どちらの実験かは選べると伝えた。はたして、被験者の8割が長時間の実験を選んだという（もちろん、ここでは「1回目と2回目のどちらがいいか」という聞きかたをしている）。

すなわち、客観的にはあきらかに短い実験のほうがいいはずなのに、「記憶する自己」は、終わりに苦痛がいくらか和らいだ長い実験のほうが短い実験よりもいいと判断したのである。この結果からカーネマンは、人生を全体として評価する方法は誤りやすいので、その時々の苦痛を考えなければならないと主張する。つまり、「現在の私」は「過去の私」を正確に評価することができない。第2章ですこし触れたストローソンも、自己を物語として捉える捉えかたに対して私たちの記憶の曖昧さを指摘し、批判をしている。

だが、「経験する自己」と「記憶する自己」が異なることから、「私たちは人生を全体として評価するべきではない」という結論にはならないだろう。太郎のスロットマシーンや次郎の希少なゲーム機の事例は、比較説に則ってかつ直観的にも太郎や次郎の主観的な判断（それぞれの選択が良い・悪い）がまちがっているというものであった。しかし、上の実験例は、たしかに比較説に従えば記憶する自己の判断は誤っていることになるが、直観的にも記憶する自己の判断がまちがっていると思えるかというとそうでもない気がする。そのことを示したのが、まさにジェンの物語の実験ではないだろうか？

つまり、カーネマンらの実験は本人の判断であり、ジェンの物語はジェンの人生を客観的に観察する人たちの判断であり、それらが一致している（ピークエンドが良い）のだから、ここからわかることは、むしろ、「苦の総和が多くとも、その人生の終わりがより快である（苦がすくない）ほうが私たちにとって〈より良い人生〉であり、人生の評価を単純な快と苦痛の総和で考える考えかたがまちがっている」ということではないか。

そうだとすると、やはり、死の害を考える際も、単純な比較説は部分的にしか有効ではないということになるだろう。この「人生を全体として考えるべき」という議論はまたのちに論じる。

欲求が充足されないことは悪いことである

ところで、ここまでは私たちの福利をその快苦で計算するという**「快楽説」**（快には内在的価値があり、苦痛には内在的に負の価値がある）と呼ばれる説を採用してきた（そのうえで、害の理論として比較説を採用した）。しかしそうではなく、欲求が充足されたか否かで福利を計算しようとする**「欲求充足説」**を用いる考えかたもある。欲求充足説とは、

ある出来事EがXにとって悪いのは、EがXの欲求を挫折させるときである

という説である。この説の興味深いところは、「Eが悪いのは、Eが生じたときではなくEによって挫折させられる欲求が生じたときになる」と考えることが可能になるという点である。つまり、議論4―1の前提1を否定できるのである（欲求充足説論者のすべてがそう考えるわけではない）。

たとえば、太郎が2024年3月に「今年の夏休みは沖縄旅行に行くぞ」と計画を立てていたとして、しかし太郎は翌月に死んでしまったとしよう。すると、この死が太郎にとって悪いのは計画していた沖縄旅行が実行できなかったからである（もちろんそのほかに

もいろいろと太郎がやりたかったが死によってできなくなったことはあるだろうが、ここでは簡単のためこれだけを考えている)。そしてこの死が悪いのは、死んだ4月ではなく、挫折させられる欲求をもった3月ということになる。

これは「死が原因で過去に悪いことが起こる」という逆向き因果を主張しているのではないことに注意しよう(第3章の冒頭での話を思い出そう)。たとえば、占い師が2019年に「来年は無事東京オリンピックが開催される」と予測したとする。しかし2020年に東京オリンピックは開催されなかった。このとき(未来は確定していないという立場に立つなら)、2020年に東京オリンピックが開催されなかったことによって、2019年の占い師の発言が遡及的に偽となるのである。つまり、2019年が(絶対的)現在であったときには占い師の予言は真でも偽でもない(2019年からみて未来である2020年の出来事は確定していないから)が、2020年が現在になると2019年の占い師の予言は偽となったのである。なので、「占い師の予言は偽**だった**」と言うことができる。

同様に、4月の死は、太郎の欲求を挫折させることによって遡及的に3月の太郎の欲求を悪いことにする(念のため言っておくと、「未来が確定している」という立場をとっても問題はない。遡及的にではなく、その時点で悪いことであるだけである)。つまりNを得ることができないのにもかかわらず、Nを欲することはNを欲した時点ですでに主体にとって悪いことだったということだ（「Nを欲求しなければ挫折することもなかったのに」「Nを欲求しなければよかった」[注2]）。こうして、欲求充足説（のうち、「欲求が挫折したとき、その欲求をした時点で悪い」と考える立場）では、議論4―1の前提1を否定し、「死は死んだ当人にとって悪くない」という結論を回避する。

一方で、快楽説の場合、死後の死者の福利を0としたが、「そもそも死者に（0であっても）なんらかの福利の値を付与することができるのか？」という問題が生じる。つまり、死者にはそもそも快や苦痛を感じることができないのだから、福利という概念自体が適用できない。たとえば、色には大きさがないが、これは色にそもそも大きさという概念が適用できないからである。それゆえ、色に大きさがないからといって「色の大きさは0だ」というのはおかしい（0ですらない）。同様に、死者の福利の価値は0ですらない（無規定）だという議論である。しかし、欲求充足説であればこのような問題を回避できる。

欲求充足説と快楽説の違い

ここで、「欲求を充足させることは快であるし、挫折することは苦痛ではないか（なので結局は快楽説と同じではないか）」という疑問もあるだろう。たしかに充足感は快であるし挫折感は苦痛であるが、欲求充足説は快楽説のもついくつかの問題点を解決することから、これらは別ものである。たとえば、快楽説への批判として有名なロバート・ノージックによる思考実験を考えてみよう。

太郎はバーチャルリアリティ（VR）を経験させてくれる機械（この機械を「経験機械」と呼ぼう）に繋がれています。そこで太郎は食などの快楽から芸術鑑賞のような「高級」な快楽まで味わっています（太郎は自分がバーチャルな世界にいることを知らない）。また、太郎は小説家になり成功したいと思っていましたが、このVR世界では小説家として成功した生活を送っているという経験をしています。

快楽説では、太郎は快を得ているのだから良い人生を送っていることになるが、私たちの直観ではそうは言えないように思える（つまり、快楽説には問題がある）。一方で、太郎がこの（「バーチャルな世界ではない」という意味での）現実世界で美味しいものを食べたい、ルーブル美術館でモナリザを鑑賞したい、小説家として成功したいなどと欲求しているとき、たとえVR世界でそれらを経験したとしても（そして太郎自身はそれが現実の経験だと思っていても）、やはり太郎の欲求が充足されているとは言えず、それゆえ欲求充足説では、「太郎は良い人生を送っていない」という私たちの直観が説明できる。

すこし話がずれるが、ただし、太郎が生まれたときから経験機械に繋がれており、言語などもそのVR世界のなかで学んだのだとすれば（そして太郎はそれが現実世界だと信じている）、VR世界での成功は太郎の欲求したまさにそのものであり、それゆえ、良い人生と言えるかもしれない。そもそも「小説家」「ルーブル美術館」「鑑賞する」などの言葉の意味自体が私たちのそれらとは異なるはずであるからだ。[注3]

話を戻すと、快楽説にはほかにも、快や苦痛にはさまざまな種類があるので一貫した仕方で福利の計算ができないという問題がある。たとえば、酒池肉林のような快楽と、芸術鑑賞のような快楽を同じように扱うことはできない。私たちはなんとなく、惰眠を貪る快楽と芸術作品を鑑賞する快楽では、後者をより「高級」だと感じるだろう。それゆえ、快や苦痛をその強さと持続時間のような値で計算しようとしてもうまくいかない。

一方で、欲求は、その強さと持続時間により、一貫した仕方で福利を計算できるように思える。たとえば、強さについては、「その欲求を充足させるためにあなたはいくら払いますか」などのように金銭に換算するなど、なんらかの具体的計算方法が提案できそうだ。

また、さきに結局はすべてを見通せる神さまにしか良い悪いが判断できないということを述べて、しかしそれは無意味ではないと述べた。だが、そうは言っても、やはり自分たちで良いか悪いかを判断できないのは気持ち悪い。その点、欲求充足説では可能世界を考える必要はないので、自身で判断可能である（が、結局はそうでもないという議論がまたあとで出てくるが）。この点は第6章で「人生の選択」について考えるときに重要になる。

太郎のスロットマシーンの例は、「スロットで大勝ちしたい」という欲求が充足されなかったので、その後どうなるかにかかわらず、スロットをやめたことは悪いことである。次郎が欲しいゲーム機を得られなかったのは、そのゲーム機を得たいという欲求が充足されなかった点で悪いことである。一方で怪我をしたくないという欲求が充足された点では良いことだとも言える。総合的にはそれぞれの欲求の強さによって良し悪しが決まるだろう。

快以外の内在的価値

快楽説と欲求充足説の相違点について、上述のものにくわえて、なかでも私が重要だと思うのは、内在的価値（正確には第6章で説明する最終的価値）として快以外のものがありうるかという点である。すなわち、XがNを欲求するのは、XにとってNが価値があるからである。しかしそのNが最終的にXに快をもたらすから価値があるのならば、結局は快楽説と同等である。それゆえ、「小説家になりたい」という欲求をもつのは、「小説家になったという満足感による快」を得たいからだということになり、さきの経験機械の思考実験により提起された問題は問題ではなくなる（経験機械によって「小説家になったという満足感による快」を得ることができるのだから)。

だが、私たちはなんらかの欲求Nをもつとき、やはり快に還元できない価値をNに認めていることが(つねにではなくとも)あるように思える。

太郎はテニスに打ち込んでおり、次の大会で優勝したいと思っています。次郎は「大会で優勝したときの達成感と同等の快を得ることのできる薬(D_1)」を開発しました。太郎は薬D_1を1錠だけ服用したことがありますが、たしかに、太郎が別の大会で以前優勝したときと同等の快を得ることができました。次郎は、太郎に「D_1を10錠渡すので大会には出場しないように」と提案します。しかし太郎は次郎の提案を拒否し、大会に出場しました。なお、D_1には依存性はなく、そのことを太郎は知っています。

快楽説では太郎が次郎の提案を受けることを妨げるものはない。周りからの失望などがあるかもしれないが(欠場の理由は適当に〈怪我のため〉などと報告しておく)、それを割り引いても10錠のD_1の供与は太郎にとって大会で優勝するよりも良いものであるだろう。だが、太郎が次郎の提案を断って大会に出場する決断をしたことを私たちは奇妙には思わないのではないだろうか(つまり、自分自身が同じ状況に陥ったときにどう判断するかは別として、太郎がそのように判断したということについて、そういう人もいるということは理解できるのではないだろうか）。そうだとすると、やはりNを欲求するのは、Nを得ることによる快だけが価値があるのではなく、Nを得るということそのものに価値があるということではないだろうか。

さらに付け加えると、実際に太郎がD_1を断り大会に出て、しかし優勝はできなかったとしよう。このとき太郎はD_1を断ったことを後悔するだろうか。これも人によるかもしれないが、もし太郎が後悔しなかったとしても、私たちはそのような太郎の感情を理解できるのではないだろうか。この点はまた第6章で取り上げる。もう1つ例を挙げておこう。

花子は20歳のとき、あるドラッグの依存症になり、その後の5年間で多くの快楽を得て苦痛なく死にました。快楽説で計算すると、花子の人生25年間で得た福利の合計は、通常の人が一生で得る福利の2倍になりました。一方、雪子は、80歳まで生きましたが、彼女が一生のあいだに得た福利の合計は、通常の人が一生で得る福利の合計とほぼ同じでした。

花子と雪子のどちらの人生が良いかと聞かれると、雪子を選ぶ人はそれなりに多いように思えるし、花子の人生を選ぶ人でも、雪子の人生を選ぶ人がいることに対して特に違和感をもたないだろう。しかし、快楽説が正しければ、花子の人生のほうが良い人生のはずだ。つまり、雪子の人生を選ぶ人たちは、ドラッグで得る快楽よりも、平均的な人生を送ることのほうに価値を見出しているわけである。

ここでもう一度安楽死の問題に戻ろう。士郎は末期の癌患者で、余命いくばくもない。あとはただ苦痛だけの余生が待っている。快楽説では、死は士郎にとって良いことになる。しかしここで士郎がそれでも「まだ生きたい」と欲求していたらどうだろうか。それでも、快楽説に従って、士郎にとって死は良いことだからといって、士郎を安楽死させることは正当化されるだろうか。もしくは、この士郎の欲求は不合理だと言うべきだろうか。

もちろん、かりに安楽死が合法化されても、あくまで本人の意志が優先されるべきであるし、そのことに多くの人は同意するだろう。そうだとすると、このことは、快楽説と欲求充足説は異なる理論であり、欲求充足説のほうが私たちの直観に合うことを示していないだろうか？　なお、さきに安楽死を取り上げたときに述べたように、この問題は単純に当人にとって死が良いことかどうかの問題には還元できないことをもう一度述べておく。

ここまでの議論を踏まえると、快楽説はじつは「ある出来事Eが良いか悪いかが私たちの主観で決まるの**ではない**」という説であるということがわかる。ここで言っている主観・客観はスロットマシーンや希少なゲーム機の例で議論した意味でのものとはまた違う

（これらの例では太郎は当たりが出ることは快楽であり良いことであると考え、次郎はゲーム機を得られないことは苦痛であり悪いことであると考えていた）。

つまり、私たちはつねに快楽があることを良いと考えてはいない（すくなくともそういう人たちがいる）ということがここまでの議論からわかるわけだが、快楽説はそれにもかかわらず快楽が私たちの福利を増大させると主張しているわけである。それゆえ、上の花子と雪子の例において、快楽説支持者であれば、花子が自分の人生について雪子の人生と比較してどのように評価していようが、客観的に快楽説で計算して（それが快か不快かは花子と雪子それぞれの主観的な心の状態に依存する）花子のほうが福利が高いなら花子のほうが良い人生を送っていると判断するのである。

しかしそれは直観に合わないから快楽説はおかしいのではないか、というのがここでの議論なわけである。それゆえ、快楽説はウェルビーイングを考えるときに、以前は主観説に分類されていたが、現在では客観説に分類するのが主流となっている（主観説に分類する論者もまだいる）。

快を伴わない欲求の充足

快楽説より欲求充足説のほうが優位だと思われる事例をさらにいくつかみてみよう。私たちは快がなくても完遂されることを願うプロジェクトにしばしば携わることがある。

華代は命をかけて国家の革命を目指しています。現実世界では、華代は権力側に捕まり残酷な拷問の末に処刑されますが、それが革命派を奮い立たせ、華代の死後に革命が成功します。一方で、現実世界に近い可能世界では、華代は突然の病で苦しむ間もなく死に、リーダーである華代の突然の死により革命は失敗に終わってしまいました。(現実世界でも可能世界でも)華代は、「自分が拷問を受けて殺されても、自分が死んだあとであっても、革命が成功することを願う」と語っており、そしてそれは本心だったとします。

つまり、可能世界における華代の突然の死は、それによってひどい拷問を受けることを回避しているが、革命は失敗する。一方で現実世界では、ひどい拷問を受けたうえに革命が達成されることをみることもなく死ぬが、革命自体は華代の死後に成功するので欲求は達成されている。

快楽説をとると、現実世界の華代のほうが快の総量は少ない。だが、華代は自分がひどい拷問を受けて処刑されようがそれでも革命が成功することを望んでいたので、直観的には華代にとって革命が成功することは良いことであり(この辺りの「直観」は人によって異なるかもしれない)、そのことをうまく欲求充足説は説明している。

異なる直観をもつ人は「欲求充足説が機能していないのではないか」と思うかもしれないが、そういう人たちは「酷い死にかたをしたくない」という欲求が「革命を果たしたい」という欲求を上まわっているということである。つまり、さきほどの話の繰り返しになるが、私たちのだれもが快苦にもっとも大きな価値を置いているわけではないのであり、そうした人たちにとっては、快苦のみを良い悪いの基準として考える快楽説は馴染まない。そして、快苦にもっとも重きを置いている人にとっても欲求充足説はとくにかれらの直観に反するわけではない。

またそもそもの問題に立ち返ると、(のちに論じるように全員ではないかもしれないが)私たちが死を恐怖することの理由を反省してみたとき、それは現在抱いている欲求が充足されないからだ(まだまだやりたいことがあるのに死ぬなんて!)、というのは納得できる説明に思える。

欲求充足説への批判

しかし、生まれたばかりの赤子やまだ未来について長期的な欲求をもたない幼子は、死によって挫折する欲求も青少年に比べて大きくないだろうし、まだまだやりたいことをもっているバイタリティのある健康な90代の老人と比べても小さいかもしれない。すると、老人が死ぬよりも幼子が死ぬほうが（その当人にとって）悪いことではないということになる。だが一般に、いくら元気でも90代の老人が死ぬよりも幼子が死んだほうが、他者はその死をより憐れむように思えるので、それはなぜかが説明できない（死を憐れむのは、その死者にとって死が悪いことだと思われるからではないか？）。

また、さきの革命家華代の例で、「むしろ、華代が革命運動に身を投じたことで拷問を受け、しかも自身は革命による恩恵を受けなかったならば、欲求は充足された（革命が成功した）のにもかかわらず、華代にとって革命の成功を欲求したことは悪いことだとも言えるのではないか（それゆえ欲求充足説はまちがっているのではないか）」という主張もあり得るだろう。つまり、革命家華代の例はむしろ欲求充足説の反例となるということである。

これは、「自分を犠牲にするような利他的行動の欲求の充足は当人にとって良いことではないのではないか」という問題だ。しかし、このようなタイプの欲求の充足が当人にとって悪いことだと考えるのは、すでに（客観的な）快楽説を前提としてしまっているからではないか。この点について、一般的に直観的にどのように考えられるかは意見がわかれると思うが、すくなくとも、自己犠牲を伴う利他的欲求（道徳的欲求）の充足が（たとえ当人に苦痛を与えても）当人にとって悪いことだとつねにみなされるわけではないだろう。

私としては、むしろこの点こそが欲求充足説の利点で、まさに当人の価値観によって当人にとっての福利が決定するのである（繰り返すが、快楽説をそのまま受け取るなら、当人の価値観によらずに快楽があればつねにそれは良いことになる）。この点についてはまたのちほど議論する。

なお、革命家華代の例でみたように、「欲求が充足したことを当人が自覚できなくてもその福利が高まる」ということが快楽説と比べたときの欲求充足説のメリットであった（経験機械の例も考えよ）。しかし、このことが欲求充足説のデメリットにもなるという議論もある。

花子は電車でたまたま知り合った華乃ととても気が合いました。花子は華乃の将来の夢が研究者として成功することだと聞いて、心から華乃のその夢が叶うことを願いました。その後、花子は華乃の消息を知ることはまったくありませんでしたが、華乃は花子が願ったとおりに研究者として成功しました（そのことを花子が知ることはありません）。

欲求充足説によるとそのことで花子の福利はプラスされるがこれは直観に反するだろう。

それはほんとうの欲求か

次のような例を考えよう。

太郎は健康には害がなく合法ではあるが依存性の高い薬D_2を毎朝服用し続けています。D_2を服用すること、および服用しないことでとくに太郎に苦痛も快も与えませんが、毎朝、D_2に対する強い欲求が生じます。そして実際、太郎は生涯、欲求するままにD_2を摂取しました。なお、もし太郎が薬D_2の依存症にならなくても太郎の人生における快や苦痛の総量に変化はないとします。太郎は裕福であったため、問題なく欲求するまま薬D_2を得ることができます。

薬物D_2の依存症となった太郎の人生は、依存症にならなかった人生より良い人生なのだろうか？　もしそうだとすると、太郎に薬物D_2を与えることは、太郎をより良い人生に導いているのだから、倫理的に善いことだということになる。しかし、太郎に薬物D_2を与えることは、倫理的に悪いとは言えなくとも、すくなくとも倫理的に善いことだとは言えないように思える。また、次のような例を考えてみよう。

花子は奴隷であるが、花子の所有者は残酷な人間ではなく、彼女にひどい暴力を振るうことはありませんでした。とはいえ、花子は奴隷として一般にさせられることはさせられており、市民がもつ権利は一切もっていなかったしもちろん自由もありませんでした。しかし花子は生まれたときから奴隷であったため、その境遇に不満はなく、むしろこの状態が続くことを欲求していました。

一般に、ある人の状態がその人にとって良い状態であるならば、その人がその状態に留まることを妨げることは倫理的に悪い。[注4] それゆえ、もし欲求が充足された状態が良い状態と同一であるならば、花子を奴隷の身分から解放することは倫理的に悪いことになる。しかし、それはおかしいのではないか？

この例について、「花子自身が奴隷状態が継続されることを欲求していたのだから、その欲求が充足されている状態は花子にとって良い状態である、それゆえ、花子を奴隷から解放するのは倫理的に悪いと言える」（なのでこの例は反例になっていない）と言う人がいるかもしれない。これも当人の価値観の問題として解決できるだろうか。ではこの例に次のような設定をくわえよう。

現実世界では花子はある時点t以降も奴隷として生活していて幸福であり奴隷状態が続くことを欲求しています。しかし、ある現実世界に近い可能世界ではt以降に解放されました（つまり花子の欲求が充足されていない）。そしてその可能世界では花子が「奴隷から解放されてよかった」と思いました。

このような場合ならば、いくら花子が奴隷状態にあることを現実世界では欲求していたとしても、「t以降で奴隷状態にあることは花子にとって悪い」ということになるのではないか。なお、快楽説ならば、比較説によって「継続される奴隷状態」が（現実世界の花子本人がどう評価していようが）花子にとって悪いことだと説明できる（スロットマシーンの例、ゲーム機の爆発の例を思い出そう）。

ここで、もし花子が「自分が奴隷から解放されたらそちらのほうが自分にとってよかったと思う」ということを知っていたなら「奴隷のままでいたい」とは欲求せずに、「奴隷から解放されたい」と欲求するはずだ。それゆえ、欲求充足説で考えるべき欲求は「当人が完全な情報をもっていたときにもつ欲求」だという考えかたもある。

ただ、現実的にはそのような完全な情報はもちえないので、どの欲求が「本当の欲求」なのかの判断ができないということになってしまう。しかし、快楽説におけるスロットマシーンの例やゲーム機の爆発の例のときにも述べたが、かりに現実の指針を示すことができなくても、上記のような設定であれば実際に私たちは花子にとって奴隷から解放されたことは良かったことだと考えるであろうから、欲求充足説では「当人が完全な情報をもっていたときにもつ欲求」を考えればいいのではないかと思う。

なお、このアイデアに対して、「完全な情報をもったうえで、公園の草の数を数えたいという欲求をもつ人がいたとして、それが充足されたならそれは当人にとって良いことなのか(いや、よくはないだろう)」という批判があるが、これは反例になっていないのではないか。完全な情報をもったうえで、それでもそのように(公園の草の数を数えたい)欲求するなら、それが充足された人生は当人にとって良い人生であろう。

平穏に生きるということ

欲求充足説には以下のような問題点もあるのではないか。もし欲求の充足が良い人生の条件であるならば、「良い人生を送るコツは、充足可能性の高い欲求を抱くことだ」と言えるだろう(挫折する欲求をもつのが悪いのならば挫折しない欲求をもてばいい)。しかし、そのような人生は「面白くないし、それゆえ良い人生だとは思えない」という読者も多いだろう。

この提案（良い人生を送るコツは、充足可能性の高い欲求を抱くこと）に納得がいかないのは、たんに価値観の問題だろうか。もしそうだとしたら、より多くの人がより良い人生を送りやすくするように願うならば、「充足可能性の低い欲求は抱かないほうがいい」という価値観を広めるべきなのだろうか？　充足可能性の低い欲求をもつ人には、「良い人生を送りたいなら、そんな欲求はもたないほうがいいよ」と諭すべきなのだろうか？　このような価値観を押し付けるのではなく、広め推奨する行為自体は、人々がより良く人生を生きられる可能性を高めるためのものなので、倫理的に善い行為ではないだろうか（功利主義という考えに基づくとそうなるはず）。

「死は悪いことではない」と説いたエピクロスは、のちに「快楽主義」と称される。エピクロスによれば、快楽とは苦痛の排除にあり、それに追加される快楽は同じ質のものであればその強度を高めないという（快と苦痛の非対称性）。それゆえ、充足される可能性が低い欲求をせずに容易に充足可能な必要最小限の欲求だけが充足されれば、それが各自にとって良い状態なのである。エピクロスだけではなく、道教や仏教など、こうした「足るを知る」生きかたを勧める教えは洋の東西を問わずみられる。これはやはり（良い人生を送るために）正しい考えかたなのだろうか？　以下のような例を考えよう。

花子は人生において大きな欲求をもたずに、小さな欲求（自分の学力で無理なく入れる大学に入学を希望する、生活に十分なだけの仕事を得る、休みの日には温泉旅行に行く、など）をつねに充足させてきた人生です。一方で、華乃は画期的な科学理論（たとえば、一般相対性理論と量子力学を統合する理論など）を完成させたいという大きな欲求をもって生きていますが、それはなかなか充足されず、しかもこの欲求を充足させるために、細かな欲求（その気になれば容易に充足できる欲求）も充足することを我慢してきました（ちょっと旅行に行きたいけど我慢しよう、もっと簡単にできる研究課題に取り組んで論文を量産しよう、など）。けれども、最後にはその欲求を充足させました。

さて、人生全体において、花子が充足させた欲求（正の福利）と挫折した欲求（負の福利）の合計は華乃のそれより大きかったとする。花子の一つひとつの欲求の充足はそれほど大きな福利を与えないが、充足された欲求が多く挫折した欲求が少ないからこのような結果になった。しかし、花子の人生と華乃の人生のどちらが良い人生だったかは一概には言えないように思える。

この問題は快楽説にも適用できるように思える。すなわち、花子がその小さな欲求それぞれを得ることによって得た（快楽説で計算した）福利の総量は、華乃が最終的に画期的な科学理論の完成によって得た快（満足感）より大きいかもしれないが（しかも華乃はいろいろと我慢してきたことによって苦痛も受けている）、だからといって花子の人生が華乃の人生より良かったとは単純には言えないのではないか。

ここでなにも花子の人生を否定しているわけではない。花子の人生と華乃の人生を比較したとき、かならずしも花子の人生のほうが良かったとは言えないだろうという話である。もちろん、評価者がどちらが良いと考えているかに関わってくるわけだが、言い換えると、かりに欲求充足説による福利の計算が現実に可能であっても、その計算結果の比較で異なるタイプの人生の良し悪しを比較できないのではないかということである。そして、花子の人生を勧める（価値観をシフトさせる）こともかならずしも善いことのようには思えない。これは「良い人生」とは別に「有意義な人生」の問題にも関わってくるように思える。また、もう1つ、このような「足るを知る」タイプの人生の問題点について、あとで心理学研究の成果を踏まえて議論しよう。

「我慢したい」という欲求

ところで、華乃の「旅行に行きたいけど我慢する」というのを「我慢しよう」という欲求と捉えることもできる。そうすると、華乃は各時点で欲求を充足しているとも言えるので、上記の例は欲求充足説の反例とはならないのではないか。しかし、そう捉えたときは次のような問題点が生じる。

喫煙者の吾郎は、これ以上の喫煙は健康を害すると考え、禁煙を決心しました。最初の数ヵ月は、非常に苦しい日々でした。もうすこし我慢すればそのような禁断症状もなくなるところでしたが、ある病気で吾郎は死んでしまいました。吾郎がその病に罹ったのは彼の喫煙と無関係で、禁煙をしなかったとしても、同じ時期に同じ病気で死んでいたでしょう。

吾郎は「タバコを吸わない」という欲求を充足できていたので、彼の人生は良い人生だということになるが、禁煙をしなかったとしても結局は同じ病気で亡くなったことを考えれば、吾郎の人生が良い人生だったと言うのはためらわれる(「健康に長生きしたい」という欲求を吾郎がもっていたとしても、その欲求はどちらでも挫折している)。むしろ、吾郎の人生は悪い人生であったようにも思えるからだ。

同様に、画期的な科学理論の完成を目指す華乃について、彼女が結局は理論を完成させずに死んだならば、その死自体はたしかに欲求充足説の言う通り悪いことだろう。しかし、人生全体を考えたとき、直観がわかれるかもしれないが、彼女の人生における強い欲求が挫折したのにもかかわらず、「そこまで華乃の人生は悪くなかった、むしろ良い人生だった」と考える人はいるはずだ（理論が完成したほうがより良い人生だとしても）。

さきに、「テニス大会での優勝を目指す太郎」の事例を考えたが、この場合も、次郎の提案を断り大会に出場したが優勝できなかったとして、それでも太郎が「次郎の提案を断って大会に出たこと」を悪いことだと考えないことを奇妙に思わないし、客観的にもこのことが太郎にとって悪いことだと考えない人がすくなからずいるように思える。つまり、優勝できなかったこと自体は優勝できることよりも悪いことではあるが、しかし次郎の提案を断り、優勝を目指した大会に出場したことは悪いことではないように思える。この点について、第6章でふたたび議論しよう。

2つの欲求

ここまで欲求の種類をほとんど区別せずに考えてきたが、欲求には2つの種類があるとする論者も多くいる。各論者が各々さまざまな名称をつけていて統一的な名称がないのだが、クリス・ヒースウッドは**「真正の魅力がある欲求」**と**「行動的欲求」**と名づけている。[注5]

太郎はある晴れた日の朝、「今日はのんびり近くの公園を散歩してベンチに座って読書でもしたいなあ」と強く思いました。しかしその日は平日で朝イチに大事な会議があるので仕事をサボるわけにはいかないと考え、結局職場に行きました。

このとき太郎はだれかに強制的に連れ去られたわけでもなく自発的に「散歩をせずに職場に行く」という行動を選択したのだから、「職場に行こう」も「欲求」のはずである（Aをすることを欲求しなければ自発的にAをしないはず）。だが、「散歩して読書したい」という欲求とは種類が違うように思える。前者が行動的欲求であり、実際に行動を引き起こす欲求である。一方で後者は真正の魅力がある欲求（以下、たんに「真正の欲求」と記す）であり、これと行動的欲求が一致することもあるが、かならずしもこれらが一致するわけではない（上記の例は一致していない例である）。

ヒースウッドによると、欲求充足説に対して示された反例はいずれも、「真正ではないが行動的な欲求」が充足されたり挫折させられたりするようなものであるという。たとえば、さきに「利他的行動への欲求が充足されて自分が損をしたならばそれは良い状態とは言えないのではないか」ということを述べた。ヒースウッドによると、この場合、その利他的欲求が真正の欲求ならば良い状態であるが、真正ではない行動的欲求であるならば良い状態ではないとする（これは第5章でする徳倫理学の議論とも関連するだろう）。

また、依存症患者太郎の例も、まず、この例が通常の依存症の例ではないことに注目する。通常の依存症は、アルコール依存症などにみられるように、自身の健康を害したり他者に迷惑をかけたりする。そのような依存症による欲求が充足されることは「良い」とは言えないだろう。しかし、この場合（太郎の例の場合）は、欲求が充足されることが良いと言っていいのではないか。この場合は、依存性の薬物にはまるというより、新しい趣味などにはまることのほうに近いだろう。

禁煙していて喫煙とは無関係な病で死んだ吾郎の例でも、禁煙は真正な欲求ではなかった（真正の欲求は「健康になること」で禁煙はそのための手段に過ぎない）と考えると、吾郎の禁煙は良いとは言えないということがわかる。では、電車で会った華乃の成功を願う花子の例はどうだろうか。これも、もし花子のこの欲求が真正のものであるならば、花子の知らないところで華乃が成功しても花子の福利は高まると考えてよいのではないだろうか。なお、この真正な欲求と行動的欲求の区別は次章の自由の問題を考える際にも重要となる。

このように、欲求を区別することで欲求充足説の問題は解けそうだが、太郎が次のような薬物D_3の依存症だったらどうか。

太郎は健康に害がなく合法ではあるが依存性の高い薬D_3を毎朝服用し続けています。D_3を服用すると多幸感を味わえますが生産的な欲求はなくなります。そして毎朝、D_3に対する強い欲求が生じますが、太郎は裕福であったためとくに問題なく欲求するまま薬D_3を得ることができ、太郎は生涯欲求するままにD_3を摂取しました。なお、太郎は多幸感を味わっているけれどもなんら生産的なことをしない人生を送りました。なお、可能世界Wでは、太郎はあるときD_3の依存症から脱することができ、「D_3を止めることができてよかった」と思いました。D_3による多幸感と欲求の充足を除くと、現実世界とWにおける太郎の福利の総量は快楽説で計算しても欲求充足説で計算しても同等です（つまり、現実世界のほうがどちらで考えても福利は多い）。

太郎の薬物D_3への欲求は「真正な欲求」だろう。だが、この例の後半の設定を考慮すると、太郎が良い人生であったかは疑問が残りそうだ。このように、真正の欲求と行動的欲求を区別するのは重要であるが、真正の欲求を考える際に、やはり「完全な情報をもったならもつ欲求」として考えることも重要であるように思える。

なお、「足るを知る」タイプの人生が良い人生だと思えない（すくなくともそう思えない人がそれなりにいそう）のは、「簡単に充足する欲求」が真正に魅力がある欲求のように思えないからなのかもしれない。そうだとすると、この例も欲求充足説への反例ではないということになるだろう。また、この「足るを知る」タイプの人生がほんとうに良い人生につながるのかという点について、以下では心理学研究の成果を踏まえて考察しよう。

幸福をめざすデメリットについて

「平穏に生きるということ」という節では、良い人生を生きるためには簡単に充足する欲求を抱くことが重要で、それは洋の東西を問わず提案されてきた生きかただと述べた。しかし、そのような生きかたをすることがかえって不幸になる可能性がある。[注6]

すなわち、そのような生きかたというのは、「幸福に生きる」ということ自体を目的としており、そのためにはではどのような欲求をもつべきかと考える点が問題なのである。一方で（「幸福に生きたい」という漠然としたものではなく）目的（長期的な真正の欲求）があり、それを達成するための人生であるならば、おそらくその目的が結果的に達成できなくとも「良い人生」だと言えそうである（この点は第6章で議論する）。

しかし、「幸福であること」を目的として、そのために「達成しやすい欲求」を設定すると、それが達成できなかったときの失望は、真正の欲求が充足できなかったときより大きいということが心理学的研究によりわかっている。たとえば、大学を受験するときに、それほど行きたくないが自分の学力レベルなら確実に入れるであろう大学を受験したにもかかわらず不合格であった場合、行きたいが合格できるかどうか微妙だった大学を受験して不合格の場合よりも失望度は高いだろう。

それゆえ、充足可能性の高い欲求を抱くことにより、良い人生になることは保証されない。むしろ、低い水準の欲求すら充足されないことによって、高望みをして失敗したときよりも不幸になる可能性すらあるのだ。

死の恐怖と不安

本章の冒頭で、「私たちがなぜ死を恐れるのか」という問いに対する答えの候補として「死がどういうものか私たちにはわからないから死は恐ろしい」というものを挙げた。一般に「恐怖（fear, terror）」と「不安（anxiety）」は区別される。恐怖は「対象がある恐れ」で、蛇が怖いとかそういうことである。一方で、不安とは「対象がない恐れ」だと言われる。「将来に対する不安」はまさにこのようなものだろう。この分類で言うと、上のような回答は、私たちの死に対する恐れが不安だと解していることになる。たしかに私たちは死を経験したことはないのだから、死がなにかを正確には知らない。しかし正確には知らないことと対象がないこととは異なる。

将来が不安なのは、まさにその将来においてなにに遭遇するかわからないからである（なので具体的な恐れの対象がない）。もしかしたらなにも悪いことは起きないのかもしれない。試験が不安なのも同様である。試験という具体的な対象があるのにもかかわらず試験が不安であるのは、どのような問題が出るかわからないし、それに自分がうまく答えることができるのかどうかもわからないからだ。この場合ももしかしたらよくわかる問題が出て、それに対してちゃんと実力どおりにうまく答えることができるかもしれない。

だが、死の場合、もしあなたが死によって存在が消えるということを信じているならば、恐れの対象（非存在）が存在している。「いや、非存在とは無であり、無なのだから対象ではない、それゆえ、死への恐れは不安なのだ」と言うかもしれない。だが、それはほんとうだろうか？　不安と期待は表裏一体である。さきの将来への不安や試験への不安と同様、「悪いことが起きる**かもしれない**」というのが不安である。無に対して私たちはそのような感情を抱いているのだろうか？

たとえば、死後の生を唱える宗教の信者が、しかし「ほんとうにその宗教が主張するように〈死後の生〉があるのか？」と疑問をもっているならば（そして死を恐れているならば）、その信者の死への恐れは不安である。もしくは、死後の生そのものは確実にあるものだと信じていても、死後の生存がどのようなものになるかわからない、という場合も不安だろう（将来への不安と同様のもの）。だが一般に、私たちが死を恐れるのはそのような理由からだろうか？

死と永遠の無

死への恐れに関して、たんなる「無」ではなく、「永遠の無」だから怖いという言説をしばしばみかける。[注7] しかし、死後の永遠の無を想像するときに、無であると言いながら自分の意識だけは存在している状態を想像している。自身の意識も含めて無であるならばそもそも死を経験できないのだから、自分が死んで無になっている状態を想像することは不可能である。それゆえ、永遠の無への恐れというのは死後も経験の土台となる意識があることを前提としているのである（つまり、死を自身の存在の消滅と捉えていない）。

たしかに、意識が残ることを前提とするならば、未知であるがゆえに死が悪いことであるかどうかはわからないのだから死は恐怖の対象にはならずに、死への恐れは不安である。だがそのことは同時に死が実は良いことかもしれないことを含意していることに注意したい。つまり、ここまでは「Xの存在は、Xの死によって消滅する」と前提したので（議論4―1の前提3）、死者の福利は、死者に福利を帰属可能だとして0であったが、この場合は正であるかもしれない。

たとえば、もしバンパイアが実在しており、バンパイアの仲間になることを強いられたならば、私たちはバンパイアになることを恐れるだろう。だが、これは「バンパイアになる」ということがどういうことかわからないからである。実際には、なってみると「なんであんなにバンパイアになることを恐れていた(嫌がっていた)のだろう」となるかもしれない(つまり、それは恐怖ではなく不安であった)。

同様に、もし死後に意識が存在するならば、そして死への恐れが不安であるならば、死んでみると「なんで死ぬことをあんなに嫌がっていたのだろう」というくらい死は良いことである可能性を含意しているのである。このことは、死によって意識がなくなるかもしれないし、あり続けるかもしれないという不安の場合も同様である。

死への不安

だが、死そのものが悪いことだという前提でも死への不安はありうるのではないか? その場合は、**いつどのように**死が訪れるかわからないという不安だろう。たとえば、南海トラフ地震は本書を執筆している2023年現在から40年以内に90%の確率で発生すると言われている。そして地震そのものは恐怖の対象である。しかし、いつどれくらいの規模で生じるのかはわからないのでこれは不安である。

このような意味での死への不安は、「死が人生を無意味にする（ように思える）」ということと強く関係するだろう。たとえば自分が80歳まで生きるという前提で人生の計画を立てても今日死ぬかもしれない。私は今、本書が出版されるまでは生きている前提で本書を執筆しているが、本書を書き上げる前に死ぬかもしれない。そうすると、ここまでの執筆のために費やした私の努力は無意味になる（ように思える）。また、80歳まで健康であるようにと、食べたいものを我慢して、やりたくないのに運動をしていても若くして死ぬかもしれない（禁煙していたのに途中で死んでしまった吾郎の例）。その場合もやはりそうした努力は無意味となる。逆に今日明日にも死ぬかもしれないという前提で刹那的に生きていてもそれはそれで、長生きしてしまうと計画的に生きてこなかったことを後悔するだろう。

こうした「死がいつ訪れるかわからない不安」はあるだろう。また死に際して苦しまずに自分が死んだことも気づかないまま死ぬ場合もあるが、癌のように肉体の苦痛を感じながら、かつもうすぐ死ぬという恐怖感（精神的苦痛）にも苛まれながら死ぬ場合もある。もしかしたらそのような苦痛に満ちた死を迎えるかもしれないという不安もあるだろう。しかしこうしたことは死一般がどういうものかわからないということに起因する不安（恐れ）ではない（死が自分の存在の消滅だということを知っているならば）。

子どもを産むべきではない

死が悪いことかどうかの議論はここまでにして、これまでに何度か言及した「快と苦痛の非対称」に焦点をあてて、そこから「子どもを産むべきではない」という**「反出生主義」**が導き出されることを議論しよう。

デイヴィッド・ベネターによると、「苦痛が存在していないことはつねに良いことであり、それを享受している人がいなくとも、良いことである」という。つまり、実際には存在していないある人について、その人がもし存在していたならば被ったであろう苦痛に関しても、その苦痛は存在していなかったほうが良いと言えるというのである。その一方で、快については、その不在がその人にとって剝奪を意味するのではない限り、悪いことではないという（ここで、ベネターのいう「剝奪」がなにを意味するかはやや曖昧なのだが、死は剝奪を意味するから悪いのだという）。

たとえば、ある無人の島があり、そこに生まれたならばかならず快に満ちた人生を送ることがわかっているとしよう。しかし、その島にだれもいない（だれもそこで生まれたことがない）ことは悪いことではない。一方、やはり無人の島があり、そこに生まれたならばかならずその人は苦痛に満ちた人生を送ることがわかっているとする。すると、そこにだれもいない（だれもそこで生まれたことがない）のはあきらかに良いことだ。ベネターにとって、「悪いわけではない」は「良い」よりも悪いわけではないので、快の島に人がいないこと（悪いわけではない）は、快の島にだれかがいてその良さを享受している状態（良い）より悪いわけではない。

したがって、Xにとって、Xの人生に苦痛が一切なく快のみがあったとしても、Xが生まれなかったならばやはり苦痛はなかったのだから、生まれてこなかったことは生まれたこととすくなくとも同じくらい良かったと言える。しかも、どんな人物も生まれたからにはなにかしらの苦痛（タンスの角に小指をぶつけた程度でも）を経験するのだから、それを加味すると、生まれることはつねに生まれないことよりも悪い。以上を定式化しよう。

【議論4―2　存在することはつねに悪いことである】

（1）任意の人物Xについて、Xが存在することによってかならずいくばくかの快と苦痛がXに生じる［前提］

（2）Xが存在しなければ、Xが存在したら被ったであろう苦痛も存在しない［前提］

（3）Xが存在しなければ、Xが存在したら得たであろう快も存在しない［前提］

（4）苦痛の不在は、その良さ（「苦痛の不在」という良さ）を享受する者がいなくとも良い［前提］

（5）快の不在は、それが剝奪を意味しない限り、悪いことではない［前提］
（6）Xが存在しないことにより、Xが存在したら被ったはずの苦痛を被らないことはXにとって良いことである（2、4より）
（7）Xが存在しないことにより、Xが存在したら得たはずの快を得なかったことは悪いことではない（3、5より）
（8）任意の人物Xについて、Xが存在することはつねにXにとって悪いことである（1、6、7より）

この結論に、「他人に理由なく害を与えてはならない」という倫理的主張を合わせると「子どもを産むべきではない」という反出生主義が導かれる。[注8]

まず注意したいことは、すでに生まれている人が「生まれてきて良かった」と思っているかどうかと、この議論の正しさとは無関係であるということだ。さきに述べたように、ある出来事が良いか悪いかは客観的に決まる。本人は自分が生まれてきて良かったとどんなに思っていようが、存在は「つねに」悪いというのが議論4―2の結論である。

次に、注意すべきことは「始めるに値する人生」と「続けるに値する人生」は異なるということだ。ベネターによると死は剝奪を意味するので、すでに存在している人が死ぬことはその人にとって悪い。

快と苦痛の非対称性原理の正当性

こうした、とくに誕生に関する快と苦痛の非対称性原理を、以下のようなやはり誕生に関する4つの非対称性を説明するものとしてベネターは正当化する。

（1）生殖に関する義務の非対称性：悲惨な人生を送るだろう子どもを産むことを避ける義務はあっても、幸福な人生を送るだろう子どもを産まなければならない義務はない。

ここで気をつけることは、後半部分が言っているのは「〈実際に生まれた子ども〉を幸福にする義務」ではない。そうではなく、たとえば子どものいない（そしてそもそも子どもが生まれる予定もなかった）夫婦に対して、幸せな子どもを産まなかったことを、その生まれなかった子どものために責められることはないということだ。また、社会の繁栄のために子どもがいないことを責められることも別の話であることに注意しよう（あくまで、その「生まれなかった子ども」にとっての話）。

（2）予測される利益の非対称性：子どもをもつ理由としてその子どもがそれによって利益を受けるだろうことを挙げるのはおかしいが、子どもをもたない理由としてその子どもが苦しむだろうということを挙げるのは同じようにおかしいというわけではない。

ここはちょっと微妙なような気もする。というのも前者はそれほどおかしいようにも思えないからだ。たとえば優しく見た目も良く、子どもが一生遊んで暮らせるほどの資産をもっている夫婦に対して「君たちの子どもはきっと幸せになるのだから子どもを産んだほうがいい」と言うのは、それを口に出すこと自体はお節介で、とくに現代社会ではハラスメントにすらあたるかもしれないが、主張そのものは直観的にはおかしくはないように思える。しかし、もうすこしここでの問題を明確になるように言い直すと、「君たちの子どもはきっと幸せになるのだから、**その子どものためにも**その子を産んだほうがいい」となり、（それでもまだおかしくないように思えるかもしれないが）やや直観的なおかしさが伝わるかもしれない。

（3）回顧的利益の非対称性：苦しんでいる子どもを存在させてしまった場合、その子どもを存在させてしまったことを後悔することは、そしてその子どものためにそれを後悔することは理にかなっている。対照的に、幸せな子どもを存在させることができなかった場合は、その子どものためにそのできなかったことを後悔することはあり得ない。

これも「生殖に関する義務の非対称性」で注意したのと同様に、後者は、すでに生まれた子どもについて、その子どもを幸せにできなかったことを後悔することはあり得ないと言っているのではない。たとえば、子どものいない（そして産むつもりもなかった）夫婦が、幸せな子どもを存在させることができなかったといって後悔することはないだろう、ということである。

この回顧的利益の非対称性に対して、たとえば森岡正博は「ある女性が人工授精による妊娠を決断し、家族みんなでそれを喜び、歓迎し、老衰した祖母も死ぬ前に孫を抱けると喜んだ。この女性は子どもがいま生まれてきたら、祖母に温かく迎えられる幸せをその子は得ることができると楽しんだ。しかし人工授精による卵管内受精が失敗し、妊娠は起きなかった。この家族は子どもが生まれてこなかったことを非常に悲しんだ。このチャンスを逃すと、祖母はもう亡くなってしまうだろうからである。この場合、子どもが生まれてこなかったのを家族が残念に思った理由の大きなひとつとして、その子が生まれてきていたら祖母に抱かれて温かく迎えられる幸せを経験できただろうに、それがかなわなかったという、まだどこにも存在しないその子自身のことに思いをはせて悲しんだという理由が含まれている。ここでは、非存在の子どもに思いをはせて残念に思うということが成立している」という反例をあげる。[注9]

だが、これは「剥奪」を意味するからだと考えられる。すなわち、人工授精が失敗しなければ得たであろう快をこの子どもは奪われたからそれはその子どもにとって悪いことなのである。すでに述べたように、ベネターのいう「剥奪」の意味が曖昧なのだが、すでに存在している快が奪われるだけではなく、得ることが予測できていた快が存在しないことも剥奪を意味すると思われる（コロナ禍による旅行中止の例を思い出そう）。つまり、この例だと、すでに「人工授精による妊娠の決断」があるので、それにより生まれてくる**特定の**子どもが想定されていることがポイントであり、人工授精の失敗はその生まれてくるはずの特定の子どもが享受できるはずの快を奪われたことを意味している。コロナ禍による旅行中止の例で述べたように、この場合、むしろ、快を奪われることが苦痛になっているので悪いのである。

なお、繰り返すように、ベネターのいう「剥奪」がなにを意味するのかわかりにくいのだが、ベネターと親交もあり反出生主義にくわしい吉沢文武によると、比較説の意味での剥奪（死の害に関する場合、比較説は「剥奪説」ともいう）ととってもよいのではないかという。ただそうすると、本章の構成上、沖縄旅行の例から快苦の非対称性の話につなげたが、ベネター自身はそういう意味での快苦の非対称性はあまり気にしておらず、あくまで誕生にかかわる快苦の非対称を論じていると考えるべきであろう。そして、なぜ誕生に関しては特別なのかということの論拠がいま説明しているこの4つの「誕生に関する非対称性」ということになる。

(4) 遠くで苦しむ人々と存在しない幸せな人々の非対称性：私たちが遠くで苦しんでいる人々のことを悲しく思うのは当然だ。それとは対照的に、無人の惑星や無人島、この地球の他の地域に存在していない幸せな人々のために涙を流す必要はない。

遠くで苦しんでいる人々のことを悲しく思わないという人もいるかもしれないが、それはそれとして、遠くの存在していない幸せな人々のために悲しむことはないだろう。

これら4つの非対称性をなぜ私たちが直観的にもっているのかを快と苦痛の非対称性がよく説明するとベネターは主張する。それゆえ、しばしば、「存在はつねに害悪である」という主張に対して「反直観的である」という理由で退けようとする人がいるが、これは快と苦痛の非対称性という（「存在はつねに害悪ではない」という主張よりもより直観的にもっともらしい４つの非対称性を説明するという意味で）もっともらしい前提から論理的推論によって導き出される主張なので、反直観的だからという理由だけでは退けられない。

なお、ここまで簡単のために快楽説をベースとして議論してきたが、欲求充足説をベースとしても同じ結論が得られる。また、ベネターによると、客観的リスト説という、快楽説や欲求充足説に並ぶ主流の福利の理論をとってもやはり同じ結論が得られるという。

反出生主義へ

このようにして「存在することはつねに悪いことである」という結論が導かれ、前述のように、「他者に理由なく害を与えてはならない」という義務を加えると「子どもを産むべきではない」という反出生主義が導かれる。

ここで気をつけることは「存在することは**つねに**悪いことだから子どもを産むべきではない」ということである。「もしかしたら苦痛に満ちた悲惨な人生を送る子どもを産んでしまうかもしれない、そしてそんな賭けをすることは悪いことなので子どもを産むべきではない」と言っているのではない（これを主張する人はわりと一般にもみかけるように思える）。どんなに幸せな人生を送った人でもその人生のなかでほんのわずかな苦痛も感じたことがないという人はいないだろう。そしてどのような些細な苦痛でもそれがないことは良いことであるし、逆にどのように大きな快でもそれがないことは悪いことではないので、そのような幸せな人生を送る人でも生まれたことは悪いことなのである。

また、「子どもを産むことは社会にとって、もしくは夫婦（両親）にとって良いことだ」と言うかもしれない。しかし、いくら社会やほかのなにかにとって良いことでも、当の本人にとって悪いことを行うことは倫理的に許されることではないだろう。

しかし、「存在することはつねに悪いことである」ということを認めたとしても、「私たちはどのようなときでも他者に害を及ぼしてはならない」ということはないのではないか。たとえば手術のように、一時的に苦痛を与えても結果としてより大きな苦痛が避けられるのならばそれは良いことでないか？

そのことにベネターは反対はしない。たとえば太郎の片手が落石の下敷きになっていてかつ太郎は気絶していたとしよう。このとき、太郎の手を切り落とすしか太郎の命を救う手段がないと合理的に言えるならば太郎の同意なしに太郎の手を切り落とすことは許されるだろう（ここでは議論のため、太郎にとって死は手を失うことより苦痛であるとする）。

だが、太郎の手を切り落とすことが太郎に（苦痛の回避ではなく）大きな利益を与えるという場合を考えてみよう（手を切り落としたら1000万円をもらえ、また1000万円を得ることで太郎は大きな快を得るとする）。この場合は、それがどれほど大きな利益をもたらすとしても、すくなくとも当人の同意なしに太郎の手を切り落とすことは許されない。したがって、たとえ、任意の可能的に存在する人物Xにとって X が生まれてくることがXの人生全体にとって利益であっても、(Xの同意なしに) Xを産むべきではない。

快と苦痛の非対称性は生殖に関する義務の非対称性を説明するのか?

吉沢は、快と苦痛の非対称性原理が反出生主義を導き出すならば生殖に関する義務の非対称性を説明できないし、生殖に関する義務の非対称性を導き出すならば反出生主義を導き出せないと主張する。[注10] たしかに、そもそも生殖に関する義務の非対称性と反出生主義は異なる主張であるから、同じ原理を同じように使ってどちらも導き出せるというのはおかしい。たとえば、反出生主義は不幸な人々を産むことを避けるべきだと主張しているだけではなく、幸福な人々についても産むことを避けるべきだと主張しているが、これは生殖に関する義務の非対称性とは異なる(幸福な人々を産むことを避けるべきだとは主張しない)。

快と苦痛の非対称性原理から生殖に関する非対称性を導き出そうとするならば、まず人生全体を比較したうえで、幸福な人生と不幸な人生を判断する。それから、「私たちは幸福な人々を産む義務はないが、不幸な人々を産むのを避ける義務がある」という生殖に関する義務の非対称性を導くことができる（ほかの誕生に関する非対称性も同様）。このように人生全体を比較し幸福な人生と不幸な人生を判断したなら、不幸な人々を産むべきではないことは導き出せるが、幸福な人々については、産むべきだとも言えないが、産むべきではないとも言えないという結論が導かれ、これは反出生主義ではない。

一方で、快と苦痛の非対称性原理を人生全体の比較をする前に適用すると、たしかに反出生主義が導かれるが、上述のように、反出生主義は生殖に関する義務の非対称性とは別ものである。したがって、快と苦痛の非対称性原理を、それが誕生に関する非対称性を導き出すことによって正当化するならば、反出生主義は導き出せないことになる。

まとめ

本章では、「死によって存在が消滅するならば、死は死んだ当人にとって悪いことではないのではないか」という疑問をめぐって議論した。はじめに、当人にとっての良い・悪いは、当人が快を感じるか苦痛を感じるかで決定するという快楽説に従い、かつ比較説という考えかたについて議論した。このような当人にとっての内在的価値を「福利 well-being」（の価値）という。そして、現実にある出来事Eが時刻tに生じたときに、「EがXにとって悪いのは、現実世界におけるt以降のXの福利の総量が、Eが生じなかった現実世界ともっとも近い可能世界におけるt以降のXの福利を下回ったときである」という考えが比較説である。比較説の問題点として「快がないことは悪いことではないが、苦痛がないことは良いことである」という快と苦痛の非対称性の問題や、局所的な福利の総和ではある時点での死が良いか悪いかを考えることができない、すなわち人生の「形」を考えなければならないという問題を挙げた。

また、福利の計算において、快楽説のほかに欲求充足説も紹介した。欲求充足説によると、欲求が充足されることは良いことであり、挫折させられることが悪いことである。それに対して、欲求が充足されることは快であり、挫折することは苦痛であるのではないか（それゆえ、結局快楽説と同じではないか）、という疑問があるかもしれない。しかし、内在的に価値があるもの（というより、第6章で議論する最終的価値といったほうがよいが）は、快だけではないかもしれない。もしそうであるならば、快楽説は福利を考える際に有効な理論ではなくなるが、欲求充足説は、欲求の対象がその当人にとって快に還元できない価値があるものであっても、有効である。

とはいえ、欲求充足説にもいくつかの問題点があった。しかしこれらの問題点は欲求を「真正な欲求」と「行動的な欲求」にわけることで解決できそうであった。ただ、真正な欲求であり、かつ死によってそれが挫折させられた場合でも、なおその当人の人生は良かったと評価できる場合があるように思える。この点についてはまた第6章で再論しよう。

後半では誕生に関する「快と苦痛の非対称性」を基にした「存在することはつねに害悪である」とするベネターの「反出生主義」について議論した。快がないことは、それが剥奪を意味しない限り悪いことではなく、苦痛がないことはつねに良いことであるならば、存在しないことは存在することよりつねに良いはずである。なぜなら、どんな幸福な人生を送った人でも、その人生のなかでごくわずかでも苦痛がないということはないであろうからだ。しかし、存在しなければ苦痛を与えられることもない。もちろん、快もないが、それは元からないのだから剥奪を意味しないし、それゆえそれは悪いことではない。

第5章　私たちは自由なのか？

本章では、自由とはなにか、そして「道徳的に責任のある行為」とはなにかについて考えていく。まず、ある行為Aが行為者Xの自由な行為であることの条件として「XがA以外の行為もできた」という他行為可能性について考える。そして、他行為可能性は自由な行為の必要条件でも十分条件でもないことをみる。また、自由な行為を「行為者から生じた行為」だとしても問題があることをみる。次に、そもそも私たちが「自由とはなにか」を考える動機として、「自由な行為には責任が伴う」ということがあることを確認し、それゆえ、議論の焦点を「道徳的に責任がある行為とはなにか」へと移す。そして、「Xの行為AにXの責任があるのは、Aの原因がXの性格にあるときそのときのみである」ということを議論する。その後、刑罰の必要性についても考える。

なにをしても無駄

第3章では、運命論を証明した。それでは、私たちが未来においてなにかを成し遂げたいと思っても、そのための努力をすることは無駄だということになるのだろうか？　たとえば、太郎は来年、大学受験を控えているとしよう。もし運命論が正しいならば来年の合否はすでに現時点において決定しているはずである。つまり、試験に向けて一生懸命に勉強をしてもしなくても、合格が決定しているならば合格するし、不合格が決定しているならば不合格になるということではないか。定式化してみよう。

【議論5―1　なにをしても無駄】

（1）運命論は正しい［前提］
（2）太郎が試験に合格することはすでに決定しているか、合格しないことはすでに決定しているかのいずれかである（1より）
（3）合格することがすでに決定しているならば勉強をしなくても合格する［前提］
（4）それゆえ、合格することがすでに決定しているならば、試験に合格するために一生懸命に勉強することは無駄である（3より）
（5）合格しないことがすでに決定しているならば、どれほど試験に向けて一生懸命に勉強をしても合格しない［前提］
（6）それゆえ、合格しないことがすでに決定しているならば、試験に合格するために一生懸命に勉強をすることは無駄である（5より）
（7）したがって、試験に合格するために一生懸命に勉強をすることは無駄である（1、4、6より）

次のようなSFなどでよくあるストーリーを考えよう。

太郎はある日、海水浴に行きました。しかし波に飲まれて溺れ、すんでのところで救助されましたが、その後1週間ほど意識を失いました。意識が戻った太郎は「酷い目にあった。1週間前に戻れたらもう海には行かないぞ」と思いましたが、その瞬間、1週間前の海水浴に行く前日に時間が戻りました。そこで太郎は海水浴の予定を変更して山登りに行きました。ところが、川を渡る途中で足を滑らせて溺れ、これまたすんでのところで救助されましたが1週間ほど意識を失いました。意識を取り戻した太郎はまたもや1週間前に戻りました。そこで「今度はどこにも行かないぞ」と決心して家で過ごしていましたが、浴室でうとうとしてしまいまた溺れて助かり1週間ほど意識を失ってしまいました……。

このように、「運命が決まっている」と言うとき「人生における重要な出来事だけが決まっていてそこに至る経路は決まっていない」という想定をしていることがある。そういう意味で運命論という言葉を使用するならば、たしかに「なにをやっても無駄」ということになる。しかし第3章で議論した運命論は、結末だけではなくその経緯も含めたあらゆる出来事があらかじめ確定しているというものであった。

したがって、もし運命論が正しいのならば、太郎が海に行くか山に行くかも、私が試験に向けて一生懸命に勉強するかどうかも確定しているだろう。それゆえ、もし実際に一生懸命に勉強をして試験に合格したとして、「一生懸命に勉強をしなかったとしても試験に合格できただろう」という命題が成り立っているとは限らない。つまり、私が一生懸命に勉強しておらず大学に合格していないような現実世界に近い可能世界があるかもしれない。すると、「一生懸命に勉強したこと」は「試験に合格したこと」の原因となるので、そういう意味では無駄ではなかったということになる。

法則的決定論的世界で反事実条件を考えるということ

ところで、法則的決定論的な世界では、ある時点での宇宙全体の状態がまったく同じで法則も同じであるような可能世界では、そのほかの時点でも現実世界とまったく同じ状態になっているはずだ。それゆえ、法則的決定論が成り立っている場合は「私が勉強しておらず大学に合格していないような現実に近い可能世界」がそもそも存在しないのではないかと思われるかもしれない（あらゆる近い可能世界で私は勉強しているのではないか）。

しかし、自然科学が成り立つためには、「ある程度環境系から独立の部分系（準閉鎖系）を考えることができる」という前提が必要である。どういう意味かというと、「ある出来事に対してどのような結果が生じるかということに関して、つねに宇宙全体を考える必要がない」ということである。そうでなければ実験（実験は、ある意味で対象系を極力閉鎖系に近い状態にすることによって行われる）もできないし、理論的にもモデル（現実世界の一部分を理想化・単純化したもの）を使って研究することもできない。

たとえば、いま、1mの高さの机から硬い床にガラスのコップを落としてしまってそのコップが割れたとしよう。このとき、「この世界がかりに法則的決定論的であったならば、そもそも床に柔らかいカーペットが敷かれていることがないのだから、〈もし床に柔らかいカーペットを敷いていたらコップは割れなかっただろう〉という命題の真偽を決めることができない」というのはナンセンスのように思える。それゆえ、時空的にこの出来事のごく近傍の系を取り出して、そこだけが異なるような可能世界を考えることができるとするべきであろう。[注1]

つまり、たしかに、法則的決定論的世界では、ある時点での宇宙全体の状態が厳密に同じであり、世界を支配する自然法則も同じであるのに、そのほかの時点での状態が異なるような可能世界は考えられないだろう。しかし、比較するべき可能世界はなにも宇宙全体の状態がまったく同じ世界である必要はない。

たとえば、「ある時点tまで私自身も私が直接観測できる範囲内の環境もほとんど同じであるのに、t以降、現実世界では私は勉強しているのにもかかわらず、そこでは私が勉強していない」という可能世界Kは存在し得る。なぜなら、私と私を取り巻く局所的な環境は等しくとも、たとえば宇宙のどこかで各瞬間においてすこしずつわずかな違いがあり、それによって「つじつま」があわされているならば問題ないからだ。

それで問題がないということを、さきに述べた「部分系のある程度の環境系からの独立性」という前提が保証してくれている――つまり、たとえば、「私が勉強しなかったことではなくベテルギウスの表面温度が1度異なったことが原因で私が大学に合格できなかったのではないか」ということは考えなくてよい。[注2] それゆえ、法則的決定論的世界では、私がこの現実世界で一生懸命に勉強をすることは決定していたが、しかし私が一生懸命に勉強したことが大学に合格したことの原因だとは（反事実条件文の分析を使っても）言える。

法則的決定論と自由

話を元に戻そう。というわけで、運命論が成り立っているとしても、私たちのしたことが無駄ということにはならない。ただ今度は、運命論、なかでも法則的決定論が成り立っているならば、「〈一生懸命に勉強をする〉という決定は私の自由な意志によってなされたものではないのではないか」という疑念が生じる。

いま、XがAという行為をしたとき、「XがAをした」という命題をSとしよう。すると「AはXの自由な行為である」とは、「XはSを偽にすることもできた」ということであるように思える。つまり、XはA以外の行為をすることもできた（これを「**他行為可能性**がある」という）のにAをしたから、AはXの自由な行為なのである。このような自由の定義のもとで、法則的決定論と自由の両立不可能性の論証をみてみよう。

【議論5―2　法則的決定論と自由は両立しない】

（1）法則的決定論が成り立っている［前提］
（2）いま、XはAという行為をした［前提］
（3）人類が誕生するはるか昔の宇宙の全状態S_0と自然法則Lによって、Xが行為Aをすること（S）が必然的に導き出される（1と2より）
（4）Xは、S_0が成り立っていたこともLが成り立っていることも偽にすることはできない［前提］
（5）XはSを偽にすることはできない（3と4より）
（6）それゆえ法則的決定論と自由は両立しない（1と5より）

これはピーター・ヴァン・インワーゲンによって提出された「帰結論証（の第三論証）」と言われる議論を簡易にした議論である。[注3] 議論5―2のように定式化しなくても、法則的決定論が成り立っていたら（自由をこのように定義する限り）自由が存在しないことはあたりまえやんか、と思うかもしれない。しかし、本書では取り上げないが、このように定式化することで（正確には、この簡潔版ではなく元の緻密な定式化によって）、その後、法則的決定論と自由の両立性について、意外にいろいろとツッコミどころがあることがわかってきたのがおもしろい点である。[注4]

しかし、現代の物理学（量子力学）では法則的決定論が成り立っているとは考えられないこともあり、以下ではそのような議論（法則的決定論と自由の両立可能性）にはこれ以上は深入りせず、「自由を他行為可能性と捉える」という前提のほうに焦点をあてて考えていくことにする。

他行為可能性があっても自由ではない

法則的決定論的世界において自由がないように思えるのは、いま述べたように、そのような世界では、実際に私が勉強したとき、その「私が勉強する」という行為ははるか昔、私が生まれる前から決まっていたことなので、私にはほかの行為、すなわち勉強以外のこ

とをすることができなかったからのように思える。それゆえ、「行為Aが行為者Xの自由行為である」と言うためには、

XはA以外の行為をすることも可能であったにもかかわらず、Xをすることを選択した

ということが必要なように思われる。「〈ほかの行為もできる（可能）〉とはどういう意味か」というのは問題なのだが、ここでは「その行為者がほかの行為をしている可能世界が存在する」という意味として話を進めよう（なので、本書で定義した運命論の場合は、それが成り立つことは他行為可能性を否定しない）。

さて、ではほんとうに、他行為可能性があったならば太郎の行為Aは自由な行為と言えるのだろうか？　このことを考えるために、法則的決定論も、より広く本書で言うところの運命論も、成り立っていないとしよう。それゆえ太郎が時刻tにおいてAを決断することはt以前には確定していなかった。ただし、意志（決断）と行為のあいだには因果律が成り立っているとしよう（そうでなければ、「手をあげよう」と思っているのにあがらないという事態が生じうる）。さらに、太郎に生じるなんらかの意志（行為の決断）はそれに対応する脳状態によって決まるとしよう。そのうえで以下のような状況を考えてみる。

太郎は、彼自身は知らないのですが、脳手術を施され電子チップを埋め込まれています。このチップは完全にランダムなメカニズムによって、太郎の脳の状態をランダムに変化させます。ある時点tで、このチップが作動して太郎に「いま目の前にいる二郎を殴る」という決断を生じさせ、実際に太郎は二郎を殴りました。

前提より、太郎は時点tで二郎を殴るという以外の行為が可能であった（他行為可能性があった）。つまり、このチップはランダムに動いているので、たとえば二郎を褒めるなど、二郎を殴る以外の行為が行われた可能世界が現実世界の近くにある。だが、この「二郎を殴った」という行為が太郎の自由な行為、太郎の自由意志による行為、であるとは考えられないのではないだろうか？

このような特殊な事例を考えなくても、非決定論的な世界（たとえば、量子力学的な世界）では次のようなことが起こっていると考えられる。時刻tに太郎が行為Aを行ったとき、太郎の脳状態は時刻tにおいて「Aをしよう」という決断Dに対応する状態になっていただろう。そして、そのような状態になったのは太郎の脳を構成している原子や分子などが（決定論ではないので）偶然的にそのような配置になったからだ。

つまり、太郎がAを行ったのは、太郎の脳状態が偶然に決断Dに対応する状態になったからである。そして、非決定論なのだから、tにおける太郎の脳状態は、ほかの行為の決断に対応する状態になった可能性がある（つまり、他行為可能性がある）。

しかし、この太郎の行為は太郎の自由意志によるものだろうか？　なぜなら、電子チップがランダムに太郎の脳状態を決めたのと同じことがここで起こっているように思えるからだ（太郎の脳状態がDに対応する状態になったのは太郎のあずかり知らぬことである）。このように分析すると、多くの人はこの太郎の決断を自由意志によるものと考えることに躊躇するのではないだろうか？

その行為は行為者自身のものか

このように、他行為可能性があったとしても、それだけでは自由意志があるとは言えなさそうだ。つまり他行為可能性は自由の十分条件ではないということである（あとで他行為可能性は自由の必要条件でもないこともみる）。だとすると、自由とはいったいなにか？

他行為可能性以外で自由の条件としてよく挙げられるのは、

Xの行為が〈X自身から生じたもの〉である

というものである。

上記の電子チップの例において、太郎の決断が太郎の自由意志によるものでないように感じるのは、それが太郎自身から生じた決断ではない（脳内の電子チップによりもたらされた）からではないだろうか？　ここで「自分自身から生じた」というのは、「自分自身が原因で生じた（自分の外部には原因がない）」ということである。

電子チップは脳内にあるが自分を構成するものとは言えないので、電子チップが原因となった行為は「自分自身から生じた」行為だとは言えない。その次に挙げた例でも、脳内の状態は、太郎の外部も含めた原子や分子のランダムな運動と配置によって生じたものだから「自分自身から生じた」とは言いがたい。このように考えると、決定論的な世界において自由意志がないように思えるのも、他行為可能性がないからというより、自分の行為が自分自身から生じたものではないからなのではないだろうか？

では、自分の外部ではなく内部に原因がある行為であれば「自由な行為」と言えるのだろうか？　いま、心的状態は身体の物理的状態とは独立であり、ある行為は外的状態とは無関係に生じる、それ以上の「原因」がない、それそのものが行為者の行為の第一原因であるようなものであるとしよう。これを**「行為者因果」**と名づけると、行為者因果はまさに「自分のなかから生じた」ものである。それゆえ、行為者因果によって生じた行為は自由な行為だと言ってよいのではないだろうか？　なお、ここではとりあえず心身二元論をとることの問題点については目を瞑ることにしよう。

しかし、これでも問題は解決しない。たしかに、行為者因果を仮定すると、「自分自身から生じた行為」というものが存在するということは言える。だが、それでもやはりそれは「自由な行為」と言えないように思える。なぜなら、結局のところ、その行為者因果自体は（その原因がない以上）偶発的に生じたものであるので、やはり自分によって完全にコントロールされたものでもないからだ。

たとえば、放射性物質がいつ崩壊するかは確率的なので、ある時刻tに崩壊した放射性物質について、その物質がtという時刻に崩壊したことに外的な原因はない。ではかりに、太郎の脳内に放射性物質があり（そして議論の都合上それは太郎の脳を構成しているものであるとしよう）、それがいくつ崩壊するかで太郎がどのような行動をするかが決まるとしよう。すると、太郎の行為の原因は外部にないが、しかしこのような行為は太郎の自由な行為だと言えるだろうか？　「放射性物質の崩壊過程は物理過程だからいまの想定とは異なる」と反論するかもしれないが、代わりに物理的ではない行為者因果というものを第一原因としたところで話はなにも進展していないのではないか。

なぜなら、太郎自身にすら自分がその瞬間にその行為をすることが、その瞬間までわからないからだ。すなわち、太郎は自分の行為を自分自身でコントロールできていない、言い換えると、太郎の行為は自分自身のものではないことにある。「結局は〈偶然〉だから自由な行為とは言えないのではないか」という批判もここから生じている。だが、「行為を自分自身でコントロールする」も「行為が自分自身のものである」もやや曖昧な言いまわしである。このことについてはのちほど議論する。

自由意志は必要か？

ここまでで、「自由とはなにか」ということについて、大きく3つの考えかたがあることをみた。すなわち、ある時刻tにおけるある行為Aが行為者Xの自由な行為であるとは、

（1）Xは、tにおいてA以外の行為を行うことが可能であったということ
（2）AがX自身から生じたものであること
（3）AがX自身のものであること

の3つの立場である。ところで、他行為可能性（1）が自由な行為の基準に思えるのは、

それを満たす行為は（2）や（3）であるように思えるからである。しかし上述のように（そしてあとでも議論するように）、実際には（1）はそのような基準としてうまく機能しない。さらに、（2）も、なぜこれを満たせば自由な行為であるように思えるかというと、そうであれば（3）を満たすからであるように思える（しかし、これも上述のように、うまくいかない）。それゆえ、本書では（3）の立場で議論していきたい。だがその前に、そもそも私たちに自由意志は必要なのだろうか？　ということについても議論しておこう。自由意志が存在するとしてなにかいいことがあるのだろうか？

ロバート・ノージックによると、自由意志がないならば私たちは矮小化され、外部の諸力のおもちゃに過ぎないようにみえてしまうという。つまり、ＡＩロボットや人間以外の動物とは異なる人間の尊厳を守るためにも自由意志が必要だというのだ。

まあ、人間の尊厳を守るなどと哲学が言い出すと個人的にはちょっと（かなり？）胡散臭い感じがしてしまうのだが、（現存の）ＡＩロボットと人間との違いのひとつとして、自由意志のあるなしをもってくるというアイデアは重要かもしれない。というより、むしろ将来ＡＩが発展したときに、「このＡＩには自由意志がある」と言える基準を見出すことによって現存のＡＩとより高度なＡＩとの違いが明確になるだろう（そしてそれは「心」の問題にも繋がっていくだろう）。すくなくとも現在のＡＩは高度な自律性があっても、それだけだとやはり人間と同様だとは思えないが、その要因のひとつとして、それらの行動は「自律的ではあっても自由だとまでは言えない」と私たちが考えるからだと思われる（では「自律的」と「自由」の区別はなにか？）。

また、自由の問題は道徳的責任の問題にも関連する。というよりも、ある人の行為が自由意志に基づいたものでないならばその人にはその行為に対する道徳的責任もないように思えることが、哲学で自由意志が問題となるもっとも大きな理由とも言える（そして、将来的にAIが発展したときにAIが自由意志に基づいて行為したか――AIに道徳的責任があるか――を判断する基準をつくることの必要性にもなる）。つまり、もし自由意志に基づく行為というものが存在しないならば、道徳的責任もないように思えるのである。

自由意志と良い人生

さらに、自分に自由意志があると信じることがより良い人生を送るために重要な役割を果たすことが心理学的にわかってきた。[注5] キャサリン・ヴォーとジョナサン・スクーラーは「自由意志が存在する」という信念が、テストの不正行為に与える因果的影響を検証している。実験への参加者を、自由意志の存在を肯定する文章を読ませたグループ（自由意志条件）、否定する文章を読ませたグループ（決定論条件）、無関連な文章を読ませたグループ

（統制条件）にわける。このとき、自由意志の存在を肯定する文章を読ませた参加者は、否定的な文章を読んだ被験者より自由意志信念は強くなると思われる。

さて、次に参加者それぞれに1人で読解・計算課題を行わせる。参加者はその回答を自分自身で採点し、正答数に応じた報酬を受け取った。回答用紙は参加者がシュレッダーで破棄するため、実際の正答数に応じた分よりも多くの報酬を受け取る（すなわち不正行為）ことが可能である。実験の結果、決定論条件の参加者は自由意志条件や統制条件の参加者より報酬を多く受け取っていた（つまり、不正をしているということである）。このことから、自由意志信念が否定されるとそれが原因となり自己コントロールが抑制され不正行為を行いやすくなってしまうと言える。

さらにもうひとつ、自由意志信念と同調傾向を測定した実験をみてみよう。上記実験と同様にして参加者の自由意志信念の強さを操作したあと、複数の抽象画に対して評価するように参加者に求めた。このとき、評価用紙にはほかの学生による評価がすでに書き込まれている。すると決定論条件の参加者はすでに書き込まれているものと似た評価を書き込んでいた。つまり、自由意志信念が弱いと他者に同調しやすくなる傾向があるのだ。[注6]

また、ギラッド・フェルトマンらのグループは、大学生を対象として、学期前に測定した自由意志信念の強さと学業成績が相関することを示した。また、ほかの研究グループは、日雇い労働者を対象として、自由意志信念の強い人ほど職場の上司からの客観的な評価が高いことを明らかにしたという。こうしたことから、自由意志信念の強さと大学や職場でのパフォーマンスには相関があることがわかった。ただし、これらの実験（フェルトマンらの実験）で明らかになったことは自由意志信念の強さと学業などのパフォーマンスとの相関だけなので、自由意志信念の強さが「原因」で学業や仕事のパフォーマンスが向上したのかどうかはわからない（ヴォーとスクーラーは自由意志信念の強さを操作しているので、因果関係を調べたと言える）。

ここまでで挙げた「自由意志があればいい点」は、人間と（すくなくとも現時点での）自律的ロボットとの差異が明確になること、道徳的責任の所在を明らかにできること、自由意志信念が強いと不道徳な行いが抑制されやすくなること、他者に安易に同調しなくなること、学業や仕事のパフォーマンスが上がること、があった。だが、これらは結局のところ、責任があることと同じ効果のように思える。人間とＡＩの差異はその行為に責任が生じるかどうかだし、また「自身の行為に道徳的責任が生じる」という信念が強くなると、不道徳な行いが抑制され、他者に安易に同調しなくなるように思える。学業や仕事のパフォーマンスも、これらの結果に自身の責任があることを意識することで上がるように思える。

ということは、自由意志があることによる利点は道徳的責任があることの利点に還元できるのではないか？　もしそうであるならば、自由意志という定義も存在も曖昧なものに頼らなくても、「〈Xの行為Aに責任がある〉とはどういうことか」を考えればよいのではないか（そしてそのあとで「責任のある行為」を「自由意志による行為」と定義づければどうか）。というわけで、以下ではそちらに焦点を移して考えていこう。

フランクファート事例

さきに、他行為可能性が自由な行為の十分条件ではないことをみた（他行為可能性があっても自由だとは言えない事例）。いま述べたように、自由な行為と責任のある行為は関連があるので、これは「他行為可能性があることは行為Aの責任が行為者Xにあることの十分条件ではない」ということでもある。じっさい、さきの電子チップを脳内に埋め込まれた太郎に二郎を殴った責任を問えるかというと、（そのような経緯が明らかになったならば）難しいように思える。

以下では、「他行為可能性があることは行為Aの責任が行為者Xにあることの必要条件でもない」ということを議論する（他行為可能性がなくても責任があると言える事例）。次のハリー・フランクファートによる有名な思考実験をみてみよう（図5‐1参照）。

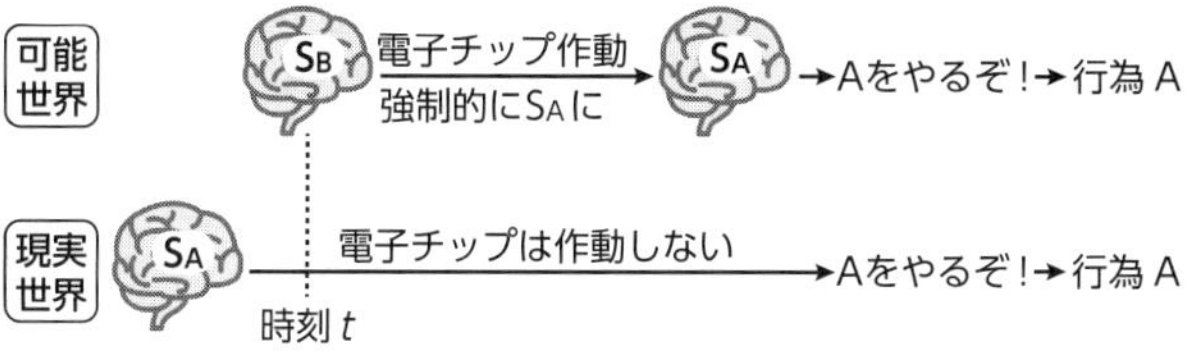

図5－1　フランクファートの思考実験

花子にはその行動の選択肢としてAとBが与えられています。そして、花子は知らないのですが、彼女は脳手術を施され電子チップを埋め込まれています。また、花子がAを決断するそのすこし前に脳状態がS_Aとなることがわかっています。さらに、時刻tになってもS_A状態にならなければ電子チップが作動して花子の脳状態を強制的にS_A状態にします（ただし時刻t以前に脳がS_A状態になっていれば電子チップは作動しない）。したがって、花子がAをしないということは不可能であるだけではなく、Aをしないと決断することすら不可能です。

　さて、実際には花子は時刻t以前にAを決断した（なので脳状態はS_Aとなり、電子チップも作動しなかった）。この行為Aを窃盗とした場合、ある心理学実験によると、多くの人が「花子は窃盗をせざるを得なかった」と答えたにもかかわらず（つまり、他行為可能性がなかったと判断したにもかかわらず）、花子に窃盗の責任があると答えたという。

この実験からわかることは、私たちが行為者へ責任を帰属させる理由は、他行為可能性があることではなく、その行為がどれくらいその行為者自身のものか（これを「同化」という）にあるということである。この点について、脅迫されて殺人を行う人（これを一郎としよう）というシナリオに対して、人々が一郎にどれくらい殺人の責任を帰属させるかという実験も行われている。この実験では、さまざまな脅迫の強さ（つまり他行為可能性の度合い）のシナリオが用意され、さらに一郎自身がどれくらいその殺人を望んでいるか、つまりさまざまな同化の度合いのシナリオも用意された。すると、他行為可能性の度合いにかかわらず、同化の度合いが高いほど、被験者が一郎に責任を帰属させる傾向が強かったという。

それゆえ、自由に関する3つの立場のうち、やはり「その行為が自分自身のものであるとき、その行為は自由である（それゆえ責任がある）と言える」という立場が、もっとも私たちの直観にあったものであるように思える。ではどのような条件がそろえば、ある意志が「その行為者自身のもの」だと言えるのだろうか？

先まわり因果

その議論に移る前に、「他行為可能性は責任ある行為の必要十分条件のようにみえるのに実際にはそうではなかった」ということと似たような状況が因果関係にもあることをみておこう。何度も言うが、「因果関係とはなにか」という問題は難しく、いろいろなアイデアが出されては批判されてが繰り返されている。ひとつの一見よさそうなアイデアは第2章（と本章のはじめのほう）ですこし言及した「反事実条件文」による分析である。反事実条件文とは文字どおり、事実に反する想定をした文のことである。現実世界では太郎は受験勉強を一生懸命して大学に合格できた場合、「もし太郎が受験勉強を一生懸命しなければ、大学に合格できなかっただろう」というような文がそれである。

さて、現実世界では出来事cが生じ、その後別の出来事eが生じたとしよう。このとき、

「ほかの条件は同じでcが生じなかったならば、eは生じなかっただろう」が真であるならば（つまり、現実世界に近いがcが生じなかったすべての可能世界でeが生じないならば）cはeの原因と言える

というのが因果関係の反事実条件文による分析であった。現実世界では太郎は志望大学に合格したとして、「もし太郎が一生懸命に受験勉強をしなければ、太郎は志望大学に合格し

なかっただろう」が真であるならば、太郎が一生懸命に勉強したことは、太郎が無事に志望大学に合格したことの原因と言えるというわけだ。

この分析は非常にいい線をいっているようにみえるが、さまざまな批判がある。そのなかに**「先まわり因果」**というものがある（以下の例はそのなかでも「遅い先まわり因果」と呼ばれるもの）。

花子と一郎がほぼ同時にガラス瓶に向かって石を投げました。そして、わずかに早く花子の投げた石が瓶に当たり瓶は割れましたが、一郎もコントロールがよく、一郎が投げた石は十分な質量があり、十分な速度で瓶があった位置に到着しました。

このとき、瓶が割れた原因はあきらかに花子が石を投げたから（もしくは花子の投げた石が瓶に当たったから）である。しかし、もし花子が石を投げなかったり、投げていても瓶に当たらなかったりしたとしても、一郎の投げた石が瓶に当たり瓶を割ったであろうから、「もし花子が石を投げなかったならば、瓶は割れなかっただろう」は成り立たない（つまり、花子の投石は瓶が割れたことの原因となるための条件を満たしていない）。

なお、このような問題は因果的力能説なら生じない。また、因果の反事実条件文の分析が自由（責任）の他行為可能性に相当するなら、因果的力能説は自由（責任のある）な行為を自分から生じた行為とする分析に相当するだろう。

責任と原因

さて、

他者や社会などに悪い帰結をもたらす行為Aの行為者Xに道徳的責任があるのは、その行為者Xの「Aを行おう」という意志Wが行為Aの原因であるときそのときのみである

と、とりあえず考えよう（あとでこれは不十分であることをみる）。たとえば、Xは「Bをしよう」と意志していたのに、神経系の疾患などなんらかの理由で実際にはXはAをしたのならば、行為Aの原因は「Aを行おう」というXの意志にあるのではないので、Aの責任はXにはない。言い換えれば、行為Aの責任の追及とは行為Aの原因の追求でもある。

もちろん、いま問題にしている悪い帰結Eの原因が行為Aで行為Aの原因がXの「Aをしよう」という意志Wにあったとしても、XがAによってEが生じることを意図していなかった、もしくは知らなかった場合はある。このような例はとりあえずここでは考えない。XがAを行うことでEが生じることを意図していた（すくなくとも知っていた）場合のみを考慮する。

このことを念頭に置くと、他行為可能性が責任に必要であるように〈みえる〉ことも理解できる。すなわち、「もし意志Wが生じなかったならば行為Aも生じなかっただろう」が成り立てば行為Aの原因が意志Wであると言えると私たちは考えるからだ（つまり、意志Wが生じなくても行為Aが生じるなら「他行為可能性がない」ということである）。しかし、実際にはいまみたように、因果関係は（すくなくとも単純には）反事実条件文で分析しきれず、それゆえ責任のあるなしも他行為（意志）可能性のあるなしで分析できない。

フランクファート型事例の場合、いわば「意志の意志」が花子の「行為Aをしよう」という意志の原因なのだが、この「行為Aを意志しようとする意志」がなくても「行為Aをしよう」という意志が生じてしまうので、先まわり因果事例となっている。だが、私たちは、花子が「行為Aをしよう」と決断（意志）した原因は花子の意志の意志にあるということが直観的にわかるので、行為Aをしたことは花子の責任だと考えるのだ。

このように考えると、「法則的決定論と道徳的責任が両立しない」という直観はむしろ奇妙なように思える。なぜなら、法則的決定論的世界観でも、自然現象や日常の出来事に関しては私たちは原因を特定するし、そのことはなんら反直観的ではないからだ。

法則的決定論において自由がないようにみえるのは、私自身の決断が行為の原因だとしても、その私の決断の原因がさらにあるように思えるからだった。しかし、ある自然現象Pの原因はC_1について、その原因C_1の原因C_2がさらにある場合でも、文脈によっては「Pの原因はC_1である」と言うし、「C_1は、さらにその原因のC_2があるのだから、Pのほんとうの原因ではない」などとは言わない。[注7] また、Pが生じるためにはC_1があるだけでは不十分であり、ほかにもC_3やC_4が必要な場合があるだろう。その場合でも文脈により、C_1を原因として特定することに問題はない。

たとえば、太郎と花子がある部屋にいて、開いた窓から吹き込んできた風に吹かれて部屋の机の上にある紙が床に落ちたとしよう。机と反対方向を向いていた花子がそばに落ちてきた紙をみて「なんで紙が落ちてきたの?」と太郎に尋ねたとしよう。これに対して花子も窓が開いていることを知っているならば「風に吹かれて落ちた」という答えは適切だろう。しかし花子が「部屋の窓は閉まっている」と思っていたならば、そこからさらに「なぜ窓が開いているの?」という問いが生じ、「暑かったから」という答えが適切になる(「暑くて窓を開けたら風が吹き込んできて紙が飛ばされた」)。また、窓が開いていることを知っていたならば、「なぜ(風が吹き込んできたら飛ばされるのがわかっているのに)紙に重石を置いていないのか」という問いが生じるかもしれない。

だが、日常の文脈ではそれ以上原因を追求することはあまりないだろう。その日が夏で、夏としては通常の暑さであり、格別に異常な暑さだったとかでなければ、「なぜ暑いのか」とまでは問わない。それゆえ、さらなる原因があったとしても（文脈によるが）「暑くて窓を開けたら風が吹き込んできて紙が飛ばされた」で紙が床に落ちたことの十分な説明になる。

どのような回答が問いに対する適切な回答であるかは文脈に依存するが、すくなくとも、決定論的世界であっても、紙が床に落ちたことの原因として宇宙初期の状態を挙げる者はいないし、「紀元前2世紀ごろに中国で紙が発明されたから今、紙が床に落ちているのだ」と言う者もいない。また、紙が十分に軽くなければ風で飛ばなかっただろうが、ふつうの紙であれば飛ばされない程度の微風であったとかの特殊な状況でもなく、当該の紙も特別に薄いとか軽いとかでなければ、紙が十分に軽いからだということを原因として挙げることもないだろう。

「行為Aの責任がXにあるのはAの原因がXにあるときである」と考えれば、「決定論的世界観であれば道徳的責任がなくなる」と主張するのは「あらゆる物事の原因は宇宙初期の状態に帰することができるのだから、紙が落ちたことの原因は風が吹いたからではない」と主張するのと同等であることがわかる。しかしでは、ある行為の原因は、「責任の文脈」

ではどこまで遡るのが適切なのだろうか?

なぜ原因を探求するのか

一般的に、原因の探求はなんのために行うのだろうか? 学術的な探究は別として、実践的な文脈で原因を探るのは次の2つの場合がありそうだ。[注8]

(1) 起きてほしくない出来事に対してはふたたびそれが生じないように、起きてほしい出来事の場合はふたたびそれが生じるようにするため

(2) 起きてほしくない(ほしい)出来事をコントロールできない(生じさせたり生じさせなくしたりできない)ときはそれを予測して対策をするため

いま、(1)のほうに注目しよう。たとえば、曲がりくねった道路で事故が起こったとする。その事故の原因を(運転手や車ではなく)交通環境の文脈から探ると、道路が曲がりくねっていて見通しが悪いこと、適切な箇所にカーブミラーが設置されていないことなどが挙げられる。これらそれぞれにさらに原因があるかもしれないが、たとえばカーブミラーを新たに設置することにとくに問題がない(たとえば、道路を管理する自治体に十分に

予算がある、など）ならば、以後、このような事故を防ぐためにはカーブミラーを設置すればよいのだから、原因の探求はここで終えても構わない（「適切な位置にカーブミラーが設置されていなかったから事故は起きた」[注9]）。しかし、もしカーブミラーを設置できないのであれば、なぜ設置できないのかの原因を探るかとか、もしくはカーブミラーが設置されていないこと以外の原因を探るとかになるだろう。ともかく、なんらかのコントロールできる原因を探ることになる。

　ここで、たとえば道路が曲がりくねっていること自体を原因として言及しないのは、一般に曲がりくねった道路をまっすぐにするのは困難だからである（かりに「道路が曲がりくねっているからだ」と言ったとしても、それは言外に「だから気をつけなければならなかった」「スピードを落とさなければならなかった」というコントロールできる原因に言及していると考えられる）。それゆえ、道路が曲がりくねっていることは元々の地形に原因があり、かつそのような地形になっていることの原因はプレートによる造山活動などに帰することができるかもしれないが、交通事故の原因としてプレートの造山活動を提示したりはしない。なぜなら、たとえばそれを操作して地形を変え、まっすぐに道路を敷き直すことなどは現実的に言って不可能だからだ。

　さて、同様に考えると、ある悪い帰結をもたらす行為Aの原因を探る、すなわち、その行為Aの道徳的責任が行為者Xにあるのかを問うことが重要な理由のひとつは、そのことによってふたたびXが行為Aを行わないようにすることにある（のちに――刑罰の議論のところで――議論するように、ほかの理由もある）。さきの事故について、車とその運転手の文脈で事故の原因を探すとき、単独事故の場合ならば事故を起こした運転手である太郎の行為にまず原因が求められる。

しかし、たとえば太郎がカーブで減速しなかったなどの事故の原因となる行為が特定されたとしても、それだけでは「この事故の原因がわかった」とはならない。なぜならそれだけでは同じような事故を防ぐ対策を立てられないからである。それゆえ、なぜ太郎が減速しなかったのかの原因も探求されなければならない。もし太郎自身は減速しようと意志したのに、ブレーキの効きが悪かったのならば太郎の責任はやや軽くなるだろう（乗車前のチェックを怠ったことの責任は生じる）。

だが太郎が減速しようとしなかったのならば（そして見通しの悪いカーブで減速しないことが事故につながることを認識しているならば）、太郎の「減速しない」という意志が事故の原因なのだから太郎に事故の責任があることになる。カーブミラーがないことは、太郎の責任が多少はすくなくなる要件になるかもしれないが、事故（を引き起こした原因である太郎が減速しなかったこと）の原因は太郎の意志にあるのだから、太郎の責任は免れないように思える。また、太郎が飲酒をしていて認知能力が落ち、「減速しなければ事故を起こす」ということを認識できず、それゆえ「減速する」意志が生じなかったのだとしても、「飲酒をすれば事故を防ぐために必要な認知能力が落ちる」ことを知っていたならば（そして知っておくべきであるから）、事故の原因として太郎の飲酒（と飲酒の意志）を挙げるのは適切であるし、それゆえその場合も事故の責任は太郎にある。

太郎がアルコール依存症の場合でも、今度は飲酒を自分でコントロールできないことは知っているのだから車を運転すべきではなく、この場合は飲酒したにもかかわらず車を運転したこと、運転しようと意志したことが原因であり、やはり太郎に責任がある。泥酔したらそもそも「飲酒運転をしてはならない」という判断能力も落ちるのではないかと思うかもしれない。しかし、その場合でも、それがわかっているのだから、そもそも運転ができるような状態にしておくべきではない（車を所有しないなど）。

意志の原因

だが、ほんとうにここで原因の探求を終えてよいのだろうか。つまり、事故の原因として太郎の「減速しない」という意志（もしくは「減速する」という意志の欠如）を挙げるのは適切だろうか（ここで太郎の減速しなかったという行為をA、減速しないという意志をWとしよう）。

たとえば、冬期につねに凍結する道路があったとして、そこでスリップ事故が起きたとき、（道路側の文脈で）道路が凍結していたことは原因であるが、同様の事故を防ぐためにはさらにその原因を追求する必要があるだろう。たとえば、凍結しないように凍結防止剤を撒いていなかったなども原因と言えるだろうし、そうだとすると、道路に凍結防止剤を撒くなどすることによって同様の事故を防ぐことが可能になる。

意志の話に戻ると、意志Wが行為Aの原因であることがわかっても、それだけでは今後、同様の状況において太郎がAを意志しないようにするにはどうすればよいかが明らかではない。したがって、ここで原因の探求を終えても今後の事故を防ぐ対策にはならない。それゆえ、さらに意志Wの原因を探る必要がある。

もしその原因が太郎のふだんの事故防止についての意識の低さや、自身の運転技術への過信にあるなら太郎はそれを改めるべきだし、それは可能であろう。それゆえ、同様の事故が起きないためには太郎の「意識改革」が必要で、それが可能であるとき、「この事故の責任は太郎にある」と言うべきだと結論づけられる。繰り返しになるが、たとえ、決定論・運命論が正しく、太郎が事故を起こすことが決まっていたとしても、太郎の事故防止についての意識の低さが事故を引き起こした原因であると言うことはできるし、また、今後それを改める努力をすることも無駄ではない。
一方で、太郎には「減速恐怖症」のような精神疾患があることがわかり、太郎自身は「このような状況では減速すべきだ」とわかっていながら、どうしても「減速しよう」と意志することができないとしよう。すると、太郎自身ではどうすることもできないので治療が必要となり、太郎の責任は減ぜられるだろう（もっともアルコール依存症と同様に、そのような疾患があることがわかっているのだから車を運転すべきではなく、それゆえやはり太郎に事故の責任はあるが）。
つまり、意志は個々の行為の原因であるが、ではそのような意志が今後、同様の状況において生じないようにするのにはどうすべきかを考えなければならず、そのためにはそのような意志が生じた原因にまで遡るべきであろう。そしてそれが行為者そのもの、つまり行為者の性格（自己コントロール能力の高さもここに含まれるだろう）、意識[注10]、価値観（以下ではまとめて「性格」と呼ぼう）とでもいうべきものにあるならばそのXの行為Aの責任は行為者Xにある。もうすこし正確に述べると、
Xが自身の性格を修正する能力があり、Aの原因がXの性格にあるのならば、Aの責任はXにある。

ここで、Xに自身の性格を修正する能力があることが「コントロールできる」ということの意味（の1つ）である。「自分のものである」ということの意味はそれがXの性格から生じたものであるということである。ここで「能力がある」とはなにかは問題であるが（「修正することが可能である」として可能世界による分析を適用すると問題がある気がする）、ここではあまり深掘りしないことにする。

もちろん、「Xがそのような性格特性をもつに至った原因」をさらに辿ることはできるだろう（生まれ育った文化圏、家庭環境、友人関係など）。しかし、Xの性格がX自身によって変更可能なものであるならば、責任という文脈で考えたとき、ここで一旦は探求を終え、Xの行為Aの原因がXの意志Wであり、かつWの原因がXの性格Pであるならば、A（とそれに伴う帰結）の責任はXにあると言ってよいのである。なぜなら、「性格の原因」は修正できないものが多いからだ。

たとえば、Xの性格Pがそのように形成されたのは生育環境であったかもしれない。しかし、生育環境は過去のものであるから修正しようがない（もちろん、未成年であるならば特に、生育環境を変えることで、今後、Xがその性格特性を修正することの助けにはなる）。もちろん、これはX個人の性格特性のことを述べている。ある特定の生育環境で育った人物が社会的に問題のある性格特性Pになる傾向があるならば、新たにPのような性格をもった人間を育てないように対策することはできるだろう。だが、それは別の文脈（社会問題など）であって、Xが自身の性格Pを修正する能力があるならば、たとえば裁判などの文脈ではAの責任はXにあるということに変わりはない（判決の際に考慮されるかもしれないが）[注11]。

では、Xの意志Wの原因がXの性格Pにあるのはどのようにしてわかるのか。これは一般的に因果関係の分析が困難であるのと同様に困難である。現実的には本人から語られるそのような行為に至った動機や、周りの人間からの人物評などを参考に考えるしかないだろう。また、ここですでに述べたように、Xに責任を帰属するためには、X自身によりPが変更可能であることが必要であるが、それはどのように判断するのか。これもまた問題ではある（一般的にある程度その人物に定着したものを性格というのだから、それを修正するのは困難である）。

性格と責任

たとえば、「もうアルコールを飲むべきではない」と考えているアルコール依存症患者の太郎を考えよう。太郎はそのように考えていたにもかかわらず、目の前の酒を飲んでしまった。この場合、アルコール依存症である以上、太郎がアルコールを飲んだことはその性格が原因であるとは言えない（太郎にはアルコールを飲むことの原因となったアルコール依存症を自力では治療できないから）ように思える。それゆえ太郎がアルコールを飲んだこと自体は太郎の責任ではない。

一方で、花子は「定期試験ではよい成績をとるべきだ」と考えているとしよう。しかし、試験が近づいているのにもかかわらず、そしてここで漫画を読んでしまって勉強しなければ試験でよい成績がとれないこともわかっていながら、続きの気になる漫画を読んでしまった。これは花子の性格（意志が弱い、自己コントロール能力が低い）が原因であり、それゆえこの漫画を読んだことを花子の自由意志による行為だとみなすのではないだろうか？　したがって、試験でよい成績をとれなかったとしてもそのことについての責任は花子にあると考えられる。

どこまでが性格のせいか

だが、太郎と花子の違いはどこにあるのか？　上の議論では、太郎の飲酒は性格が原因ではなく、花子が漫画を読んだことは性格が原因であることを直観で決めたように思える。じっさい、これらを明確に区別することは難しいが、たとえば、同じ状況になったとき、「同じ過ちをしないでおこう」と考えながら、結局同じ過ちを犯すかどうかは1つの基準であろう。そもそも「責任を追及する」ことの意義はここにあった。すなわち、社会などにとって好ましくない結果Eが生じたとき、行為の文脈で原因を探る。そして、Eの原因となるXの行為Aがあり、行為Aの原因がXの性格Pにあったとき、「EもしくはAの責任はXにある」と言うのであった。

そして、Xに責任を帰属させることの意義は、Xが同じ状況になったときにAをしない、もしくはAをしてもEが生じないようにするためである。それゆえ、Xがふたたび同じ状況になったときにやはりAをしてしまう（もしくはEを生じさせることを防ぐことができない）のならばXに責任を帰属させる意味もほとんどない。

いま、太郎も花子も自分の行為を反省しているとしよう。しかし太郎は、反省してもカウンセリングを受けるなどの「治療」を受けなければふたたび飲酒するだろう。一方で、花子は次の定期試験のときに前回の反省を活かして漫画を読まずに勉強に取り組むことができるならば、今回の漫画を読んだことも花子の性格に原因があると言えるし、花子は自分の性格（自己コントロール能力の低さ）を修正できたと言える。

もちろん、この場合も、「外部」から「ほんとうの」花子の性格を決定する基準を提供するのは難しい。たとえば、ほんとうは、花子は反省して漫画を読む意欲を抑える自己コントロール能力を十分に身に付けたのだが、花子のライバルの華代が、試験前になるといつもこっそりと花子の部屋に「漫画を読みたくなる薬」を散布していたとしよう。すると、花子は「本来の」力を発揮できずに勉強をサボって漫画を読んでしまうだろう。

それゆえ、正確にこれらを区別するためには、脳内でどのようなメカニズムが生じて自己コントロールが働くのかを明らかにし、その強さを測定することができなければならないのかもしれない。もちろん、この場合でも、華代がなんらかの方法で花子の脳内のメカニズムを操作することができるという想定も可能だろう。

だが、もしほんとうにそのような脳内のメカニズムがあるのなら、試験以外の、花子の恒常的な自己コントロール能力が測定できるだろうし、もしその恒常的な能力すら華代が操作できるのだとしても、その場合は、もはやほんとうに花子は自己コントロールができない（漫画を我慢して勉強をすることが不可能）と言わざるを得ないだろう。このことは逆のパターンを考えてみるとよい。一郎が太郎の脳内のメカニズムを操作して、太郎がアルコールを恒常的に欲しないようにしたならば、「それでもほんとうは太郎はアルコール依存症だ」とは言わないだろう。

華代の介入のような非現実的な例は別としても、それでもこれら（性格が原因か疾患が原因か）の区分は難しいことはたしかではある。とはいえ、これは重要な点なのだが、「区別が曖昧であること」は「区別がないこと」を含意しない。

たとえば、ある人の血圧が高血圧なのかどうかの基準はあるものの、それはある意味で便宜的に定めたものである。それゆえ、実際はその基準よりもすこし高いくらいなら「問題なし」として経過観察にとどめることはよくあることだろう。つまり、血圧が異常なのか正常なのかの区別は曖昧である。しかし、だからと言って「病的な高血圧状態など存在しない」と主張するのはあきらかに詭弁である。同様に、Aなのかｎｏｔ－Aなのかの明確な線引きはないが区別自体は厳然とある事例はいくらでもある。ハゲとハゲでない頭の違いもそうだ。毛髪が何本未満であればハゲ頭であるという明確な基準はないし、かりにそのような定義を設けたとしても、ではそれより1本でも多いとハゲとは言わないかというと違和感があるだろう。だがこれらの違いは厳然としてある。

自由と人生を良く生きること

議論の都合上、同じようでありながらちょっと違う概念がいろいろ出てきてややこしいので、すこし整理しよう。「どのような行為もその当人が欲求しなければ行われないはずだ」という考えから、行為の直接的原因となる欲求を「行動的欲求」と呼んだ（第4章）。一方で、主体が真に魅力を感じている欲求のことを「真正の欲求」と呼んだ。

上記の例で言えば、「漫画を読みたい」もこれにあたるが、たとえば、そもそも花子が定期試験でよい成績をとりたいのは、将来医者になりたくてそのために難関の医学部に入りたいからだとしよう。すると、「医者になりたい」という欲求も（たんに親が医者だからなんとなく……などではなく、病気で苦しむ人を救いたいからなどという理由でなりたいなら）真正の欲求であろう。漫画を読みたいという欲求と異なることは局所的な欲求か長期的な欲求かの違いである。

ここで、「長期的な真正の欲求」とは、たとえば「このような人間になりたい」など人生の目的になるようなものである。長期的な真正の欲求をかなえるためには、いくつものクリアすべき局所的な目的がある。たとえば「多くの人命を救う医師になりたい」ならば、そのためには国家試験に合格しなければならず、そのためには医学部に入らなければならず、そのためには継続的に勉強しなければならず、そのためには……というように。それゆえ、長期的な真正の欲求と局所的な真正の欲求はしばしば衝突することになる。

また、「医師を目指す花子が、ほんとうはさっさと家に帰って勉強したいと思っていても、友だちに誘われて仕方なくカラオケに行く」という例を考えてみよう。このとき、「勉強がしたい」は局所的な真正の欲求でかつ長期的な真正の欲求から生じたものでもある。一方で「カラオケに行く」は行動的欲求となったが、これも「友だちに嫌われたくない、孤立したくない」といった長期的な欲求から生じたと考えられるが、これは真正の欲求とは言えまい。ただし、そうであっても（真正の欲求でなくても）、そのような長期的欲求をもったのは、直観的に言って、花子の性格（気が弱い、など）から生じているものであり、それゆえ、どちらの欲求に従ったとしてもその行為には責任が伴うし、自由意志によるものだと言える。

だが一方で、私たちがやはり直観的に「より自由だ」と感じるのは、長期的な真正の欲求に従って行動したときではないだろうか（「友だちに嫌われたくないからカラオケに行った」と「自分が将来やりたいことのために勉強したいからカラオケに行くのを断った」を比べよ）。このように考えると、自由と良い人生を送ることには関わりがあると言えそうだ。この点についてはまた第6章でよりくわしく議論しよう。

ところで、上の「私たちがやはり直観的に〈より自由だ〉と感じるのは、長期的な真正の欲求に従って行動したときではないだろうか」という点について「いや、局所的な欲求に従ったほうが自由だと思う」と言う読者もいるかもしれない。まず、長期的な欲求があるにもかかわらず、それと衝突するような局所的な欲求に従う場合を考えよう。これは、「長期的な欲求を充足させるためには局所的な欲求を我慢するべきだ」と思っていながら、局所的な欲求を優先させているわけだから「我慢ができない」状態である。この極端な例がアルコール依存症などの例であり、これは不自由な例であった。また、ここまでそのような病的な場合とそうでない場合をわけるのは難しいという議論をしてきたわけだから、そこを踏まえると、局所的な欲求に従うことはやはり強い意味では自由とは言いがたい。

これは、そもそもが、「どのような長期的な欲求をもつか」の時点で自らの選択が関わってくる（他者や環境の影響を受けているにしても）のに対して、局所的な欲求はそうではない（そのような欲求をもつこと自体を自らが選択したわけではない）という点にあるだろう。それゆえ、長期的な欲求（人生の目的）ももたずにただ局所的な欲求に従っている場合も、やはり自由だとは言えない。もっとも、「その場その場の欲求に従う生きかたをする」という長期的な真正の欲求をもち、それに従っている場合はこの限りではない。実際のところ、そのときそのときの自分の欲求に従っている人に対して、そこに信念がみえる場合と、たんに「だらしない」としか感じない場合とで、「あの人は自由でいいなあ」と私たちが思うか否かは違ってくるだろう。

また、「いや、たしかにそういう風に言われるとそうかもしれないが、しかし自分はそのように（局所的欲求に従うより長期的欲求に従うほうが自由だと）言われたときに、〈直観的に〉違うと感じたし、そう感じる人は多いように思うので、〈直観的には〉違うのではないか」と言うかもしれない。しかし、「直観的に」というのは、「パッと感じる」という意味ではない。自分がある概念をどのように直観的に考えているのかも、熟考しないとわからない場合があるのは、これまでの因果や害悪、良い・悪いの概念の分析からわかるだろう。

自由であると本人が思えば自由か

ところで、ある行為者Xの行為が自由か否かは、結局のところ本人が自由だと思うかどうかではないかと思うかもしれない。しかし、リチャード・ニスベットとティモシー・ウィルソンによる次のような有名な実験がある。

参加者は、目の前に左右に並べられた4足のストッキングから、もっとも良いと思うものを1つ選ぶことが求められる。しかし実際にはこれらのストッキングはまったく同じものである。それにもかかわらず、左が選ばれる確率がもっとも低く、右が選ばれる確率がもっとも高くなる。[注12]

この実験のポイントは、参加者はたんに並べられた順番に影響されてそのストッキングを選んだだけにもかかわらず、自分が明確な理由をもってそれを選んだと思っている点だ。すなわち、それを選んだ理由（もしくはほかを選ばなかった理由）を尋ねると、「1番目のものはなんか肌触りがよくなかった」「4番目のものの光沢が若干よかった」など。しかし、実際にはもっとも右にあるもの（一番最後にみたもの）を選んだだけである。このような人間の傾向はマーケティングにも用いられる。つまり、営業マンは自分が売りたいものを顧客に最後に示すなどするわけである。すると、顧客は、自分では自分の意志でそれを選んだつもりでも、じつは営業マンに買うものを操作されていたとも言える。

同様の実験も紹介しておこう。その実験では、同じ程度の魅力度をもつ異性の写真を参加者にみせる（参加者は異性愛者だとする）。このとき、ランダムに一方の写真を他方の写真よりわずかな時間だけ長くみせる。すると、参加者のほとんどは長くみせられた写真のほうを魅力的だと答えるという。

そして、さきのストッキングの実験と同様に、なぜそちらを選んだかの理由も答えるのである。さらにおもしろいのは、あとで実際に選んだものとは違う写真をみせて「あなたが選んだのはこの写真ですが、なぜこれを選んだのですか？」と質問すると、自分が選んだものではないにもかかわらず、それを「選んだ」理由をちゃんと答えるのである。

もちろん、（さきの同じストッキングを並べたのと同様に）同程度の魅力度の写真を比較させたところにポイントがある。「同程度の魅力度」を実際の実験でどのように操作したのかはわからないが、おそらく、たとえばどちらも金髪のロングヘアーだとか黒髪のショートだとか、鼻筋が通っているとか目が大きめであるとか、好みの出る特徴を同一にして、そのうえで実験者の主観で魅力度を決めているのかもしれない。

最終的に実験者の主観で「同程度」を決めたとしても、好みの出る特徴を同一にしているならば、おそらくあまり主観によるブレがないだろう（まあここはそんなに真剣に検討するところでもないだろうが）。ここでもし、一方がクールなタイプで他方がかわいいタイプの場合、どちらも世間一般的には美女もしくは美男でも選択者の好みが出てくるので、みせる長さを変えたところで操作はできないかもしれない。たとえば、キャメロン・ディアスとナタリー・ポートマンの写真をみせられた場合、選択者の好み（かわいい系が好きかクールビューティ系が好きか）でどちらを長くみせられたかに関係なく明確に決まりそうだが、キーラ・ナイトレイとナタリー・ポートマンならどちらを選ぶかにブレがありそうである（知らんけど）。

ともかく、以上のように、ある行為が自由意志によるか否かは行為者本人によって決めることができない客観的な事実である。

責任と罰

ここまでで、「〈Xにその行為Aの責任がある〉とはどういうことか」についての議論をほぼ終えた。ここからは、これまでの議論を基にして、刑罰とその必要性について考えてみよう。「刑罰の意義とはなにか」について、応報刑論と目的刑論というものがある。目的刑論とはなんらかの目的を達成する手段として刑罰を与えるという考えである。一方で応報刑論とは、罪の報いとして罪に応じて刑罰を与えるという考えである（なお、応報刑論には「罰の上限を決める」という意味もある）。

目的刑論は「なにを目的とするか」によってさらに細分化される。すなわち、一般予防論と特別予防論で、一般予防論は、たとえば犯罪の抑制など犯罪者以外を対象としたものである（「悪いことをしたら罰が与えられるので、悪いことをしないでおこう」）のに対して、特別予防論は犯罪者の更生や無力化などが目的とされる。

これまでの私たちの議論によく合うのは特別予防論、とくに「犯罪者の更生」という目的であろう。なぜなら、本章での議論によると、責任を追及する目的は、同じ状況になったときに避けるべき行為を行為者がふたたびしないようにするためのものであったからだ。つまり、「責任を負う」（ということの1つの意味）とは、同じ状況になったときにふたたび犯罪を犯さないように自身の性格を修正するように努めることなのである（刑罰はそのための手段）。

ここで、ふたたび疾患か性格かの問題に戻ると、一般に再犯は初犯よりも重罪になる。

ちに気づき、自身の価値観を修正することができるならば、Xの非倫理的な行為に対してXに責任がある。しかし、Xが非常に頑なで、自身の行為、そしてその価値観に疑問を抱かず、それゆえ性格を修正しようとも思わない場合、性格の修正は不可能なわけだから、Xには、その問題のある行為に対する責任がないことになってしまう。しかしこれは著しく直観に反するように思える。

徳倫理学

なお、以上の議論は、「他者や社会にとって悪い帰結をもたらす行為を行ったときに倫理的な非難に値するのかどうか」という観点から考察してきたが、逆に「他者や社会に良い帰結をもたらす行為を行ったときに倫理的な称賛に値するのかどうか」という基準にもなると考えられる（ただし、非難と称賛は完全に対称的なものではない）。

Xが社会的に望ましい帰結をもたらす行為Aを行ったときにXが称賛されるべきかどうかは、その帰結だけで決めることはできないように思える。たとえば、X自身は悪事をなそうとしていたのに偶然的に良い結果をもたらした場合、Xの意図を無視してXを称賛するのはおかしいだろう。これはXが良い意図で行ったが悪い結果を生じさせてしまった場合、Xの責任が大きく減じられることと対称的である。

同様に、太郎は良い結果R（たとえば困っている人たちが助かる）をもたらすような行為Aを行い、Aを行ったのはRをもたらすためであったが、太郎がAを行った動機は、それによって自分の評判を良くし、自分の商売を繁盛させるためだったとしよう。一方で次郎は同様にAを行い同じ結果Rをもたらしたが、その動機は純粋に困っている人を助けたいからだったとする。すると、行為とその結果は同じであるにもかかわらず、私たちは次郎のほうを太郎より称賛するだろう。

また、どんな状況であっても「とにかくこれが規則だから」と機械的に行っている場合でもやはり称賛に値しないだろう。たとえば「寄付をするべき」という倫理規則があるとして、花子はその規則のゆえに、しぶしぶ寄付をしているとしよう。一方で、華代は、たとえばある地方で震災が起きたことを知ったときに、「寄付することが倫理的に好ましいから」などということを考えずに、ただ困っている人たちを助けたいという思いで寄付したとする。この場合も、私たちは花子より華代をより称賛するだろう。

つまり、社会的に良い行為であっても、それが行為者の性格から生じたものであるときにのみ倫理的に称賛に値するのである。さきの「真正の欲求」という概念を用いると、他者や社会にとって良い帰結をもたらす行為Aが行為者Xの真正の欲求によって行われたからこそXは倫理的に称賛に値するのである。

「善悪の基準」について論じる分野を、倫理学のなかでもとくに**「規範倫理学」**と言うが、そのなかに**「徳倫理学」**と呼ばれる理論がある。徳倫理学は「倫理的な善さ」の基準を行為やその結果ではなく性格特性（人物）に置くのである。したがって、ある行為がその行為者の徳によって行われたがゆえに善いとき、その行為者が称賛されるのである（なお、ひと言で「徳倫理学」と言ってもさまざまな立場があり、ここで紹介するのはそのうちのひとつの立場に過ぎない）。この理論とこれまで私たちが論じてきた責任のありかたについての議論は相性がよいことは明らかであろう。

なお、倫理的な善さを行為の結果のみで判断する立場を**帰結主義**、倫理的規則に従う行為を（その結果いかんにかかわらず）善行とみなす立場を**義務論**という。

犯罪と運について

次のような事例を考えてみよう。

会社員の太郎は悪友の次郎に誘われ、一度だけ賭けをして大負けし多額の借金を負うことになりました。このとき、太郎は職場の会計を任されていましたが、あまり規模の大きい会社ではないこともあって、その職場の会計の管理が杜撰でした。それを知っている次郎が、「これこれこのようにすればだれにもバレずに横領できる」と太郎に教え、その方法ならばたしかにバレないと太郎も納得しました。さらに、次郎は巧みに太郎の罪悪感を減らせることを言い（たとえば「君の会社はブラックで、君は不当にこき使われているから仕返しをする権利がある」など）、唆《そそのか》された太郎は職場の金を横領してしまいました。そして結局は横領がバレて有罪となりました。ところが、現実世界に近いある可能世界Kでは、太郎は賭けで負けることなく、それゆえ横領もせず、またそのほかの犯罪に手を染めることもなくそれゆえなんらかの刑罰も受けることもなく平穏な生活を送りました。

現実世界の太郎が、自分のやってきた悪事に対して道徳的に責任があるのは、本章での議論によりその通りなのであるが、一方で太郎が犯罪を犯したのはあくまで運の問題であり、この1つのミスさえなければ犯罪と無関係に「善良な一市民」として生きてきたはずである。また、かりに賭けで負けても職場の会計管理が厳しく横領が不可能だったり、会計を任されていなかったりで犯罪に走ることはなかった、という可能性もある。そのように考えると、太郎の犯罪は太郎に責任があるとはいえ、応報的な刑罰を与えることにどれほどの意味があるのかという疑問が生じる。

「いや、いくら運の問題とはいえ、犯罪を犯したのだから刑罰を受けるのは当然だ」と言う人もいるだろう。ここはおそらく、自分ごとと捉えるかどうかにも関わるかもしれない。私自身は個人的には、自分がこれまで罪を犯さずに生きてこられたのは（環境の問題も含めて）かなり運の要素が強いと思っている。

たとえば、違法行為とまで行かない不正行為について考えてみよう。私がある大学で200人近くが履修登録していた講義を担当していたとき、指定のサイトにログインすれば自動的に出席となるようにしていた。講義時に示すパスワードを入れなければ出席にならないようにすることもできたが、そんな不正をする者はいないか、いてもわずかだろうと予測してパスワードも不要としたのだが、講義が5回6回と進んでいくと、明らかに出席者は100人に満たないのにシステム上150人以上が出席している事態になっていた。そこであるとき抜き打ちで紙でも出席を取ったのだが、やはり実際には100人に満たず、しかしその日もシステム上は150人ほどが出席していた。もちろん、ここで、不正が簡単にできるにもかかわらず、ちゃんと出席していた学生が⅔以上もいたことは素晴らしいことである。

さて、そのような不正行為をした学生のほとんどはおそらく一生のあいだなにも犯罪行為をしないで過ごすだろう。その不正の件についても、私が面倒くさがらずに講義中にパスワードを示し、そのパスワードを入れなければ出席にならないように設定していれば、その学生たちも不正行為をすることはなかったはずである。また、私が不正する余地があっても不正をせずに出席して聴きたくなるような講義をしていたらそのような不正行為はなかったかもしれない。そういう意味では不正行為をした学生たちは私のような教師にあたって「運が悪かった」と言える（そしてそれでも「そうか、森田先生が悪いから君たちの不正行為は君たちに責任がないね」とはならない）。

「善良な市民」は有徳か

このように考えると、「善良な市民」でも、太郎と同様、ちょっとしたきっかけで犯罪行為をしかねないのではないか。たとえば、横領のような行為だけではなく、暴力行為についてもそうだ。ある別の大学での私の同僚は、酒に酔ってコンビニの店員の態度に腹を立てて、ついコンビニのドアを蹴飛ばし壊してしまって捕まったということがあった。彼はふだんは暴力行為とは無縁と思える善良な人間である。これもせいぜいドアを壊す程度で済んだが、タイミングなどによっては店員を殴って怪我をさせていたかもしれない。

本章でものちに言及するが、社会問題として犯罪を捉えたとき、犯罪者の生育環境だとか、犯罪者の多くが低ＩＱであるとかということが取り上げられる。そしてその事実はたしかに重要である。しかし一方で、それがすべてではなく、ごくふつうの人でも些細なきっかけで犯罪に手を染め得るということも念頭に置いておくべきではないか。「いや、法律に反する犯罪行為と、大学のローカルな規則に反する行為はハードルが違うでしょ」と言うかもしれない。だが、「犯罪行為はしないけど犯罪行為とは言えない程度の不正行為はする」人たちが有徳な人とは、どのような意味でも、とても言えないだろう。それゆえ、この一線はそれほど超えがたい大きなものではないのではないだろうか。

ここで私はそうした人々を高みから責めているのではない。さきにも述べたように、私自身、そうした危うさ／心の弱さをもっていると自覚している（それゆえ、さきの2つの事例のような状況に私自身が置かれた場合に、私も同じように倫理的に問題のある行為を行ったかもしれない）。ここで言いたいのは、むしろ、犯罪者を「自分たちとは異なる人種」とみなして高みから責めるのがおかしいのではないかということである。

ネットなどでの犯罪者（軽犯罪を含む）への異常なバッシングをみると、こうした人たちは「自分が犯罪と無縁であるのは運がいいからだ」という考えがなさすぎではないかと思うのである。じっさい、このように、知りもしない他者を匿名で誹謗中傷する人たちが優れた性格特性の持ち主だとは思えない。私たちは、自分自身の「運の良さ」をよく念頭に入れつつ、性格を陶冶《とうや》していくことを心がけるべきだし、そのような自分の運の良さを意識すると、犯罪者へのみかたも変わるのではないだろうか。

よく「不良が更生して真人間になったことを称賛するのはおかしい。初めから真面目な人間のほうがいいに決まっている」という主張をみかける。もちろん、初めから有徳な人間であるほうがいいということには疑いがないだろう。だが、上述のように、「悪いことをしていないから善人（有徳者）」だとは限らない。たまたま環境がよく悪事をせずに済んだ、悪事をしようとしたがバレるのが怖いから踏みとどまった、などなら有徳とは言えないし、実際に悪事をした「不良少年少女」より優れた徳があるかどうかもわからない。

「同じような劣悪な環境で育っても真っ当に生きている人間がいる」という主張は事実であり、それゆえ何度も言うように、そのような劣悪な環境で育とうが犯罪をしたらその本人の責任である。しかし、このことは逆に言えば、真っ当に生きている人間も、真っ当な環境で育ったから真っ当に生きているだけで、劣悪な環境で育っても同じように真っ当に生きていたかはわからない。一方で、更生したならば、それは徳がなかった状態から有徳な状態へと努力してみずから変わったということなのだから、やはり称賛すべきであり、むしろ普通になったのではなく、環境や運の問題で悪事をなしていないだけの（有徳ではない）人間よりも優れた徳をもっている善人となったと言えるかもしれない。

ふたたび刑罰について

以上から、「道徳的に責任のある人物に刑罰を与える」という考えかたは今後見直されるべきなのではないか。本章で論じたように、「責任を負う」とは、自身の行為が社会的に悪い行為であることを認め、そしてその原因を解明し、将来において同じ状況において同じ行為をしないようにすることであるとするならば、かならずしも刑罰は必要ではないのではないか（すぐあとに述べるように、それに加えて「責任を負う」には被害者への補償も含まれている）。

ここで「正義とはなにか」というのが問題になる。正義（司法的正義）とは「犯罪によって崩されたバランスを元に戻すこと」だとしよう。すると、応報的正義で刑罰が必要となるのは「被害者の福利が下げられたのだから、加害者の福利も下げられるべきだ」というものである。しかし、そのような形でバランスが戻ったとしても、被害者の福利は下がったままである。つまり、応報的正義では被害者が放置されてしまっている。

一方で、バランスを戻す方法には、加害者を下げずに被害者を上げる（元の状態に戻す——修復する）方法もあるのではないか。このような考えかたを**「修復的司法」**もしくはより広く**「修復的正義」**という。従来の応報的司法では被害者のケアが等閑視されているが、被害者をケアして回復させることが正義なのではないか。[注14] そして、加害者側も被害者の回復に寄与する（損害を補償する）義務が発生する（それも「責任を負う」ことの意味である）。

「犯罪とは加害者に被害者が支配されること」だとすると、報復をしても結局は被害者は加害者に支配された状態に留まっていることになるのではないか。許すこと（「犯罪を忘れること」ではない）が被害者の癒やしにつながるのかもしれない。私たちはしばしば加害者に応報的刑罰を与えることこそが被害者の望みだと考えているが、（海外の事例だが）加害者に拘禁のない修復的な量刑を与えることを（被害者が）受け容れる場合が、一般人よりも多いという。さらに、加害者の社会復帰も価値があることだと考えているという。[注15]

これは、被害者に一方的に加害者への許しを要求するということではない。加害者を許すということは簡単ではないだろう（私自身、自分や自分の大切な人たちが犯罪被害者となったとしてそう簡単に加害者を許せる自信はない）。しかし、上述のように、応報を願うよりも許すことによって被害者も犯罪に囚われた人生から解放され、自分の人生を歩むこと（回復）ができるのではないか。そうだとすると、被害者にとっても許しは癒やしとなり、可能であるならばこちらのほうがよいのではないか。それゆえ、繰り返すように、ただ被害者に許しを要求するのではなく、行政などが積極的に被害者へのカウンセリングなどのケアを行うべきだろう。つまり、修復的司法は被害者になんらかの義務を課すのではなく、司法や行政のありかたの問題なのである。

こうしたことは、第3章での運命論の証明を受け容れるとより容易に理解できるようになるかもしれない。すなわち、ある意味で、その加害者がその犯罪を起こすこと、自分がその犯罪の被害者になることは決まっていたことなので、加害者の罪に対して応報することは不合理である。それよりも、ふたたびその加害者が同様の状況に陥っても犯罪を犯さないようにする（もしくは同様の状況に陥らないようにする）こと、そして、被害者の回復のケアをすることである。したがって、応報的正義が過去志向であるのに対して、修復的正義は未来志向だとも言えるだろう。

拘禁刑の意義

なお、往々にして加害者は他責的である。つまり、自分が犯罪を犯したのは自分の生育環境のせいだ、もしくは被害者のせいだ（たとえば、痴漢が「あの女があんな格好をしているからだ」、空き巣が「戸締まりをしっかりしていないからだ」、カンニングをした学生が「教員がしっかりとした対策をとっていないからだ」などと言い訳をする）と述べ、むしろ自身こそが被害者であるかのように語る。しかし、すでに述べたように、ある出来事の原因が複数存在することはおかしくはない。生育環境などは原因の1つであるが、一方で、そのような犯罪を犯した原因は自分にもあるのだということ、そしてそれを変えることができるのだということを理解させなければならない（環境などのほかの原因を追求し改善することは社会の問題である）。

そして、そのようなことを実現させるために拘禁刑が有効であるのかには疑問が呈される。むしろ「自分がなぜこんな目に遭わなければならないのか」と他責感情がさらに高まり逆効果になるかもしれないし、刑期を終えて出獄したあと、結局は就職もできずにまた犯罪を犯すことになる（被害者を逆恨みする可能性もある）。

それゆえ、かりに拘禁刑を与えるにしても、加害者みずからがその意味を理解し、すすんで受けることが重要である。すなわち、拘禁刑を受けることをある種の補償（被害者の報復感情を満たすことによって被害者の回復を促す）と捉えると、加害者自身がそれを理解して受けることが必要になるのである。言い換えると、加害者側が理解しないまま刑罰だけを受けても応報にすらならない。

また、犯罪者たちは、それまでの人生で自分自身が人間らしく扱われなかったと感じ、自尊心が低いことが多いという。そして、犯罪があたりまえの環境で育った者も犯罪者になる確率が高い。こうしたことを考えると、人間として扱われず、犯罪者たちが集まる監獄で拘禁されることが再犯防止につながるようには思えない。つまり、目的刑論的に考えても、苦痛（拘禁）によって反省を促すという考えかたが有効であるのか、という点に疑問が残る。

そして、繰り返しになるが、加害者がみずからの責任を自覚し反省し更生への道を歩むことは、被害者が回復するためにも重要な要素である。いくら加害者に応報的な刑罰を与えても加害者が責任を感じておらず反省もしていなければ被害者はただ怒りと哀しみを募らせるだけである。

具体的な加害者、被害者双方の回復プログラムとして「被害者と加害者の和解プログラム（VORP）」や「被害者と加害者の直接対話プログラム（VOM）」というものがアメリカなどで実施されている。VORPやVOMの詳細は注15、16に挙げた参考文献に譲るとして、VOMで実際に被害者は癒やされ、さらに加害者の再犯率も応報的刑罰と同等かそれ以上に抑えられているという。[注16] 修復的司法がどれほど応報的司法と比べて（加害者・被害者双方にとって）効果的なのかは今後より理論的・実証的に研究する必要があるが、1つの選択肢として十分に考慮に値するように思われる。

刑罰と徳倫理学

なお、かりに拘禁刑が犯罪抑止に有効であっても、倫理的な問題が残るのではないか。

「治安の維持」という結果そのものは市民にとって有益である。だが、刑罰という「おどし」をもって治安を維持させるという行為は、徳倫理学の立場から考えるならば妥当とは言えない。暴力による治安の維持は、根底にある論理が現代の教育においては一般に否定的に捉えられている体罰による教室の秩序の維持と変わりがない。

繰り返すように、犯罪の原因が犯罪者の性格にあったとしても、すべての原因がそこにあるわけではない。犯罪者の多くは生育環境に問題があることが多い。[注17] そうであるならば、社会にも責任があるのに、そこを反省せずに、犯罪者のみに刑罰を与えるのは問題がある。また、犯罪者が刑罰という恐怖によって犯罪を犯さないとしても、犯罪者の性格そのものは変化していないので、この点でも徳倫理学的観点からは問題がある。また、本章での責任の理論においても、「責任（原因）を追及するのは、その原因を取り除き（性格の修正）、悪い出来事がふたたび起きないようにするためだ」ということを考えると、性格の修正を伴わないならば、責任を取らせたということにならない。[注18]

ふたたび教育との関連で言うと、かりに学校の秩序が教師の暴力によって保たれているとしても、生徒たちは真正の欲求によって方正に生活しているわけではない。それゆえ、そのような教師は、たとえ生徒たちが品行方正に生活するという結果を出しているとしても、教育者として評価しがたいであろう。

もちろん、以上のことは簡単ではない。とくに傷害や殺人、性暴力のような深刻な犯罪については、被害者や被害者の遺族にとって加害者に許しを与えることはきわめて難しい問題であるし、被害者に「許しの強要」などがあってはならない（VOMの成功例は、ちょっとした窃盗や器物破損、軽い傷害などがやはり多いように思える）。[注19]

強調しておきたいのは、被害者が加害者を許すことを努力するのではなくて、加害者が被害者に許されるように努力するべきであるということ（つまり、それも加害者が「責任を取る」ことの形態のひとつである）、そして、それを行政や司法がサポートするべきだということだ。もちろん、これは非常に難しいことであり、それゆえ気軽に導入できる制度ではない。しかし、応報的司法も（目的刑論の立場に立ったとしても）上述のように問題のある制度であり、被害者の癒やしや犯罪の防止（加害者の更正や、そもそも犯罪者を生み出さない社会をつくる）などの観点から、私たちは応報的司法の限界と司法の新しいありかた、そして社会のありかたについて真剣に考えていかなければならないだろう。

応報的司法と修復的司法は排他的ではなく、これらを組み合わせる方法も模索されている。さきほども述べたが、加害者が真にみずからの行為を反省し（そしてそれが被害者に伝わって）、すすんで刑罰を受け容れることは被害者の癒やしにつながるだろう。ただし、もし加害者の真摯な反省が被害者に伝わったのならば、上述のように被害者は加害者が罰を受ける必要がないと感じるかもしれない。

たとえば、拘禁刑のような刑罰を受けずとも、金銭的に被害者に賠償するとか、その後の人生を社会貢献などに捧げるなども、被害者への癒やしにつながるだろう（「謝罪」にはこうしたものも含まれる）。また、ある犯罪行為Cに対して重い刑罰があることによって、Cを「やってはいけないこと」と認識できるというメリットはあるだろう。つまり、「重い刑罰によって苦痛を与えられるのが嫌だからCをしない」ではなく「こんなに重い刑罰があるということは（応報的なのだから）Cはそれだけやってはいけないことなのだ」と認識するということである。たとえば、飲酒運転は悪であるという社会的な風潮は、20年ほど前に比べてかなり強くなったが、厳罰化が寄与しているかもしれない（もちろん、社会的風潮があり、それに伴って厳罰化が実現したとも言えるが、くわえて、厳罰化によってそのような社会風潮が強まった点もあるだろう）。セクハラを含めた性暴力についても同様のことが言えるかもしれない。

まとめ

本章では運命論が正しいとしても、だからと言って私たちに自由意志がなくなるわけではないことを、道徳的責任という観点から論じた。すなわち、運命論が正しいとしても、

Xの性格とその行為のあいだに因果関係があるならば、Xには道徳的責任が生じる。だが、ここで、「責任を負う」とは、「他者や社会に悪い帰結をもたらす行為（選択）をしたならば、その原因（性格）を修正することで、将来的に同じことが生じたときに同じ過ちを犯さないようにする」ということである。『論語』に「過ちて改めざる、これを過ちという」という言葉があるように、同じ過失を二度と犯さないことが重要なのである。もちろん、「過失を改めようとするかどうか」もすでに決定していることであるが、そうであっても、「改めようとすること」と「実際に改まるかどうか」のあいだには因果関係があるのだから、改めようとすることは無駄ではない。

また、自由な行為と良い人生についてもすこし言及した。「自由に生きる」ことは良い人生を送ることの条件のように思えるが、しかし、真正であっても局所的な欲求に従って生きる人生が良いということには少々疑問を感じる読者もいるかもしれない。一方で、長期的な真正の欲求に従う人生は、これも自由に生きることになるが、良い人生のように思えるのではないだろうか。このことは、長期的な真正の欲求に従うことは、より高い自己コントロール能力が必要であることと関係あるかもしれない。つまり、こちらの人生のほうがより自由度（自分の意志で行為をコントロールしている度合い）が高いとも言える。それゆえ、自由であることと良い人生には大きな相関があるように思える。

第6章　人生に意味はあるのか？

本書の最後では、人生の意味について議論していこう。果たして人生に意味はあるのか？　あるとして、どのような意味があるのだろうか？　本章ではこれらのことについて、本書のこれまでの議論を参考にしながら考えていく。重要なことは、人生の意味について議論されるときに混同しがちないくつかの概念を区別することである。つまり、「私たち人類はなんらかの目的をもってなにものかに創造されたのか」という問いや「私の人生は世界や社会にどのように役立つのか」という問いは「人生に意味があるのか」という問いの一部でしかない。また、「幸福な人生」と「有意味な人生」も区別するべきである。

人生に意味はない

一般に、ある行為（もしくは活動）について「意味がない」というのは、その行為がなんらかの目的を実現する役に立たない（もしくは無関係である）ときであろう。たとえば、大きな水槽から水を汲み出そうとして底に穴の開いた桶を使うのは意味がない行為である。なぜなら、底に穴の開いた桶を使うのは「水を汲み出す」という目的に役に立たないからである。しかし、では「効率よく水を汲み出す桶を使って大きな水槽から水を汲み出す行為」は意味のある行為なのか？

水槽から水を減らすことになんらかの目的がある（水槽の水を入れ替える、水槽を移動させる、など）もしくは、水槽から汲み出した水をなにかの目的で使うなど、その行為の目的がさらになければただ水を汲み出す行為は無意味に思える。つまり、ある行為A_1がなんらかの目的A_2に役立っても、そのA_2自体に意味がないならばA_1も意味のない行為だろう。この連鎖が意味のない目的A_nで終わるならA_1も結局は意味がないということだし、この連鎖が無限に続くなら、1つの過程を終えるのに有限の時間がかかるとすると、無限の時間を要するということになるので実質的にA_1にも意味がないことになるだろう。

A_1として任意の行為をとれるので、私たちのあらゆる行為や活動、そして人生も究極的には無意味ではないか？　じっさい、私たちはときどき、「なんのために勉強するの？」「いい大学に行くため」「なんのためにいい大学に行くの？」「いい会社に行くため」「なんのためにいい会社に行くの？」「いい給料をもらうため」「なんのためにいい給料をもらうの？」……という無限の問いを問うことがある。定式化しよう。

【議論6―1　人生におけるあらゆる活動には意味がない】

（1）活動A_1とその目的の系列A_1、A_2……A_k、……A_nがある（A_kの目的がA_{k+1}）［前提］

（2）A_kに意味があるのはそれとは異なる（原理的に）達成可能な目的A_{k+1}が存在し、かつA_{k+1}にも意味があるとき、そのときのみである［前提］

（3）A_nには意味があるかないかである［前提］
（4）A_nには意味がない［前提］
（5）A_1には意味がない（1、2と4より）
（6）A_nには意味がある［前提］
（7）A_nの目的A_{n+1}があり、A_{n+1}にも意味がある（2と6より）
（8）目的の無限後退が生じるか循環が生じる（2と7より）
（9）目的の循環が生じる［前提］
（10）A_1の目的はA_1となる（9より）
（11）A_1には意味がない（2と10より）
（12）無限後退が生じる［前提］
（13）何らかの活動には有限の時間を要する［前提］
（14）A_1の目的を達成することは原理的に不可能である（12と13より）
（15）A_1には意味がない（2と14より）

だがここで「意味がある」の意味をもう一度考え直すと、これは「価値がある」とも言い換えられるのではないだろうか（なぜ「意味がある」と「価値がある」が近い意味になるのかはまたのちに議論する)。すなわち、A_1という活動が「A_2という目的を果たす」という意味があるということは、「A_1という活動はA_2という目的を果たせるので価値がある」ということでもある。

価値には、(1)ほかのものとの関係において生じる価値(外在的価値)と(2)それそのもので生じる価値(内在的価値)の2種類があることは第4章でも言及した。また別の価値の分類として、(a)なにかの役に立つことによって生じる価値(**道具的価値**)と(b)それ自体が目的とされることによって生じる価値(**最終的価値**)があるともされる。後者の分類について以下でもうすこし説明しよう。

道具的価値と最終的価値

私たちが「Xには価値がある」と言う場合、道具的価値を指していることが多い。「Xには道具的価値がある」とは、Xがなんらかの役に立つということである。たとえば、よい大学に行くためには勉強が役に立つならば勉強には道具的価値がある。しかし、もしよい大学に行くことに価値がないとすれば、それに役立つ勉強自体にも価値がないように思える。つまり、「Xには価値がある」と言うためにはめざされるYにも価値がなければならないだろう。よい大学に行くことはよい職を得ることに役立つであろうから、よい大学に行くことにも道具的価値があることになるが、では「よい職を得ることにはどのような価値があるのか」とさらに問うことができる。

もし価値には道具的価値しかないのならば、この連鎖は無限に続くことになるか、価値がないものにいきつくことになる。それゆえ、さきに論じたように、すべては究極的には無価値ということになるだろう。なお、道具的価値は、それが役に立つところのものとの関係で価値があるのだから外在的価値でもある。

一方、価値には「それ自体が目的となるような価値」がある。それが「最終的価値」である。内在的価値は最終的価値の一種であるが、すべての最終的価値が内在的価値なわけではない。たとえば、アインシュタインが生前に愛用していたペンAがあるとしよう。それとまったく同じだがだれも使用していないペンBがあったとしても、一般的にはアインシュタインのペンAはペンBよりも価値があるとされるだろう（すくなくともそう考える人がいるだろう）。このとき、ペンAを求める者が、投資目的でもなく、人に自慢するためだけでもなく、ましてや字を書くためでもなく、ただアインシュタインが生前に愛用していたペンであるがゆえにAそのものを欲しがっているならば、その人にとっては「ペンAには最終的価値がある」ということになる。そして、ペンAは「アインシュタインが生前に愛用していた」という外在的な理由により価値をもっているのであり、そのペンそのものに内在的な価値があるわけではない。そのペンとは異なるペンCをアインシュタインが愛用していた可能世界があるならば、その世界ではペンAには最終的価値はなく、ペンCが最終的価値をもつことになるだろうからだ。

第4章で「お金を貯めること自体に価値を見出す人」について言及したが、このような人が貨幣に価値を見出すのは、多くの人が貨幣に道具的価値を見出していることに要因があるように思える（これも可能世界を考えてみればよい）。それゆえ、（この現実世界の）その貨幣そのものに内在する価値ではなく、外在的な価値であり、最終的価値である。

なお、「ペンAを求める人は、ペンAを得ることで快を得ようとしているのではないか（それゆえ、ペンAは快を得るための道具的価値しかないのではないか）」と思うかもしれない。しかし、コレクターは、そのコレクターが集めているものを得たら快を得られるから欲しいわけではないだろう。結果として、最終的価値のあるモノを得たら快も得られることが多いだけで、やはり目的はその最終的価値のあるモノを得ることだろう。

創造主の意図

さて、最終的価値（もしくは内在的価値）の存在を認めると無限後退が生じないので、議論6―1は回避できるように思える（前提2を否定）。そのようなものの1つの候補としては「神の存在」が挙げられる。私たちは神によって創造され、神は最終的価値（もしくは内在的価値）をもつのであるから、神が私たちを創造した意図に沿って生きることは価値があることである。ところが、「神など存在せず、私たちはこの世界に理由なしに投げ込まれた」と考えるならば、私たちの生は意味のないものとなるように感じる。
　だが、私たちがなんらかの目的によって創造され、その目的に最終的価値があったとしても、それゆえに私たちの人生が私たちにとって有意義になるかどうかはまだわからない。以下のような例を考えてみよう。

あるとき、高度な文明をもった宇宙人クーニーが地球にやってきて、次のように述べました。じつは人類はクーニーにより創造されたのですが、クーニーは最終的価値をもつ活動に従事しており、この活動をするために人類が必要だったのです。ただし、クーニーの従事する最終的価値のある活動に役立つためには、体脂肪率10％以上15％以下の人間1億人が必要です。この条件に合う1億人を、時期が来たら専用の機械に放り込みます。すると、その活動の目的を達成することができるというのです（その時期はまだ来ていないし、いつ来るかわからない）。なお、その機械に放り込まれた人たちは無惨に死んでしまいます。クーニーの話は説得力があり、彼らの活動が最終的価値をもつこと、そしてそれには体脂肪率10％以上15％以下の人間1億人をその機械で処理することが必要だということ自体は私たちも納得できました。そして、クーニーは、だからなるべく多くの人が体脂肪率10％以上15％以下になるようにしてくれと私たちに依頼してきました。

このとき、私たちは自分の人生に意味があったことを喜び、この条件に合うように努力するだろうか（中年以上の人々にはなかなか大変な目標だと思うが）。もしかしたら、熱狂的にその目標をめざして努力する人たちが現れるかもしれないが、そのような人生が有意義な人生だとは思わない人たちも相当数いるのではないだろうか。別の例を挙げよう。

科学者の花子は、クローン人間の太郎を創り出しました。花子が太郎を創り出したのは、自分がいま携わっている画期的な科学技術を完成させるための助手とするためです。この科学技術が完成されたならば人類の生活向上に役立つことは確実です。しかし太郎は、その科学技術開発に携わることに興味がなく、別のやはり同程度に人類に役立つ活動に携わりたいと考えていました。

太郎がその自分の欲求を抑えて花子の助手を務めることが太郎にとって有意義な人生だ

ろうか。

人生の意味の区別

ここで、私たちは人生の意味に関する疑問を以下の3つに分類しよう。

(1) 私たちはなぜ存在しているのか
(2) 人間の生に価値はあるのか
(3) 私にとって有意義な人生とはなにか

(1) は因果的な説明を求めているのではなく、目的論的な説明を求めている(私たちが存在している原因ではなく「理由」をきいている)。私たちはなんらかの創造主によって創造されたわけではなく、進化の過程で生まれてきたものに過ぎないのならば (1) の答えはない。一方でもしなんらかの創造主によって意図的に創造されたのだとすると、(1) の答えはあるということになる。そしてそれがなんらかの最終的価値を得るために役立つ(道具的価値をもつ) ならば、生きるに値すると言えるだろう (それゆえ、(2) にも肯定的に答えられる)。これが上の宇宙人の例に相当する。だが、いまみたように、だからと言って**私たち自身が**その目的に向かって生きることに意味を見出すかは別の問題である（なので（3）に答えられるとは限らない）。

なお、この問いには、「この世界が必然的であること（世界は今このようにある以外ではありようがなかった）」を示すことでも答えられる。つまり、私たちがなぜ存在しているかについて、因果的ではない説明を提供することができる。だが、そうだとしても、私たちはやはり人生の意味について問うことをやめることができないだろう。

（2）に関しては、私たちの存在がなんらかの目的をもって創造されたのではなくとも、結果的になんらかの最終的価値を得るために役立つ（能力がある）ならば、その場合にも肯定的に答えることができる。もちろん、道具的価値ではなく、私たち自身が最終的価値をもつ場合にも肯定的に答えることができる。

ともかく、（1）は、私たちの存在を形而上学的必然として示す以外は、哲学が答える種類の問題ではない（神学などの問題になる）。したがって、本章では（2）と（3）の問いについて考えていく。まずは（2）から考えよう。

人間一般の価値

（2）の解釈も2通りにわかれる。1つは人間一般がこの宇宙においてどのような価値があるのかという問い、もう1つはこの私の人生にどのような価値があるのかという問いである。まずは前者の問いについて考えてみよう。たとえば、手塚治虫の『火の鳥‥鳳凰篇』に次のような一節がある。

「生きる？　死ぬ？　それがなんだというんだ　宇宙のなかに人生などいっさい無だ！ちっぽけなごみなのだ！」

類似の主張はよくみかける。つまり、人間は宇宙全体からみると、空間的にもきわめて小さく、そして時間的にもきわめて短いあいだしか生きられない。それゆえ、宇宙からみると人間は取るに足りない、なんの価値もないものだというのだ。

果たしてこの議論は妥当だろうか？　たしかに、たとえば地方のニュース番組では放送されたりするような事件・事故でも全国ニュースにはならなかったりするし、毎日のニュース番組では全国ニュースになる事件・事故でも、日本史の教科書に載るほどのものはきわめて稀だ。そして日本史の教科書に載るほどの出来事でも世界史の教科書に載るほどのものはまたすくない。このように、視野が空間的・時間的に大きくなると、小さな視点では重大だったものが重大ではなくなるということがあるのはその通りだ。それゆえ、「地球上の人類も宇宙規模に視野を広げると無意味になってしまう、価値がなくなってしまう」という議論は納得できそうに思える。

しかし、さきの歴史上の出来事の例をもう一度考えてみよう。ある特定の出来事Eの価値が視点が大きくなるにつれ減じていくのは、視点を大きくとるほど、Eと同程度かそれ以上に価値のある出来事が増えていくからだ。

宝石について考えてみよう。私たちは宝石に価値を見出しているが、それはなぜなのだろうか。美しいからか。しかし同程度に美しい石を人工的に大量につくり出したならば、それでも同じだけ価値をもつだろうか。おそらくもたないだろう。宝石は「希少である」ということも、それが価値をもつ理由である。同様の理由で、歴史上の出来事は視点を大きくとるほど価値が減じていくのである。

ところが、宇宙的視点はどうだろうか。[注1] 私たち人類には肯定的な価値、すなわち、生命や知的能力があることは——反対意見もあるかもしれないが——多くが認めるところであろう。もちろん、「価値というのはそもそも主観に過ぎない」と主張する論者もいるが、その場合、「宇宙的視点に立てば人間の生は無意味になる」という主張そのものも成り立たなくなる（宇宙的視点に立つ・立たないにかかわらず、客観的な価値は存在しない）。

さて、現在のところ、知的生命体はわれわれ人類以外には発見されていない。つまり、地球を取り巻く宇宙は空間的にも時間的にも巨大であるが、しかしそれらの多くの部分は無価値である。それゆえ、たとえ宇宙的視点でみれば時間的にも空間的にも些末でも、人類には価値がある（むしろ宇宙が時間的・空間的に大きいほど価値が高くなる）。

それに対して、「宇宙の無数にある星々も美しいので価値がある」などという反論をするかもしれないが、それらを「美しい」と感じることができるのは地球上の人類だけである。

また、宇宙の歴史において、人類や生命の誕生に比するレベルの出来事（ビッグバンや宇宙の晴れ上がりなど）があるかもしれないが、しかし、そうした出来事は生命や人類の誕生が埋もれてしまうほど無数にあるわけでもないし、出来事としての類似性もない。したがって、すくなくとも、「人間は宇宙に比べてちっぽけである」という理由で人間には価値がないとする主張はまちがっている。

また、「古代では地球は宇宙の中心であると考えられていたが、じつは太陽系においては太陽の周辺にある惑星に過ぎず、その太陽系も銀河系の端に位置する恒星系の1つに過ぎず、その銀河系も……ということが判明し、自然科学の進歩により人類の宇宙的価値が減じてきた」というような主張についても同じ反論が可能である。空間的な位置が宇宙の中心ではなく周辺的であることは価値とは無関係である。

しかし、もちろん、宇宙にはじつは人類以外にも知的生命体が存在するかもしれない。

そうすると、人類の価値は相対的に下がるだろう。しかしそれは、繰り返すが、宇宙の時間的・空間的規模が大きいからではない。たんに、ほかにも類似の存在があるからである。

個々の生の価値

以上の議論はあくまで人間一般の宇宙的価値（意義）についての議論である。個々人の人生の価値に焦点をあてると、現在だけでも世界には80億人近くの人間がいて、過去に存在した、そしてこれから存在するであろう人類を含めると途方もない数になる（一説には過去に存在した人間は約1080億人になるという）。そのなかで価値をもつとはどういうことか、はまた別に考えなければならない（繰り返すが、それゆえ、個々人の価値に焦点をあてたときも、価値がないとしてもそれは宇宙の規模のせいではなく、同じような人間がほかにも多くいるからである）。たとえば、なんらかの突出した肯定的な能力（頭がいいとか、スポーツができるとか）をもっているならば、宝石が美しくかつ希少であるがゆえに最終的価値をもつように、その人物は最終的価値をもつだろう（たとえば、近代において優秀な学者にパトロンがついたのと同じように）。

では、そのような突出した肯定的能力がない者には価値がないのか。これに対して、「いや、どの人も1人としてまったく同じ人はいないのだから、そういう意味で希少性がある」と主張することは不可能ではない。しかし実際にこのような主張によって「なるほど、すべての個々人には価値がある」と納得できるだろうか？　たとえば、路傍の石につ いて、それらはどれもなんらかの違いがあるだろうが、それゆえこれら路傍の石1つひとつそれ自体に価値があると言えるだろうか。

このとき、「だれにとっての価値か」を考えなければならない。客観的価値というものがあるのかどうかというのは1つの重要な哲学的問題ではあるが、そのようなものがあるとしても、すべての価値が客観的ではないだろう。たとえば、太郎が、自分を可愛がってくれていたがいまは亡くなっている祖母から、その生前に時計をもらっていたとしよう。すると、この時計そのものはありふれたものであっても、**太郎にとっては**最終的価値をもつものだと言える。しかし、太郎や太郎の祖母にまったく関係のない人々にとっても価値をもつとは言えないだろう。そして、これが重要であるが、その関係のない人々も、その時計が太郎にとって価値があること自体は理解できるだろう。

同様に、個々人の人生も、かりに客観的には価値がなかったとしても、関係するだれかにとっては価値（最終的価値）があるかもしれない。この点はまたのちに議論しよう。

いくつかの問い

ここまでの話をまとめよう。「人生の意味とはなにか」という問いにはいくつかの種類があった。まず、「なぜ私たちは存在するのか」という問いがある。しかしこの問いに対しては、なんらかの意図をもって私たちを創り出した存在者がいるか、もしくは私たちの存在が必然的であることが証明されない限り答えはない。さらに、かりになんらかの意図をもって私たちを創り出した存在者（クーニーのような自然的存在者でも、神さまのような超自然的存在者でもいい）がいたとしても、そしてその意図を知ることができたとしても、その意図を満足させるように生きることが有意義な人生であると私たちそれぞれが納得できるかは別である（私たちの存在の必然性が示された場合も同様）。

次に「人間の生の価値はなにか」という問いがある。この問いはさらに分類できて、これが人間一般の宇宙的意義を問うものであれば、生命および知的能力という肯定的な性質をもっていて、かつ宇宙規模でみて希少であるということから、「ある」と言えるだろう。だが、個々人の生の価値ということになると簡単に答えることは難しい。

最後に、「有意義な人生とはなにか」という問いがある。たとえば、突出した肯定的な能力をもっている個人がいたとして、そしてそれゆえにその人物自身には最終的価値があると多くの人が認める場合であっても、だからといってその人物が有意義な人生を送っているとは限らない（たとえば、その人物がその肯定的な能力を生かすような生きかたをしていなかったならば有意義ではないかもしれない）。それゆえ、この問いもこれまでの問いとは区別するべきであろう。

そして、この問いこそが「人生の意味とはなにか」と問われるときに、問う者が意図している問いであるように思える。なお分析哲学においては、（1）や、（2）の宇宙的意義のような意味での「人生の意味」は meaning *of* life として、そして、個々人の人生——というより、人生における目的や活動——の意義を「人生における意味 meaning *in* life」として区別する傾向がある。「私たち人間はどこから来て、どこへ行くのだろうか」などという疑問があるが、これも「人生の意味」になる。

以下では「人生における意味」のほうに焦点をあてて考えていくわけであるが、ここでもう1つ、区別しなければならないものがある。すなわち、「幸福な人生」と「有意義な人生」の違いである。

幸福な人生と有意義な人生

次のような太郎と花子の2人の人生を考えよう。

太郎は大金持ちの家に生まれ、なに不自由なく生き、太郎の望むことはほぼすべてかなえることができる環境にいました。そして、その人生において大きな怪我もせず、健康に長生きしました。しかし、なにかの目的をもった活動に打ち込むということもせず、また、なんら生産的な活動もせずにその生涯を終えました。

花子は貧困家庭で生まれ育ち、幼いころから病に悩み、精神的にも肉体的にも苦痛に満ちた人生を過ごしました。しかし、花子は幼い頃から絵を描くのが好きで、かつ芸術的才能があり、その生涯にわたって偉大な芸術作品を生み出してきました。これらの作品の源は花子の被った苦痛にありました。これらの作品は高い評価を受け、後世にも大きな影響を与えました。しかし、花子自身は自分の作品に満足せず、それも新たな作品の原動力となっていました。

「幸福とはなにか」にはいくつかの説があり、そのなかに、第4章で説明した、快楽説と欲求充足説がある。太郎の人生はこれらの説をとるならば幸福な人生だったと言えよう。もっとも、快楽説にしても欲求充足説にしても、どのような快であっても、もしくはどのような欲求であっても、幸福に寄与するというわけではないという議論もあるのだが、ここではその点については置いておこう。すくなくとも太郎の人生は不幸な人生とは言えないだろう。だが、生産的な活動はなにもしなかったので有意義な人生であったとは言えなさそうである。

一方で、花子の人生は、快楽説をとっても欲求充足説をとっても幸福だとは言えそうにない（欲求充足説についてはちょっと微妙だが）。だが一方で、高い評価を受け、後世に大きな影響を与える偉大な芸術作品を生み出したので有意義な人生だと言えそうだ。

というわけで、幸福な人生と有意義な人生には違いがある。心理学的調査によると、これらには以下のような違いがあるとされている。[注2]

（1）欲求を満足させることは幸福を増大させるが有意義性にはほとんど無関係である

（2）幸福は現在の状態に依存するが、有意義性は過去・現在・未来の統合である。たとえば、過去や未来について考えることは高い有意義性と低い幸福感に関連する

（3）幸福は与えることよりももらうことに関連するが、有意義性はもらうことよりも与えることに関連する

（4）高水準の心配、ストレス及び不安は高い有意義性と低い幸福感に関連する

もっとも、幸福（happiness）と良い人生（good life）もしくは良い状態（well-being）を

区別せずに、幸福を客観的な尺度で測るという立場もある。だが本書では、当の本人が「良い」と感じている人生を「幸福」と呼ぶことにしよう（ここで「幸福 happiness とは本人の心理状態に依存するべきだ」と主張しているのではない。たんに便宜上、主観的に良い状態を「幸福」と呼ぶことにすると言っているだけである）。

それゆえ、快楽説をとったとしても、（第4章のスロットで負けた太郎のように）本人にとって（快楽説＋比較説によると）悪い状態なのに本人は幸福だという場合がある。つまり、「良い人生」とは「本人にとって」良い人生であるということであるが、そのことと「本人が〈自分の人生は良い人生だ〉と思っている」こととは別である（「幸福な人生」と「本人にとって良い人生」とは別）。また、すぐあとで議論するが、「では有意義な人生（meaningful life）とは本人の心理状態に依存しないのか」というとそうではない。

なお、このように幸福な人生と有意義な人生をわけること自体に反対する研究者もいる。たとえば、上記の（3）で「幸福は与えることよりももらうことに関連する」と述べたが、次のような心理学実験の結果がある。被験者はそれぞれ5ドルを与えられて2つのグループにわけられる。一方はその5ドルを自分のために使うように指示され、他方は他人のために使うように指示される。すると、自分のために使ったグループより他人のために5ドルを使ったグループのほうが幸福度がより高くなったというのである。

つまり、自身を犠牲にして他者のために働いている人たちの人生は（上記の主張によると）「幸福ではないが有意義な人生」とされるが、実際には有意義でありかつ幸福な人生とも言えるということであり、「幸福ではないが有意義な人生」などというものはないのではないかということである（第4章、224頁の議論を思い出そう）。これは、「欲求充足説は結局は快楽説ではないか」という話とも関連する。つまり、「欲求を充足することに価値があるのは、それによって快を得られるからではないか」ということである。

とはいえ、やはりさきの不幸な芸術家である花子の人生と不自由のない暮らしをしているが非生産的な太郎の人生を比較すると、すくなくとも不幸であることは有意義性を低めないように思える（有意義性が幸福度を高めることはあるかもしれない）。それゆえ、「幸福ではないが有意義な人生」はありそうに思える。

幸福な人生か有意義な人生か

そこで私は、ポジティブ心理学を専門とする阿部望とともに、以下のような実験を行った。すなわち、上記の太郎と花子のシナリオを被験者に読ませたうえでいくつかの質問をして、その回答の統計をとった。

すると、「太郎の人生は太郎にとって良い人生だと思うか」という質問に対しては肯定的な回答の平均値が中点よりも有意に高い傾向にあり、「花子の人生は花子にとって良い人生だと思うか」という質問に対しても肯定的な回答の平均値は中点より有意に高かった。つまり、どちらの人生もその本人にとって良い人生だと考える人が多いと言える。また、太郎の人生と花子の人生を比較してどちらがより良いかを質問した場合は、太郎のほうが有意に多かったものの、圧倒的に多いわけでもなかった。

さらに、花子の人生には意義があるかという質問に対して肯定的な回答が有意に多かった。ただし、幸せな人生かという質問に対しても肯定的な回答が有意に多かった。しかし、それは意義があるかに対する肯定的な回答よりかなり少なかった。この結果から推測できるように、花子の人生は有意義であるが幸福ではないと考える人たちがそれなりにいた。逆に、太郎の人生を「幸福であるが意義がない」と答える人たちも多くいた。

なお、花子の人生は苦痛に満ちた人生かという質問に対して肯定的な回答が有意に多く、かつ快適で安全で安定した人生かという質問には否定的な回答が有意に多かったにもかかわらず、幸福だと考える人が半数より多かったことは、快楽説にとって不利な結果だと思われる。

もちろん、どちらの人生をより良いと考えるかは、それぞれの回答者の価値観やその状況に依存する。たとえば、太郎の人生を選んだ人たちは現在の自身の経済状況に満足しておらず、一方で花子の人生を選んだ人たちは現在の自身の経済状況に満足している人が多かった。さらに、自身の人生に満足している人や自身の人生に意義を見出している人たちも花子の人生を選ぶ傾向にあった。

有意義な人生は主観か客観か

いま述べたように、「有意義な人生」と言うためには、なんらかの意味で他者や社会に寄与するような人生であることが必要であるように思える。だが一方で、それだけでは有意義な人生と言うには十分ではないようにも思える（そして、「他者や社会への寄与」もほんとうに必要条件なのかものちに議論する）。たとえば、次のような事例はどうだろうか？

華代は高い芸術の才能があったものの、華代自身はあまり芸術に興味がなく、将来は医師になりたいと思っていました。しかし華代の芸術の才能を見抜いた一郎が、無理やり華代に作品を制作させせました。また、華代の制作する作品も、内なる衝動などを具現化したものなどではなく、たんにこういうのがウケるだろうという作品を機械的に制作しただけです。しかし華代の作品は実際に世間に高く評価されました。

意見がわかれるかもしれないが、華代の人生が有意義であるとは言いがたいように思える（クローンの太郎の例を思い出そう）。

心理学者のリチャード・ライアンたちは、「内発的に生じた目的でないと福利を高めない」という研究結果を発表している。[注3]それゆえ、客観的に価値がある目的を追求するだけで有意義な人生になるわけではなく、その本人もその目的に価値を見出していなければならない。そういう意味では欲求充足説は有意義性にも適用できそうだ。つまり、Xの人生に意味があるためには、その目的がXの（長期的な）真正の欲求でなければならない。

では、本人がそのことに意義を見出しており、かつそれが客観的にも価値があるような活動に捧げる人生ならば有意義だろうか？

太一は「人助けボタン」を与えられました。このボタンを押すと、多くの人がなんらかの意味で助けられます。太一はそのボタンを押すと多くの人が助けられることも知っているし、人助けも価値があると思っています。そして、太一はこのボタンを、それで人助けができるがゆえに押し続けました。しかし、太一は、このボタンを押す以外にはとくに生産的な活動をしない人生を送りました。

太一の人生は有意義な人生だろうか？　意見がわかれるかもしれないが、有意義だとみなさない人もそれなりにいるように思える（有意義だとみなす人も、太一の人生を有意義だとみなさない人がいること自体は理解できるのではないだろうか？）。

目的ではなく人物を評価する

太一の人生が有意義だと考えられない場合、それはなぜだろうか？　人助け自体は価値のある活動だとしても、「人助けボタンを押す」という行為はだれにでもできる行為である。このことが太一の人生にあまり大きな意義を見出すことのできない理由のように思える。つまり、太一の人生を有意義であると言うことにためらいを覚える人たちは第5章で議論した徳倫理学的な考えをもっているのだろう。

たとえば、太一が人助けのために消防署員になり、苦労してさまざまな人助けのスキルを身につけたとしよう。そして実際に消防署員として多くの人たちを助けた。この場合、太一の人生はまちがいなく有意義だと言えそうだ。

ここまでをまとめると次のようになる。すなわち、Xの人生における活動において、

（1）Xの活動の目的が客観的な価値をもち、

（2）X自身もその活動の目的に価値を見出しており、

（3）その活動はX自身の能力と努力によって行われるものである

とき、Xの人生は有意義である。ただし、この三条件を満たすことは十分条件であっても、必要条件であるかはまだわからない。その検討はのちほど行うとして、まずは、さきほども言及した、人生の意義と徳倫理学の関わりについてもうすこしみてみよう。

徳倫理学と意義のある人生

前章で、規範倫理学のひとつとして徳倫理学という立場があることを述べた。善行、すなわち私たちが（倫理的）価値を付与する行為とは、「有徳な行為者が、その徳のゆえに為した行為である」というのが徳倫理学の基本的な主張であった。

有徳者である花子が称賛されるのは、花子が他者にとって良い結果をもたらす行為を為すからなだけではない。そのような行為が花子の徳のゆえに為された行為であるからだ。そして花子の徳は、生来の性格だけではなく、それまでの徳を身につけようという花子の努力によって身につけられたものでもある。また、なんらかの技能に熟達した者は、その者自身が、その技能を取得することや発揮することに価値を認めているように、花子自身が、徳を身につける過程、そしてその徳を発揮して善行を為すことに価値を見出しているだろう。つまり、いやいや人助けをしているのではない。このことも花子が有徳であることにとって重要な点である。

ここで、前節でまとめた、有意義な人生であるための三条件を振り返ると、ある人物が有徳であることと、ある人物が有意義な人生を送ることには共通点があることがわかる。条件1と2は、あくまで活動の目的に対する評価である。それゆえ、これだけだとその主体はそのような目的を達成するための「道具」にすぎない。人助けボタンを押す太一の事例において、太一の人生が有意義であると評価する人は、太一の人生を有意義な目的を達成するための「道具」とみなしており、有意義でないと評価する人は、あくまで太一という人物とその能力を評価しようとしている。もちろん道具的価値も価値であるから、それを「有意義」と評することはまちがいではない。しかし、太一の人生を道具として評価することと、太一という人物とその能力を評価することの違いは念頭に置いておくべきだ。

では、有意義な人生を送るとは、有徳さを身につけようと努力する、倫理的な生きかたをすることとなのか、というと、有徳さを求める人生は有意義な人生であることの十分条件ではあるかもしれないが、必要条件ではないように思える。すなわち、すでにみたように、芸術家として生きることも、学者として生きることも有意義な人生である。もちろん、アスリートやなんらかの高い技能を必要とする活動をすることも有意義な人生である。

では、徳倫理学の「徳」に対応するような、有意義な人生を送るための性格特性とはなにか。この点については、ポジティブ心理学でリスト化されている「強み」が参考になるかもしれない。ここで列挙はしないが、興味のある読者は注4の文献をみてほしい[注4]。たとえば独創性や勤勉、向学心、自己コントロールなどが挙げられている。

そして、こうした活動において、活動にはなんらかの目的があるが、その目的を達成しなければ意味がないというわけでもないだろう。画期的な科学理論の完成を目指していた花子が結局それを完成できなかったとしても、花子の人生はかならずしも無意味な人生とはならないだろうし、オリンピックでメダリストになることを目指していたアスリートが結局はメダリストとならなかったとしても、その人生は無意味とはならないだろう。それは、たとえば「花子がその理論を完成しなくても、花子のそれまでの成果が、最終的にほかの科学者がその理論を完成させるのに役立つから」という意味ではない。それだと結局は花子の人生は道具的価値しかないということになる。

ここに、人生を道具的価値として評価するか、最終的価値として評価するかの違いが現れてくる。すなわち、そうしたなんらかの肯定的な能力や性格特性のゆえに行われる活動は最終的価値をもち、有意義なのである。この点について、もうすこし議論しよう。

メノン問題

話が突然変わるようであるが、認識論という哲学の一分野において**「メノン問題」**と言われる問題がある。すなわち、「〈知識〉と〈偶然的な真なる信念〉のあいだに価値の違いがあるのか」という問題である。次のような例を考えよう。

太郎と花子は大阪から京都へ行こうとしています。太郎は事前にネットなどで路線情報を調べ、どのホームから出るどの電車に乗って、どこで乗り換えればいいかなどを理解したうえで無事に大阪から京都へ行くことができました。一方で、花子はとりあえず駅に行って、適当に電車に乗って適当に乗り換えたのですが、たまたま太郎が調べた適切なルートと一致しており、大阪から京都へスムーズに行けました。

ここで太郎の「大阪から京都へどのようなルートで行くか」についての信念は、たんに真であるだけではなく知識と言ってよいが、花子のそれは知識とは言えないだろう(どのような条件が揃えば「知識」と言えるのか、は現代認識論の重要課題であるが、とりあえず直観的に太郎の信念は知識であり、花子のそれは知識ではないだろう)。

大阪から京都へ行くルートについて、太郎の信念も花子の信念もどちらも真であり、それゆえ、かれらが大阪から京都へ行くのに十分に役立つ信念であった。すると、「知識（太郎の信念）」と「偶然的な真なる信念（花子の信念）」のあいだに信念としての価値に差がないのではないか。しかし、私たちは前者により高い価値を認めているように思える。それはなぜなのか。

同様の問題として次のような問題もある。つねに美味しいコーヒーを淹《い》れるコーヒーメーカーAと、できにムラがあるコーヒーメーカーBとがあったとしよう。いま、これらでコーヒーを淹れてみると、どちらも美味しかった。このとき、どちらで淹れたコーヒーも同様においしいならば、これらのコーヒーに価値の差はないはずだ。つまり、コーヒーの価値は美味しいかどうかで決まるのであって、どのコーヒーメーカーで淹れたのかはコーヒーの価値に関係がないということである（同様に、知識と知識とは言えない偶然的な真なる信念のあいだには価値の差異はないはずだ）。

その成果は誰がどのようにして生み出したか

メノン問題を倫理学の話に適用すると、「ある行為が善行であるのは、その帰結が他者や社会に有益だからであって、その行為をどのような人格がどのような感情や動機で行ったのかは無関係ではないか」という疑問になるだろう。これに対して、徳倫理学では、「他者にとって有益でありかつ徳によって生み出されたから善行」なのではなく「**徳によって生み出されたがゆえに**他者にとって有益であるから善行」なのであると反論できる。同様に、太郎の真なる信念が価値がある（知識である）のは、太郎の認識能力のゆえに得た真なる信念であるからだ（このような考え方を**「徳認識論」**という）。

コーヒーメーカーの例で言うと、「美味しくて、かつAで淹れたコーヒーだから価値がある」ではなくて「Aで淹れたがゆえに美味しいコーヒーであるから価値がある」というわけだ。もちろん、コーヒーメーカーの場合は後者はおかしいわけであるが、これはコーヒーメーカーAはなんらかの（Aそのものの）努力によってコーヒーが美味しく淹れられるようになったわけではないからである（それゆえ、コーヒーメーカーの事例は、知識と偶然的な真なる信念との価値の差異についての比喩としては不適切）。

もしこの事例が「有名なバリスタと素人が淹れたコーヒー」であれば、じっさい、バリスタが淹れたコーヒーの方が価値があるように思える。これはまさに、「その有名バリスタが淹れたがゆえに美味しいコーヒーだから価値がある」のである。そしてそれはなぜかというと、そのバリスタがそのように美味しいコーヒーを淹れることができるのは、そのための才能と努力が必要だったからである。[注5]

そしてこれは技能、とくに機械的な動作だけでは発揮できないタイプの技能全般にもあてはまる。たとえば、優秀な投手である翔平がその能力ゆえに相手打者を抑えたならば、当然評価に値する。しかし、翔平の調子が悪いときに、その投球が失投でかつ打球もヒット性であったが、たまたまアウトになったならば翔平の投球は称賛されないし、それによってとったアウトも価値が下がるように思う。このことは試合全体を考えればより明確になるだろう。チームのコンディションが最悪で、しかしさまざまな偶然が重なって試合に勝った場合と、チームが実力を発揮してそれゆえに勝利した場合では、同じ1勝でもその価値は異なるし、勝ったチームへの称賛の度合いも異なる。

翔平がじつは人間そっくりの投手ロボットであれば、そのロボットの製作者は称賛されるかもしれないが、ロボット自身はいくら優秀な投手であっても称賛されない、すくなくとも、同じだけ優秀な人間の投手ほどは称賛されないだろう。これは優れたコーヒーメーカーによる美味しいコーヒーと優れたバリスタが淹れた美味しいコーヒーに対する評価が異なることと同様である。

こうしたことを考えると、Xの人生におけるなんらかの活動の価値も、その活動の成果そのものの価値で評価されるのではなく、そのような活動が、Xの徳や技能によって行われて、かつX自身がそのような活動を欲しているというところが評価のポイントとなる。

さきの、芸術の才能はあるけど医師になりたかった華代や、人助けボタンを与えられた太一の活動に意義が見出しにくいのはこのためである。それゆえ、人生の意義と長期的な真正の欲求は関連があるし、したがって、前章で議論したように、もし長期的な真正の欲求を追求することが自由と関わるのならば、より有意義な人生とはより自由な人生であるということになるだろう。

目的そのものに価値を置くと、私たちの活動は道具的価値しかなくなってしまう。道具は交換可能であるので、その活動を行うのは「私」でなくてもよいのである。しかし、そのような目的を達成するための能力や努力、動機などを評価の対象とすることで、私たちの活動は道具的ではなく最終的な価値をもつことができるようになり、私たちの人生は「他者と交換不可能」な人生となりうるのである。

なぜ「有意義な人生とはなにか」について考えるのか

ここで、人生の意味の哲学に関する、いくつかのあり得る疑問に答えておこう。まず、「〈人生の意味とはなにか〉という問いは〈四次元主義の意味とはなにか〉という言葉の意味を問う問いとは異なるのではないか」という疑問である。つまり、後者の問いに対してはその回答がある程度は確定的に定まるが、前者の問いに対しては、さきの三条件のような確定した形で答えを与えることはできないのではないか、という疑問である。「人生の意味とはなにか」に具体的にただ1つの答えを示すことができないのはその通りであろう。しかし、上の三条件は「〈人生に意味がある〉とはどういうことか」という問いに対する答えであった。すなわち、かりに上の三条件を満たして「Xの人生には意味がある」ということがわかっても、では「Xの人生の意味とはなにか」という問いに対する答えがわかるわけではない。具体的には各人によって異なるものであろう。

また、「意味がある」の場合においても、どのような文脈で語るかは重要である。たとえば、水槽の金魚を効率的にすくい出したいときに和紙の貼られたポイを用いるのは意味がないが、ゲームとしての金魚すくいに使うのは意味がある。では、このように文脈で異なることがらについて論じることはそれこそ意味がないのか？　そうではない。以下では、「(人生に限らず)〈意味がある〉とはどういう意味か」についての文脈に依存しない一般的な議論を示す。その上で、「人生に意味があるのか」が通常問われる文脈において人生に意味があるための条件を再考する。

アスペクト

ここからは「〈人生に意味がある〉とはどういうことか」の内実(つまり、さきの三条件など）ではなく、それそのものの意味について考えてみよう。

本章冒頭では、ある行為に「意味がない」とは「なんの役にも立たない」ということだと述べた。しかしその後、役に立つ・立たないというだけでは意味のある・なしの意味を論じきれないことがわかった。そこで「意味がある＝価値がある」という意味で「人生の意味」を論じてきたが、一般に、なにかに「意味がある」とは価値があることのみを言うのだろうか？　また、価値があることだとして、どうして「意味がある」が「価値がある」という意味になるのだろうか？

このことを議論するために、遠まわりになるが、まずは**「アスペクト」**という概念について説明しよう。オーストリアの哲学者ルートヴィヒ・ウィトゲンシュタインがその著『哲学探究』でとりあげて（哲学界で）有名になった図が図6‐1の「ウサギ―アヒル図」である。同じ図であるにもかかわらず、ウサギにもアヒルにもみえる。

この「～としてみる」という「みえかた」のことを「アスペクト」という。この概念の重要な点は「1つの視覚対象に対して複数のアスペクト（みえかた）がある」ということである。静止画に限らず、動画でも「1つの視覚対象に対して複数のアスペクト（みえかた）がある」ことがある。たとえば、右まわりにも左まわりにもみえるバレリーナのGIF動画などがネットなどで出まわっているのでみたことがある読者もいるだろう（みたことがない人は、おもしろいのでネットで検索してみてください――私は自分の講義ではアスペクトの説明をするときにこのGIF動画をとりあげている）。

「パースペクティブ（視点）」との比較で説明するとわかりやすい。たとえば、「円錐」は底面からみると円にみえるが、横からみると三角にみえる。しかしこの場合「どこからみるか」という視点が異なるから、同じものをみても異なるものにみえるのである（パースペクティブの違い）。つまり、同じ視点からみれば（円や三角という概念を知っていれば）だれがみても円もしくは三角にみえる。一方でアスペクトは、同じものを同じ視点からみているにもかかわらず、異なるものとしてみえる（もし円錐を下からみて円以外のものがみえたなら、異なるアスペクトがみえているわけである）。

図6－1　ウサギ－アヒルの騙し絵

　さて、もし太郎が図6－1をみたときに、はじめはウサギにしかみえなかったとしたならば、太郎は「図6－1はウサギの絵なんだな」と思うだろう。しかし、花子が「これってアヒルだよね」

と言うことによって、そしてアヒルにもみえることに気づくことによって、太郎は自分が図6‐1をウサギ「として」みていたことに気づく（これを「アスペクト転換」という）。つまり、アスペクトを知覚するということは、異なるアスペクトをみる可能性を含意しているのである。

ある図にどのようなアスペクトをみるかは慣習も関係する。たとえば、ほとんどの読者は図6‐2を直方体もしくは立方体としてみるだろう。だが、それは私たちがこのような図を立方体としてみることに慣らされているからそうみえるだけである（どの面が手前かは人によって異なるし、同じ人間がみても異なることがある――これもアスペクトである）。そして、この図を立方体としてみるとき、私たちは意識して「これはほんとうは二次元で、正方形と平行四辺形と三角形と台形からなる図形だけど、便宜上、立方体としてみよう」と思ってみるわけではない。自然に、無意識的に、直接的に、この図を立方体としてみているだろう（そして「どっちの面が手前かな」などと考えるかもしれない）。

このような、とくに、無意識的につねにみえているアスペクトを「恒常的アスペクト」という。たとえば私たちは食器のフォークをみて、「私はこれを食器として、フォークとしてみている」と意識的にはあまり思わないであろう。また「これは先端がわかれており、このような形状のものを使って私たちは食事をするのだ」などと考えてから食器として使用するのでもない。直接に私たちはそれをフォークとして捉えているのである。

しかし一方で、フォークを使って食事をする習慣のないものにはこれを食器としてみることはできない。フォークというものを知ったばかりの者はしばらくはそれがフォークという食器でどのようにしてそれを使用して食事をするのかということを意識しなければならないだろう。

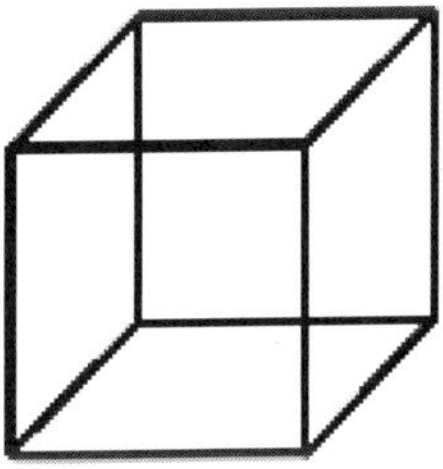

図6-2　二次元の図だが立方体にみえる

広義のアスペクト

アスペクトを、視覚だけではなく、言語の意味や規則、モノのみかた（知覚的な意味だけではなくもっと広い比喩的な意味も含めて）へと拡大すると、私たちはつねに世界のある特定のアスペクトをみているにすぎないとも言える。そして、ほとんどの場合そのことに気づかない。たとえば、本書の読者は、いまみている白地に黒の紋様を日本語としてみているが、とくに日本語を母語とする読者はそれを意識しないであろう（日本語を母語としない読者は意識しているかもしれない――「日本語はやっぱり読みにくいなあ」など）。また、義務教育を受けた人たちは「地球は太陽を1つの焦点とした楕円軌道を描いている」とか「物質は原子や分子から成り立っている」などということを信じているだろう。これはこのような「世界のみかた」をしているということであり、そのような世界のアスペクトをみているということである。

この点についてあまりくわしくやるとまた大きく紙幅が割かれるので長くは話さないでおくが、もうすこしだけ続けよう。たとえば、

3、5、7、……

という数字の並びをみたとき、これを「3以降の奇数の列」としてみる人もいるし、「3以降の素数の列」としてみる人もいるだろう（この話は2章でやはり奇数の列を用いてした話とは別の話であることに注意）。「次にどの数字が来るかをみるとわかるのではないか」と思うかもしれないが、次が「11、13」だとしても「9を除いた3以降の奇数の列」としてみれるし、「3以降の素数の列」としてみることもできる。より複雑な数列となってくると、そこにどのような規則をみるか、またはたんに不規則な列としてみるかは人によって異なってくる。そして、この数列をどのようにみるかに「正解」はない。たとえ、並べた

人が「奇数の列」として並べたのだとしても、(この時点では) それを「3以降の素数の列」としてみることがまちがいだとは言えない。

同様に、世界に生起する出来事に見出される規則 (法則) も「世界のアスペクト」「世界をどのようなものとしてみるか」ということであると考えると、実際にそのようにみえる (その見出した法則が経験的に十全である) のならば、まちがっているとは言えないし、しかし一方で正解であるとも言えない。

そして、ある文や主張、発話などにどのような意味を見出すかも、正解や不正解がないように思える。たとえば「君は賢いね」という発話に対して、それを受け取った人物がその発話を褒め言葉として受け取っても、皮肉として受け取っても、発話者の意図にかかわらず、どちらが正解とは言えないのではないか (ただし、「発話者は皮肉を意図して言った」という命題は真か偽のいずれかである)。

また、このように文脈・状況によって多様な意味が生じることを考えると、「賢い」という語の意味もただ1つの正解はなく、さまざまな意味 (アスペクト) をもっていると言える。そして、もし語の意味とアスペクトを、このように類比的に語れるならば、語の意味とは辞書的に明文化されるようなものではない。それゆえ、さきほど「四次元主義の意味はなにか」のような語の意味を問う問いにはある程度確定的な回答があると述べたが、じつはそれもあやしいかもしれない。四次元主義のような専門用語はともかく、本書で何度か述べてきたように、とくに基本的な語は定義を与えるのが難しいが、それはそもそものようなことができないということでもあるのかもしれない。

そして、1つの文や語だけではなく、それらが多数集まった小説などになると読者によってじつにさまざまな意味（アスペクト）が現れることになる。小説などはあえて読者に解釈を任せている部分もあるが、基本的には一意的な読みかたを著者も望み、そうなるように書いているような書物（本書もその1つ）でも、読者によってどのように読まれるかは多様であろう（じっさい、本書の草稿は何人かの人に読んでもらったが、「そういう意味にとるのか」ということがしばしばあった）。もちろん著者には、自分が意図していなかった読みかたをされたときには「これこれこうだからそう読むのはまちがっている」と主張する権利はある（そして、読者にも「いや、しかしこれこれこうだから、いくらあなたがそう意図して書いたのだとしても、そうは読めない」と主張する権利もある）。

「意味がある」とは

以上のようにアスペクト概念を導入したところで、以下では「意味がある（ない）」とはどういうことかについて考えてみよう。たとえば、ある場所に石が並べられている。もし子どもがなんの意図もなく並べたものならば並べられた石に意味はない（もしくは「石が列をなしていること」に意味がない）。しかしたとえば、その石によって村の境界を示しているならば並んだ石に意味がある。つまり、ほかの者たちにこの石の列が村の境界であることを示しているのである（石の列は村の境界としてのアスペクトをもっている）。

この場合、石を並べた者の意図が重要であるように思えるが、たまたまいい具合に並んでいる石の列や、すでに自然に流れている川を村の境界とすることもできる。つまり、すでにあるものに対して意味づけをすることも可能である。このとき川は村の境界としての意味以外にも、貴重な水資源としての意味をもったり、また暑い日に泳いだりして遊ぶ場所としての意味ももったり、さまざまな意味をもちうる。

それゆえ、なんらかの意図をもってXを構成した者がいる場合（村の境界を示すために石を並べた場合）と、すでに存在するXに意味を受け取る側が意味を付与する場合（川を村の境界線に定める）がある。人生の意味の場合、私たちを創造した者がいるときは前者に相当するが、いない場合は後者に相当するだろう。また、創造者がいた場合でも、すでに議論した通り、その意図に拘泥する必要はない。たとえば、もともとは村々に飲料水を行き渡らせるために人工的に作られた河川に村の境界としての意味をもたせることはできる。

また、同じモノでも、ある者にとっては意味があるが別の者にとっては意味がないこともある。村Aと村Bという2つの村があると考えている者には、川が村の境界としての意味をもつが、これらを別々の村とみなしていない者にとっては、川は村の境界としての意味をもたない。

太郎は宝石でもなんでもないその辺に落ちている石が好きだとしよう。そして、そのような石のなかでもどのような石が好きであるかは、大きさや形、表面の滑らかさなど、太郎なりの基準があるとする。一方で、花子はまったく石に興味がないし、とくに石を使ってなにかをする予定もない。すると、そうした路傍の石の大きさや形は、太郎にとっては意味のあるものになるが、花子にとっては意味がないものである。つまり、花子にはどの石も**同じような**ただの路傍の石としてしかみえないのである。

したがって、「Xの意味がYである」とは「Xを(X以外の)Yとしてみることができる」ということであり、つまり、「XのYというアスペクトが示されている」ということである。言い換えると、「Xに意味を付与する」とは「Xをほかの同様のモノたちから差異化する」ということでもある。また、ここで注意しておきたいのは、説明の便宜上Yを言語で表現できるものにしたが、アスペクトは言語で表現できるとは限らない(だから、言葉の意味はつねに別の言葉で説明できるわけではない)。

意味と文脈

このとき、だれがXをみるのか、どのような文脈でみるのかを確定しなければ意味は明確にならない。また、「意味がない」とは、XをXと同類のほかのモノたちから差異化できないということである。この紙面にある黒いインクの染み（電子書籍で読んでいる場合はスマホやタブレットもしくはPC画面の黒い模様）が意味があるとは、「言語としてみている」、つまり、ほかの黒い模様から差異化しているからである。また、水を汲み出そうとしている文脈において、底の抜けた水桶で水を汲むことに意味がないのは、その文脈でその行為はなにも示していないからである。もしくは底の抜けた水桶は道具としてのアスペクトを示していないからである（そのほかの「ただのモノ」と同一のものに過ぎない）。

ガリレオ・ガリレイは、教会の天井から吊るされているランプの揺れが、大きく揺れても小さく揺れても同じ周期であることに気づいて振り子の等時性を発見したと言われている。ガリレオ以外の多くの人もこのランプの揺れをみていたはずだが、ガリレオ以外の人にはこのランプの揺れは意味のないものであった（あまりに大きく揺れていると「落下の危険のある注意すべきモノ」としてみるかもしれないが）。しかし、ガリレオにとってはこの揺れは「振り子の等時性」という世界のアスペクトを示すものであったのだ。そして、この例からわかることは、「意味とは発見されるものでもある」ということである。つまり、ガリレオが気づくまではランプの揺れは（すくなくとも科学の文脈では）意味のないものであった。

同様に、１９６４年にアーノ・ペンジアスとロバート・ウィルソンが発見した宇宙背景放射も当初はアンテナの雑音としてしか認識されていなかった。すなわち、ほかの電磁波と同じ、排除すべき雑音であり意味のないものであった。しかし、これは「ビッグバンが起きた証拠」として意味のあるものだったのである。

もちろん、繰り返すが、意味があるか・ないかは文脈にも依存する。「超高感度のマイクロ波アンテナを設置する」という文脈では宇宙背景放射に相当する電磁波は排除すべき意味のないものであっただろう。同様に、ある文章や発話も、それ単独では意味をもっても、より大きな文脈では意味をもたないことがある。「今日の夕日は美しい」という発話は、太陽の光の周波数について議論している文脈では意味がない。この文脈において、なんらかの太陽に関するアスペクトを私たちにみせてくれるわけではないからだ。

ここで、ウィトゲンシュタインのアスペクト論に影響を受けて「観察の理論負荷性」という考えかたを唱えた科学哲学者ノーウッド・ハンソンの著書『科学的発見のパターン』からの一節を引用しておこう（私が個人的に好きな一節である）。

「物理学における模範的な観察者とは、正常な観察者ならだれでもみることができ、かつ報告できるようなことを、みて、報告する人間を指すのではない。みなれた対象物のなかにいままでだれもみたことのなかったようなことをみる人こそ、その名にふさわしいのである」

これは自然科学に限らず、学問において重要なことだと思われる。すぐれた哲学者も、ほかの人たちと同じものをみながら、新しいアスペクトを発見する。学問とは私たちに世界の新しい見方を示してくれるものなのである。

また、学問だけではなく芸術もそうではないだろうか。私たちがみなれたもののなかにだれもみたことがなかったアスペクトを発見して、それを（私たちにもわかるような仕方で）表現するのだろう。

ふたたび人生の意味

さてこうしたことを踏まえて、ふたたび人生の意味について考えてみると、

Xの人生に意味があるとは、Xの人生をほかの人たちの人生とは違うものとしてみることができる

ということだ。

もっとも、私たちは知覚するものはすべて「なにか」としてみている。雑音もただの石も、「雑音」として「ただの路傍の石」として、意識上で前景化しないものとしてみて、処理している。しかし、ある路傍の石をただのほかの石と区別のつかない石として以外にはみることができない場合は、その石に意味を見出すことはないだろう。同様に、紙面のインクの染みをインクの染みとしてしかみることができない場合は意味を見出せないが、文字としてみることができれば意味が生じる。また、教会のランプの揺れをランプの揺れとしてしかみることができなければ意味がないが、振り子の等時性を示すものとしてみることができれば意味がある。

このように考えると、有意義な人生と自己実現を結びつける論者が多いことも理解できる。その人固有の自己の実現をめざすことでその人の人生は他者の人生とは異なる意味のあるものとなるのである。つまり、その人の自己を指し示す人生は意味がある。

ここで、本章の冒頭で触れた「意味がある」と「価値がある」がしばしば同義的に使用されることについて考えてみよう。「Xには道具的価値がある」とは、Xを「目的Yを達成するための道具としてみることができる」ということであるから、これはわかりやすい。水を汲むのに、底の抜けていない桶を使うのは意味がある。

では、「Xに最終的価値がある」はどうだろうか。これも、Xが類似のほかのものと違うからこそ価値が出てくることを考えるとわかるだろう。「人類が宇宙的意義をもつか」という議論で希少性に注目したのは、まさに差異化によって価値が生じているのである。また、アインシュタインのペンはほかのペンと比べて、「アインシュタインが使った」という点で差異があるから価値が出る。もちろん、それぞれのペンはどこかしらほかのペンとは異なるので、「どのような差異に注目するか」は判定者に依存する。

さきに例示した「太郎が亡き祖母からもらった時計」は、ほかの類似の時計と比較したとき、太郎とも太郎の祖母とも無関係な人々からみると差異はない（それゆえ、意味も価値もない）が、太郎からみると「祖母からもらった」という点で大きな差異があり、価値が生じ、意味も生じる。これは太郎の祖母そのものが太郎からみると、ほかの高齢女性とは異なる存在であるからである。

視覚的なアスペクトの場合、はじめは同じ図をみてもウサギにしかみえなかった人が、ほかの人から「ここがクチバシで……」などと教えてもらうことで、アヒルにもみえるようになる。同様に、「祖母からもらった時計」も、ただその時計をみただけではそこに意味を見出さなかった人も、太郎からその来歴を教えてもらうと、「それが太郎にとって価値があること」は理解できるようになる。すると、ほかの人たちにもその時計のほかの時計との差異が理解できるので、その時計の意味がわかるだろう。ただし、ほかの人たちにとっても太郎と同様の価値をもつわけではない（太郎にとって価値があるということを理解できるだけである）。なんらかの差異を見出すことにより意味が生じるが、それによってつねに価値が生じるとは限らないということである。Xがほかの類似のものから差異化されたうえで、道具的にか最終的にかの価値をもつようになる。

有意義な人生と価値のある人生

以上の分析から、ここまでの直観的な議論で得られた「有意義な人生とはなにか」に関する主張が正当化されるかみてみよう。

（1）Xの活動の目的が客観的な価値をもち、
（2）X自身もその活動の目的に価値を見出しており、
（3）その活動はX自身の能力と努力によって行われるものである

とき、その活動に従事しているXの人生は意味がある、というのがこれまでに得られた結論であった。（1）は他者がXの活動に意味を見出すために、XおよびXの活動の価値は目的のための道具的価値があるだけであるが、これらだけだと、X以外の人物であっても同じ目的が達成できるのならば意味がある。それゆえ、Xの人生は交換可能な人生となる。そこで（3）が必要となる。この条件を入れることで、Xの人生はほかと差異化され、意味をもち、交換不可能な最終的価値をもつのである。

さてここで、もう一度、祖母からもらった時計の例を思い出そう。祖母からもらった時計は太郎にとってのみ最終的価値をもつ時計である。だが、その時計が太郎にとって価値のある時計だということは私たちにも理解可能である。つまり、太郎にとってのその時計の意味が私たちには理解できる。それはつまり、もし自分が太郎の立場にあれば、その時計を「自分の愛する祖母が送ってくれたほかの時計とは異なる時計」としてみるだろうと想像可能だということだ。それゆえ、この時計を（太郎にとって）意味のある時計だと言うことには違和感はない。

同様に、その人にとってのみ意味のある人生（における活動）であっても、それがその人にとって意味のある人生であるということが理解できるならば、私たちはその人生を「意味のある人生」だとみなすだろう。したがって、上記の条件（1）は必要条件ではない。

ただ瓶の蓋を集めるだけの人生が、いくら本人にとっては価値があっても、有意義な人生だと私たちには思えないのは、「瓶の蓋を集める」という行為の価値がわからないからだ。もしそれが客観的にではなくても、すくなくとも「その人にとっては意味があるのだ」ということが理解できれば、「瓶の蓋を集める人生」を有意義な人生だと認めることができるのではないだろうか。

ここで、「良い人生」と「有意義な人生」の違いが生じる。瓶の蓋を集めることに価値を認める次郎の人生を考えてみよう。また、議論の都合上、完全な情報をもっていたときの欲求が充足されたときにのみ福利が増大するという立場に立つ。そして、いま、次郎は完全な情報をもったうえで、瓶の蓋を集めることに価値を認めていたとしよう。この場合、この人生は次郎にとって良い人生である。しかし、もし私たち（の多く）がどうしても次郎のその活動になぜ（「太郎にとって」であっても）価値があるのかが理解できなければ、それが有意義な人生だと私たちは理解できない。

たとえば、ある図Fがあるものにみえると主張する人がいても、「そうか、君にはXとして見えるなら、FはXとしてもみえる図なのだね」とはならない。判定者自身にはXとしてみえなくとも、ある程度の人数(その基準は曖昧である)の人間にXとしてみえなければ「FはXとしてみることができる」とは言えない。

たとえば、もし、瓶の蓋を集めるのに特殊な技能が必要であることがわかり、瓶の蓋を集めることは手間と時間をかけさえすればだれでもできるというようなものではないことが他者にも理解できれば、有意義な人生として認められるようになるだろう。

「ほかの人生とは異なる人生」が意味のある人生だとする議論の問題点として、たとえばヒトラーやポル・ポトの人生が意味のあるものになるということがあるように思える。ヒトラーは彼の才能を生かしてユダヤ人の虐殺という、あきらかにほかの人たちとは異なる行為をした。ここで「意味がある人生」と「価値がある人生」を区別しておくべきだろう。なお、「有意義」というとき、ニュアンスとしては「意味がある」というより「価値がある」を意味しているように思える。さて、そうすると、ヒトラーらの人生は意味がある(じっさい、「ヒトラーの人生は無意味だ」というと違和感があるだろう)。だが、彼らの活動の帰結は、肯定的な価値をもたないし、そして私たちはそのようなことに(肯定的な)価値を感じることも理解できない。したがって、彼らの人生は意味はあっても肯定的な価値はなく、有意義な人生でもない。

他者に理解してもらうということ

ここまでの議論では、なんらかの目的をもった人生でなければ良い人生ではないように思える。さきの三条件のうち（1）は必要条件ではないにしても、（2）を必要条件とするならば、目的は必要だということになる。だが、もう一度、「意味がある」とはどういうことであったかを振り返ると、目的は活動を有意味にする（差異化する）ために有効であったというだけで、もしある人の存在そのものが（活動なしでも）他者と差異化できるのならば、活動やその目的にこだわる必要はない。

たとえば、「ほんとうの自分である（自分らしい状態にある）」という自覚が福利を高めることが報告されている。[注6] そして、「ほんとうの自分である」と自覚できるためには、他者の承認が必要になる。「他者が〈自分がほんとうの自分である〉と知っている」と感じることが自分自身がほんとうの自分であるという自覚を高め、そして福利を高める。

ここで「他者」とはなにも社会の大多数などでなくてもいい。たとえば、恋愛関係において、パートナーがほんとうの自分を知っていると感じることも重要であるという。そして、自分もパートナーのほんとうの自己を知っていると感じるとき、その関係性はより強くなり、それに伴い福利もあがることが報告されている。

それゆえ、もしある人物Xが人生になんの目的もなく生きていても、Xを理解してくれる（とXが知っている）パートナーYがいて、そしてXもYを理解しているならば、それは、XがYにとってほかの人間とは違う意味をもつ存在となっていることを示すので、XにとってもYにとっても意味があるし、価値がある人生となる。さらに、そのように、パートナーどうしが相手を「かけがえのないもの」としてみることに価値があることは、第三者にも理解可能である。

そして、このことは、他者から自分自身を道具的ではない価値あるものとしてみてもらう、すなわち「ほんとうの自分」を理解してもらうためには、自分自身も他者を道具としてみないこと、相手に最終的価値があることを認めることが必要であることを示唆する。

シーシュポスの神話

ノーベル賞作家であり実存主義の哲学者としても有名なアルベール・カミュは、ギリシア神話に出てくるシーシュポスを取り上げ、「人生の不条理を引き受ける」ことについて論じた。本節では、本章の議論を、このカミュの議論に適用してみよう。

シーシュポスは、神々を2度も騙して、その罪で山頂へ巨大な岩を持ち運ぶ苦行を科せられる。しかし、山頂まで達するとその岩はふもとまで転がり落ちる。それゆえ、シーシュポスはこの苦行を永遠に続けなければならない。

シーシュポスの苦役はまさに現代の人間の労働と同じようにみえる。私たちの生産物は自分のものになることはなく資本家に搾取され消費されるが、ふたたび労働によって（自分のものにならない）モノを生産し続けなければならない。まさに「不条理」である。しかし、カミュは、シーシュポスはその不条理を理解し、そして意識的に引き受けることで「良く生きている」と論じる。神々に反抗し不条理な罰を受け入れてそれでも「よし」と言えるシーシュポスはまさに英雄である。

と、一読するとたしかに「なんかカッコええなあ」とは思うのだが、よく考えると、なぜ不条理を受け入れると良く生きることになるのかわからない。ほんとうは人生は無意味なのに、その真理を直視せずに人生に意味を求めようという行為は「逃げ」である。不条理という運命を受け入れて生きることこそが「良く生きる」ということだ、ということなのだろうが、わかるようでわからない。

そこで、「〈Xの人生が有意義である〉とは、Xの人生がほかの人生と異なるものとしてみることができるということだ」という本章での主張を適用する。すると、シーシュポスは、一見無益で不条理な苦役を受け入れることによって、石を運ぶという苦役を「不条理であるという真実を直視し、神々へ反抗する活動」としてみるのである。そして、このようにみえることは他者にも理解可能であろう。

平凡で有意義な人生、非凡で意味の感じられない人生

現代の日本社会は「若者に夢をもつことを強要する社会」だと言われる。[注7] たしかにそのような部分はあるかもしれない。しかし、実際のところ、確固とした「夢」、本書でいう「長期的で真正の欲求」をもつ若者はすくないかもしれない。私自身、そこまで明確な夢が、たとえば高校生の時点であったかと問われると答えに窮する（漠然と高温超伝導体の開発に携わりたいとは考えていたが、そこまで本気だったかどうかはいま考えると心許ない——私はもともと物性物理を専攻していた）。

もちろん、大学や社会などでさまざまなことを学び経験することで明確なヴィジョンを得ることができる場合もあるが、いつまでももつことができず漠然と就職し、カミュがシーシュポスの神話を用いて戯画化したような生活を送る人生になるかもしれない。もちろん、それでなんの問題も感じなければ他者が口を出す問題ではないが（そもそもこうした議論は、人生の意味について疑問に思っている者にとって意味をもつ）、意味が感じられなくなり悩んだときは、前節の議論を思い出すとよいかもしれない。

一方で、客観的に有意義だと思われる活動に従事し、かつ顕著な成果を挙げていながら

それでも人生（その活動と成果）に意義を感じられない場合もあるかもしれない。そのような事例としてロシアの文豪トルストイが『我が懺悔』のなかで、自身の得た名声に対して「それがなにになるのだ？」と煩悶したということが挙げられる。

このような事態が生じる要因の1つには、価値として道具的価値しか考えていないという点がまずある。すでに議論したように、価値があることを道具的価値とのみ同一視するならば、それがAの役に立つとしても「ではAは何の役に立つのか？」という問いの連鎖が続くことになる。

私たちは、自分や他者の価値について、道具的価値にのみ注目しがちである。すなわち、「ある人物Xは社会に役立つから価値がある」という具合にである。私が個人的に近年気になるのは、アスリートたちがインタビューなどで決まり文句のように「皆さんに感動を与えられるようなプレーをしたいと思います」などと述べることである。アスリートは別に自分のプレーがどのように他者や社会に益を与えるかなど考えずに「そのスポーツをやることが楽しいからやる」でいいと思うのだ。

このような風潮が広まったのは、「社会に対してなんらかの役に立つものにしか価値を認めない」という現代社会の風潮を反映しているものではないか。だが、このような風潮は、人を交換可能な道具としかみなさず、なんの役にも立たない者に「無価値」のレッテルを貼ることへとつながる（2016年の「相模原障害者施設殺傷事件」を思いだそう）。それゆえ、価値として最終的価値も重視することが必要である。

しかしだからと言って、あるモノや活動に対して最終的価値を認めろと言っても、難しいことが多い。道具的価値は「XはAにこのように役立つでしょ」とその価値を伝達しやすいが（その代わり何度も言うが、「では、Aはどんなことに役立つのか」という新たな問いが生じる）、最終的価値があるモノに対してなぜそれに最終的価値があるのかを説得的に伝えるのは難しい。

間接的伝達

これはまさにある図に隠されたアスペクトを示すことが難しいことに通じる。「ある図FがXとしてみえる」ことを相手に直接的に〈理解〉させることは難しいのと同様に、あるモノや活動に最終的価値があることを相手に伝達することは難しい。デンマークの哲学者で実存哲学の祖と言われるセーレン・キルケゴールは、主体的な真理は間接的にしか伝達できないと主張した。ここで主体的な真理とは、「どのように生きるべきか」というようなことだと思ってよいだろう。

ある生きかたに価値（最終的価値）があることは、文学や芸術、現実の個人の生きかたなどを通じて間接的にしか伝達することができない。では、このように哲学的に論理に頼って議論することは無意味なのか。そうではないだろう。哲学的に論理的に議論することもまた間接的に相手に価値を伝える方法の1つである。

プラトンは、「イデア」を最終的に理解するには「直観」というものが必要だと主張した。しかし、同時に、それは「最後の段階」であって、イデアに近づくためには幾何学を学ぶことが必要であるとも論じた。つまり、地面よりもはるかに高いところのものを取ろうとしたとき、いきなりジャンプしても届かない。そこと同じ高さの梯子がなくても、それなりの高さの梯子があれば、そこを昇っていけば、その梯子の端から飛躍することで、地面からはるかに高いところにあるものをもとることができるのである。たとえば、ウサギ—アヒルの図がウサギにしかみえない者に「アヒルにもみえる」ということを理解させるために、「アヒルにもみえる」と伝えることはもちろん、さらに「ここがクチバシにあたって……」と示すことは、それで確実に相手がその図をアヒルにみることができるようになるとは限らないが、大きな助けとはなる。

そして、もう1つ重要なことは（ここまでのたとえだと、あたかもそういった「真理」は自分の外部にあるかのように述べたが）、「自分にとってなにに最終的価値があるのか」は自分の中にあるものだということである。間接的伝達はソクラテスの「産婆術」という手法に着想を得たものである。すなわち、伝達者は、被伝達者に被伝達者がもっていないものを手渡すのではなく、あたかも産婆が妊婦の胎内にいる赤子を取り出すのを手伝うかのように、被伝達者の内部にある「真理」を取り出すことを手伝うのである。

運命論の効用

最後に、第3章で運命論を証明したが、運命論を信じることが、どのように私たちの生きかたに影響を与えうるかということについて議論しておこう。

第5章で述べたように、決定論的信念をもつように操作された被験者は不正をしたり、仕事や勉学のパフォーマンスが下がったり、他人の意見に左右されたりしやすくなるのであった。しかし、世界が運命論的であっても自由意志が存在する（自分の行為に道徳的責任が生じる）ということを認めるならば、そのようなことが起きないと予測される（これは是非とも心理学的に調査したいところである）。

さらに、運命論によると、かりに悪い出来事が起きたとしても、それは遠い過去から起きることがすでに確定していたことである。それゆえ、それに対して後悔しても仕方がない。やるべきことは同じ状況になったときに同じことが起きないように努力することである。

つまり、運命論を信じることで、自分の身に生じた出来事に対して前向きに捉えることができるのではないかと思われる。「後悔」とは文字通り、後ろ向きであり、もう生じてしまったことに対して「あのときこうしていれば……」と悔やむことである。しかし「あのとき」において行為者はそれをすることが決まっていたのだから、そのように悔やむことに意味はないのである。私たちは「過去の自分」を忘れ去ったり、否定したりするのではなく、「未来の自分」がどうあるべきかを見据えながら、その実現のために過去の自分を「捉え直す」ことが重要なのである。

私たちは人生においてしばしば重要な決断に迫られる。第4章の「幸福をめざすデメリットについて」では、充足しやすい欲求を抱くデメリットについて述べた。すなわち、「魅力を感じているけど成功が難しい道」か「魅力はないが失敗しなさそうな道」かで悩んでいる場合、後者を選んだにもかかわらず失敗したときの失望は前者で失敗したときの失望より大きいことが議論された。また、運命論より、前者を選んで失敗したとしても前者を選ぶこともそれで失敗することも遠い過去から確定していたと考えればいくぶん気が楽になるだろう。さらに本書での分析によれば、真正の魅力のある長期の欲求を充足させるための人生は、たとえ、その欲求が充足されなくても良い人生と言えるのであった。

まとめ

本章での議論を別の角度から振り返ってみよう。「人生は無意味である」と同様な意味合いでよく「人生は不条理である」とも言われる。不条理とは「道理に合わない」「理不尽である」「根拠／理由がない」という意味であるが、「人生は不条理である」と言われるとき、いくつかのケースがある。

ひとつは、たとえば、努力しても報われないときなどにそう言うだろう。つまり、過程に対して結果が見合っていないときなどだ。第4章ではあまりこの点に触れなかったが、「死」が恐ろしいのは、このような意味で死が不条理であるという点にもその理由がある。すなわち、どれだけ立派な業績を挙げた人物であっても、どれだけ人格的に優れた人物であっても、道なかばで苦しんで死ぬかもしれない。一方で、どれだけ怠惰に過ごしても、どれだけ人格に問題があっても、健康で長生きするかもしれない。「死がこの人物にこのタイミングでこのような仕方で訪れるのには理由がない」のである。それゆえ、ある意味で死は「私たちの人生に敬意を払っていない」のだ。

社会的な意味で「努力が報われない」と言うのは、まさに社会の問題であり、いま本書で考えている問題ではない。そして、前述の「死の不条理さ」は自然現象であり、哲学がどうにかできる問題ではない。私たちはそれを受け止めるしかないだろう（もちろん、社会的な構造の改善や科学技術の発展でそのような不条理な出来事をある程度は防ぐことができるし、また、哲学的な議論によってそうした不条理を受け止める心構えなどができるかもしれない──運命論の受容など)。

もうひとつの「人生は不条理である」と言われる場合は、「人生が無意味である」に近いものだが、「私たちの存在に根拠、理由がない」と感じるときであろう。すなわち、私たちを創り出した存在者がいないならば、私たちは「なにかのために」存在するわけではない。私たちはこの世界に理由なく投げ入れられているのである。

これは、本章のはじめのほうでも述べたとおり、「人生の意味 meaning of life」の問題であり、これに哲学が関わるとしたら、私たちが必然的な存在者であるか、もしくは必然的な存在者ではないことを、なんらかの仕方で論理的に証明するしかないだろう(しかし、それは難しいだろう)。

そして、最後に、「私はいったいなにをしているのだろう?」「こんなことをしてなんになるのだろう?」という意味の不条理がある。本章で、「Xの人生に意味がある」と言える三条件を示した(必要条件ではない)。条件2(X自身もその目的に価値を見出している)を満たしているとき、そもそもXは自分の人生に対して「自分の人生は意味があるのか?」という疑問を抱かないだろう。瓶の蓋を集めるだけの人生を送っていても、それに本人が価値を認め熱中しているならば、横から他人が「君の人生に意味なんてないよ」と言う必要はない（それゆえ、このような人たちに哲学から人生の意味についてなにか言えることはないし言うべきでもないだろう）。

一方で、いかに他者からみて意義のある活動をしていても本人がふと「外から」自分の人生をみたとき「こんなことをしてどうなるのか？」と疑問に思うことがある。本文中でも述べたが、トルストイは、私たちからみれば意義のある活動をして結果を残しているわけだが、それにもかかわらず、そうしたものに対して「だが、それがどうしたというのだ？」「なぜ、なんのために生きなければならないのか？」という疑問に苦しめられたという。哲学で「人生の不条理さ」が問題になるのはとくにこの意味でであろう。

このような問いに対する本書での回答は、「そのような問いは価値を道具的価値としてしか捉えていないから生じるのだ」というものだ。「なんの〈ために〉？」とはまさにそういう疑問である。しかし、なにかの役に立たなくても価値をもつことができる。トルストイの業績は、人々を感動させるから価値があるのではない。結果として人々を感動させるような文学をトルストイがその能力と努力のゆえに生み出したから価値があるのである。つまり、業績に価値がある（からそれを生み出したトルストイの人生にも価値がある）というより、その才能と努力によりそのような業績を生み出したトルストイとその人生に価値があるのである（なので、トルストイの業績はかれの才能と努力により生み出されたがゆえに価値がある）。

さらに言うと、そうした自身の能力や努力によって生み出すものは、トルストイの文学のようななんらかの客観的に価値のあるものでなくてもよいのである（それゆえ条件1は必要条件ではない）。また、そもそもなにかを生み出す必要もない。価値（意味）が付与されるのはなんらかの活動である必要はなく、Xの存在が他者（一人だけでもよい）にとってかけがえのないものであればXの人生は意味のあるものとなる。

しばしば私たちは「自分がいてもいなくても世界がなんの問題もなく動き続ける」ということに強い不安、生きることの虚しさを感じることがあるだろう（「死の恐怖」にはこのようなものもあるだろう）。これも、人生の価値を道具的価値としてしか考えないからである。たしかに「社会を動かす道具」としての自分はいなくなっても「代わり」がいるかもしれない。しかし、あなたに最終的価値をみてくれる人たちにとっては、あなたは交換不可能な存在なのである。そして、そのように互いを最終的価値のある者として認識することによって、自分自身も自身を最終的価値のある者としてみることができるようになるのである。

このような認識の変化、人生の見かた（アスペクト）の変化は簡単ではないが、視覚的なアスペクトの変化が突然起こるように、さまざまな経験をきっかけとして起こるだろう。本書が読者にとってそのきっかけのひとつとなるような書物となれれば著者としては望外の喜びである。

文献案内

【時間論（第1〜3章）】

1　エイドリアン・バードン『時間をめぐる哲学の冒険』（佐金武訳、ミネルヴァ書房、二〇二一年）
2　佐金武『時間にとって十全なこの世界』（勁草書房、二〇一五年）
3　入不二基義『あるようにあり、なるようになる』（講談社、二〇一五年）

日本語で読める哲学的時間論の本は多くあるが、分析哲学的な時間論を扱ったこの3冊を挙げておく。1はわかりやすい入門書。2は現在主義を擁護する研究書であるが、現在主義への既存の批判を手際よくまとめているので、教科書的にも使用することができるだろう。3は日本語の本としては珍しい、運命論に焦点をあてた本。

【死の害の哲学・反出生主義（第4章）】

1　シェリー・ケーガン『「死」とは何か』（柴田裕之訳、文響社、二〇一九年）
2　デイヴィッド・ベネター『生まれてこないほうが良かった』（小島和男・田村宜義訳、すずさわ書店、二〇一七年）
3　森岡正博『生まれてこないほうが良かったのか？』（筑摩書房、二〇二〇年）
4　森田邦久・柏端達也（共編著）『分析形而上学の最前線』（春秋社、二〇二四年中に出版予定）

分析哲学的な死の議論をまとめた本はなかなかない。1は著者のケーガンが長年イェール大学で行っている人気講義をまとめたもの。この翻訳本も哲学の本としては異例の売り上げだった。2はベネター本人による反出生主義の本。下手な解説を読むよりこのオリジナルの議論を読んだほうがいい。3はベネターの反出生主義はもちろん、そのほかの反出生主義についても紹介し、批判している。4は若手の執筆者を中心とした分析形而上学の論集である。Ⅲ部が「死の害」になっていて、佐々木渉と吉沢文武が寄稿してくれている。またⅢ部のはじめには佐々木による死の害の哲学について、とくに「死がいつ悪いのか」という本書ではあまり言及しなかったが重要な論点について最近の動向をまとめたレビューも収められている。

【自由論（第5章）】

1 トーマス・ピンク『哲学がわかる 自由意志』（戸田剛文・豊川祥隆・西内亮平訳、岩波書店、二〇一七年）

2 ジョセフ・K・キャンベル『現代哲学のキーコンセプト 自由意志』（高崎将平訳、一ノ瀬正樹解説、岩波書店、二〇一九年）

3 高崎将平『そうしないことはありえたか？』（青土社、二〇二二年）

自由論は人気のトピックなので日本語で読める本は多いが、この3冊を挙げておく。個人的には3がおすすめである。また、本書の後半では徳倫理が重要な役割を果たしたので、徳倫理学に関する本も挙げておこう。本書では、徳倫理学でもマイケル・スロートの「行為者基底説」と言われるものに好意的な記述になっている。しかしアリストテレスの流れをくむ「新アリストテレス主義」という立場も大きな力を持っている。2にはその新アリストテレス主義の代表的論者であるロザリンド・ハーストハウスとスロートの論文が収められている。

1 フィリッパ・フット『人間にとって善とは何か：徳倫理学入門』（高橋久一郎監訳、河田健太・立花幸司・壁谷彰慶訳、筑摩書房、二〇一四年）

2 『現代倫理学基本論文集 Ⅲ：規範倫理学篇②』（大庭健編・古田徹也監訳、勁草書房、二〇二一年）

【人生の意味（第6章）】

1 トマス・ネーゲル『コウモリであるとはどのようなことか』（永井均訳、勁草書房、新装版二〇二三年）

2 伊集院利明『生の有意味性の哲学：第三の価値を追求する』（晃洋書房、二〇二一年）

3 蔵田伸雄・森岡正博編『人生の意味の哲学入門』（春秋社、二〇二三年）

1に収録されている「人生の無意味さ」は分析哲学において人生の意味が主題になるきっかけとなった古典的論考。2は研究書であるが、先行研究が手際よくまとめられている。3は日本語で書かれた人生の意味の哲学の入門書である。

おわりに――哲学の目的と価値

本書を読んできて、「結局哲学では真理に辿り着けないんちゃうの？　こんなことやって意味あるん？」と思った読者もいるかもしれない。本文でも（第2章）似たことに言及したが、哲学に限らず学術的な探究には、最終的・絶対的な真理が得られないものが多い。このことは、すでに古代ギリシアの哲学者プラトンが次のようなパラドクスで示している。

（1）知っているものを探究するか、知らないものを探究するかのいずれかである［前提］
（2）知っているものを探究することには意味がない［前提］
（3）知らないものを探究しても、得られたものが正しいかどうかわからない［前提］
（4）探究は不可能である（1～3より）

これは「メノンのパラドクス」もしくは「探究のパラドクス」と呼ばれる（第6章で出てきた「メノン問題」とは異なるので注意）。

ここで前提2を疑うことはでき、じっさいそれは哲学における基礎概念の分析にとって重要である。たとえば、私たちは「自由」という概念をコミュニケーションに支障なく使用しているのだから、「知っている」と言ってよいだろうが、第5章で議論したように、「自由とはなにか」という問いに答えることはむずかしいし、そしてそれを問うことに意味がないとは思えない。

また、前提3についても、極端な懐疑主義をとらない限り、たとえば「この本の重さは何gか」などには正しい答えが得られるだろう。それゆえ、「どのような探究であっても、得た結果が正しいのかどうかわからない」ということではない。

だが、いわゆる基礎研究と呼ばれるようなものには、まさにメノンのパラドクスが適用できるように思える（前提2が正しいように思える）。私たちはどのような法則が自然界を支配しているのか知らないからこそ、それを探究している。それゆえ、探究の結果得られた法則が「正解」かどうかは、だれも正解を知らないわけだから、わからない。哲学的な議論もそうである。これまであたりまえのように受け容れられていた前提でさえ、「じつはまちがっていた、すくなくとも正しいとは言い切れない」ということがわかるのは、学術の歴史ではどの分野でもよくあることである。

しかし、哲学のみならず、学術の目的が真理（や知識）であるとすると（そして、上の議論が正しいとすると）、研究者たちは目的に決して到達できない、もしくは到達できたとしても到達したのかどうかわからない活動を営んでいることになる。自然科学の場合は、これも科学哲学的には議論があるが、真理（目的）に近づいているということくらいはできるかもしれない。だが、とくに哲学のような営みの場合、「真理に近づいている」ということすら難しいように思える。第6章で議論したように、目的に到達できない活動がつねに無意味なわけではないが、そうは言っても、「学術の進歩」を語るために、真理以外にもなにか指標となるものが欲しいようにも思える。

そこで、学術的探究の目的は真理だけではなく、たとえば「私たちの世界やもののみかたを変えること」にもあるのだと考えてみればどうだろうか。たとえば、学術的により評価される研究成果とはどのようなものか考えてみると、すでにその分野の多くの研究者たちが「おそらく正しい」と考えているような理論をさらに確証するようなものではなく、むしろそれを反証するようなものだろう。もし、学術的探究の目的が真理のみであるならば、前者はこれまで受け容れられてきた理論が真理であることをより説得的にするものだから、後者と比べて価値が劣る理由がない。だが、そのような成果は「レンガ積み」のようなものとみなされ、論文の出版機会がすくなくなり、それゆえそうした研究に取り組む研究者もすくない（これは近年学術界で問題となっている「再現性の危機」とも関わる）。

哲学の歴史において、哲学的成果はそれに触れた者たちの世界やものの見方を変えただろう。そして、そのことによってまた新しい問いが生み出されてきた。たとえば、「時間は流れていない」という主張が説得力のある仕方で論じられることによって、私たちがこれまであまり深く考えてこなかった「時間が流れる」という現象について（そもそも「時間が流れる」とはどういうことなのか、も含めて）さまざまな考えかたが提起されるようになった。このように、**哲学はその目的に達しながら、そしてその都度、新しい問いが生み出され、探究は続いていく**。それはほかの学術分野も同様であろう。

哲学の目的（の1つ）が「世界やもののみかたを変えること」だとすると、「哲学の進歩」という問題にも光をあててくれる。しばしば「哲学には進歩がない」と言われる。哲学者アルフレッド・ノース・ホワイトヘッドは「西洋の哲学の伝統はプラトンの注釈に過ぎない」と述べたという。じっさい、本書でも「メノンのパラドクス」や「メノン問題」など、古代の哲学者であるプラトンが提示していまだに解決していない問題を取り上げた。「いかに真理に近づいたか」だとか「どれだけ私たちの生活を（物質的に）豊かにしたか」だとか「独立に思える現象をどれだけ統合したか」だとかということを進歩の基準とするから、このような古代から論じられていながら未解決の問題が哲学にあることが、哲学になにも進歩がない証拠のように思えるのである。しかし、哲学は、タレスからはじまり、プラトン、アリストテレス、カント、ヘーゲル、ニーチェ、ハイデガー、そして現代の分析哲学・科学哲学の議論により、その都度、世界や人生の新しいアスペクトを私たちに提示してくれたのであり、そのことによって進歩しているのである。
「それなら、ともかく常識に反する、奇を衒《てら》うようなことを言えばいいのか」と思うかもしれないが、そういうことではない。他者のものの見方を変えるのは容易ではない。そのためには「説得力」が必要となる。自然科学の場合、実験結果や数学的な推論という説得のための強力な道具があるが、哲学の場合はそれが論理である。つまり、なるべく自明と思われる前提から出発して（それゆえ「直観」が重視される）、論理的に整合性のある主張をすることによってこそ、他者のアスペクトを変換させることができるのだ。

　上のように哲学の目的や進歩を定義したとして、では、哲学の価値とはなんだろうか？自然科学ならば、最終理論がわからないにしても、その過程で得られた科学技術によって私たちの生活は便利になり、物質的に豊かな生活が実現されてきたので「役に立つ」。しかし、「時間がほんとうに流れているのかどうか」を議論したところで、なにか私たちの生活に役立つ発見があるだろうか？

　ひとつの考えかたとしては、物質的に豊かな生活を送るためには役に立たないかもしれないが、真理という価値あるものを追究するので、哲学には価値があるというものがある。だが、いまみたように、真理に到達できるかは保証されないし、そもそも到達できても到達できたことがわからない。

そうすると、もうひとつの考えかたとしては、哲学の目的が世界のみかたを変えることであるなら、世界のみかたを変えることに価値があり、哲学はその役に立つから価値があるというものもあるだろう。じっさい、私たちは新しい経験をすることに価値を見出す傾向があることが心理学的にわかっている。

ところで、哲学の価値を論じるとき2つの視点がある。すなわち、「哲学という学問そのものの価値」と「哲学を研究することの価値」である。前者は上で述べたことで、哲学者たちが得た成果を、たとえば本書のような入門書や、研究書、論文などを通じて知ることで世界のみかたが変わるので、（世界のみかたを変えることに価値があるなら、そのための道具的な）価値があると言えるだろう。

一方で、後者についてはどうだろうか？　哲学研究に一生を捧げた哲学者でも結局世界のみかたを変えるような成果を得られずにその一生を終えるかもしれない。それではその研究人生には意義がないのか？　本書を読了した読者ならもうわかる通り、それはそれで価値（最終的価値）がある。以上の議論は、哲学に限らず学問全般にあてはまる話である。

近年、「哲学を学べばビジネスに役立つ！」など、哲学が○○の役に立つということを謳《うた》った本をよくみかける（かくいう私自身も『理系人に役立つ科学哲学』という本を出版している――2024年夏ごろには文庫化される予定であり、その際には書名を変更するつもりだが……)。そして、アカデミアにおいても、とくに人文社会学系の学問は「それがいったい(社会にとって)なんの役に立つのか」ということを示すことが喫緊の課題であるかのようになっている(人文社会学系の研究者の方々はこの風潮を身に沁みて感じておられるだろう)。しかし、繰り返しになるが、なにかの役に立つことだけが価値ではない。もちろん、せっかくなのだから、なにかの役に立つならばそれはそれでいいことではあるし、それを追求していくのもいいだろう。

だが、社会に役立つかどうか**だけ**を評価する傾向が社会に浸透すると、基礎的な(しかし社会の役に立たなさそうな)学問に興味をもった若い人たちが、世間的な評価を気にしてそちらに進むのを躊躇ったり、そもそも、そのような価値観の浸透によって初手から興味をもつ若者が減ったりするかもしれない。そして、それによっていよいよ基礎的な学問が軽視され、学問的な貧困が進んでいくのではないか、と個人的には思うのである。それゆえ、あまり「社会に役立たないこと」に負い目(?)を感じずに、そのような学問の魅力を発信し続けることが、私たち(で指しているのは、哲学研究者をはじめ、「社会に役立ちそうにない」学問を専門とする研究者たち)に課せられた義務なのかもしれない。

meaningful life. *The Journal of Positive Psychology* 8(6): 505-516. http://dx.doi.org/10.1080/17439760.2013.830764

3 R. Ryan and E. Deci. 2001. On happiness and human potentials: a review of research on hedonic and eudaimonic well-being. *Annual Review of Psychology* 52(1): 141-166; K. M. Sheldon and A. J. Elliot. 1999. Goal striving, need satisfaction, and longitudinal well-being: the self-concordance model. *Journal of Personality and Social Psychology* 76(3): 482-497.

4 大竹恵子他、「日本版 生き方の原則調査票（VIA-IS: Values in Action Inventory of Strengths）作成の試み」『心理学研究』76(5): 461－467頁、2005年。

5 上枝美典『現代認識論入門』（勁草書房、2020年）、202頁。

6 G. N. Rivera, et.al. 2019. Understanding the relationship between perceived authenticity and well-being. *Review of General Psychology* 23(1): 113-126.

7 橘玲『無理ゲー社会』（小学館新書、2021）など。

ちは環境によって性格特性が左右されるとしても、その性格特性が原因で行った行為は自由な行為とみなすからであろう。

12 前半のストッキングの例は、鈴木宏昭『認知バイアス：心に潜むふしぎな働き』（講談社ブルーバックス、2020）で紹介されているものを用いた。後半の写真の例は、下條信輔『サブリミナル・インパクト：情動と潜在認知の現代』（ちくま新書、2008）。

13 この点について、私の元指導学生（弁護士をやっている社会人学生）が、彼の修士論文において指摘していた。つまり、同一の犯罪を重ねるほど罪が重くなるが、それはおかしいのではないかということである。

14 近年は、被害者参加制度ができて、被害者が蚊帳の外に置かれるという事態については改善してきている。

15 ハワード・ゼア『修復的司法とは何か：応報から関係修復へ』西村春夫・細井洋子・高橋則夫監訳（新泉社、2003）、196頁。一般の人たちに比べて、実際の被害者が応報的な量刑より修復的な量刑を受け容れる傾向にあるというのは興味深い。

16 たとえば、ゼアの前掲書、第9章や藤岡淳子（編著）『被害者と加害者の対話による回復を求めて：修復的司法におけるVOMを考える』（誠信書房、2005）など。VOMはVictim Offender Mediation（被害者と加害者の調停）であり、修復的司法において重視される。修復的司法はとくに少年犯罪において実践されているようである。加害者が被害者に対面で謝罪することで加害者の再犯率が減り、被害者のエンパワーメントにもつながるという。藤岡の前掲書、83頁。

17 この点について「同じような環境で育っても犯罪を犯さない人もいる！」とよく言われるが、それはその犯罪者にも責任があるという理由にはなるが、刑罰を与える理由にはならない。すでに何度か述べているように、これは言い換えると、その犯罪者は異なる環境で育てば犯罪を犯さなかったかもしれないし、通常の環境で犯罪を犯さずに人生を送っている人も、その環境では同じような犯罪を犯したかもしれない。

18 本章の流れ上、徳倫理学との関連で議論したが、藤岡などはケアの倫理（規範倫理の一種）という立場から議論している（藤岡、前掲書、第12章）。

19 VOMのはらむ問題点については、藤岡、前掲書。とくに第10章など。

【第6章】

1 以下の議論はGuy Kahane. 2014. Our cosmic insignificance, *Noûs* 48(4): 745-772を参照した。

2 R. F. Baumeister, et.al. 2013 Some key differences between a happy life and a

実質的には十分に思える。

2 このとき、かりにこの2つの出来事が同じ光円錐の内部であってもこれらのあいだに因果関係を考えなくてよい。ただし、これらの出来事の共通原因は遠い過去にあるかもしれない（それが現実世界と可能世界で異なるので、「つじつま」が合わせられていると考えられる）。このように、（準）閉鎖系が存在するという前提は物理学が成り立つために重要であることを強調したのがアインシュタインであり、彼はそれを理由に量子力学的系の分離不可能性を批判した（第2章注16）。

3 Peter van Inwagen. 2002(1983). *An Essay on Free Will*, pp. 93-95. Oxford: Clarendon Press.

4 興味のある読者は、高崎将平『そうしないことはありえたか？：自由論入門』（青土社、2022）などをみよ。

5 以下の解説は渡辺匠「自由意志の概念を工学する」（戸田山和久・唐沢かおり編『〈概念工学〉宣言！』名古屋大学出版会、2019、所収）を参照した。

6 とはいえ、自己決断をしすぎるとリソースを消耗し、パフォーマンスが落ちるという結果も報告されている。R. F. Baumeisiter, et.al. 2008. Free will in consumer behavior: Self-control, ego depletion, and choice. *Journal of Consumer Psychology* 18(1): 4-13.

7 この点（なにがほんとうの原因か）については議論がないわけではないが、すくなくとも日常的な使用ではそうは言わないだろう。

8 学術的探究や自然現象の原因の探求の場合は以下の議論はかならずしも当てはまらないが、いま問題となっているのは「責任の所在」なのだから、日常的な場面のみに焦点をあてるのは正当化されるだろう。

9 ここでは「行為者の責任」に注目していないので、ここで終えることができる。「行政の責任」の文脈では、管理している自治体が、ミラーがないことによる事故発生のリスクを把握していて、かつミラーを設置する予算があることを知っていたなら、そうであるにもかかわらずなぜミラーを設置しなかったのか、ということがさらに追及されるだろう。予算がないケースでも、道路整備を優先しない理由が問われるだろう。

10 ここでいう「意識」は、「無意識」とか「意識している」などの意識ではなく、「高い意識をもとう」とか「意識改革」とかの意識である。

11 Xが良いことをしようと意図して行った行為が偶然的な出来事などにより悪い行為になった場合の「運」と、Xの性格特性を形成するうえでの環境的な「運」は区別される（前者を「介入的運」、後者を「環境的運」という）。通常は、介入的運により悪い結果をもたらした行為に対して行為者は責められないが、環境的運による場合は行為者にも責めがある。これは直観的に私た庫、2014)、277 頁以下。次節の実験も同書で解説されている。

2 以上の説明は実際の欲求充足説論者の議論とは異なるが、この議論でも理解可能であると思う（というか、私自身は自分のこの説明のほうがしっくり来るので本書ではそれを述べた）。

3 この話はいわゆる「培養槽の脳」の議論ともつながるが、本書の内容を超えるので、興味のある方はヒラリー・パトナム『理性・真理・歴史─内在的実在論の展開』（野本和幸他訳、法政大学出版局、1994）などを参照のこと。

4 ここでの「良い状態」とは well-being のことであるが、これまでと同様に「福利」と訳すとしっくりこないので、このようにした。以降も文脈により、well-being を「良い状態」と訳したり、「福利」と訳したりする。

5 Chris Heathwood. 2019. Which desires are relevant to well-being? *Noûs* 53（3）: 664-688.

6 以下で紹介する研究結果は、June Gruber, et.al. 2011. A dark side of happiness? How, when, and why happiness is not always good. *Perspectives on Psychological Science* 6（3）より。

7 「死の恐怖をめぐって」というウェブサイト（https://nakaii.hatenablog.com/entry/20110916/1316144290）にさまざまな引用が紹介されている。リンク切れが起きたときのために孫引きをしておく。「私が何億年のあいだ「無」であり続けるというイメージに、私はのたうち回るほど苦しんだ。二度とふたたび生きるチャンスを得ることはできずに、私はずっとずっと無であり続けて何十億年後に世界は終焉してしまう！」（中島義道『生きにくい…私は哲学病。』)。「おれが恐い死は、この短い生のあと、何億年も、おれがずっと無意識でゼロで耐えなければならない、ということだ。この世界、この宇宙、そして別の宇宙、それは何億年と存在しつづけるのに、おれはそのあいだずっとゼロなのだ、永遠に！」（大江健三郎『セヴンティーン』）。また、森岡正博は『無痛文明論』（トランスビュー、2003）において死の恐怖を５つに分類しその中に「永遠の無」をあげている。

8 デイヴィッド・ベネター『生まれてこないほうが良かった：存在してしまうことの害悪』小島和男・田村宜義訳（すずさわ書店、2017）

9 森岡正博「デイヴィッド・ベネターの誕生害悪論はどこで間違えたか」『現代生命哲学研究』10 号、1 － 38 頁。

10 Fumitake Yoshizawa. 2021. A dilemma for Benatar's asymmetry argument. *Ethical Theory and Moral Practice* 24(2): 529-544.

【第５章】

1 いわゆる「光円錐」の内部だけを考えてもいいし、もっと局所的に考えても

2022. Why the future cannot be open in the quantum world. *Principia* 26(3): 585-595（https://doi.org/10.5007/1808-1711.2022.e84794）

7　測定過程もシュレーディンガー方程式で記述できると考えたとき、さらに２通りの可能性がある。すなわち、「波動関数はやはり測定で収縮し、その過程を記述できる」という可能性、そして、「波動関数は測定で収縮しない（測定後も不確定のまま）」という可能性である。前者が本文で説明した立場であり、後者は「多世界解釈」と呼ばれる解釈になる（注２もみよ）。

8　ただし、注６の繰り返しになるが、時刻 t_0 で系になんらかの相互作用があった場合、時刻 t_0 以前では、時刻 t_1 の Q の値は確定していないと考えられる、もしくはすくなくとも確定していないことを否定する根拠がない。しかしさきの注６で述べた通り、私はこの場合でも t_0 以前に t_1 での Q の値が確定しているはずだということを示した。

9　大畑浩志「未来が開かれている（かもしれない）ことの論理的証明」『分析形而上学の最前線』所収（森田邦久・柏端達也共編著、春秋社、2024 年中に出版予定）

10　そのような問いについては拙著『時間という謎』（春秋社、2020）で扱っている。

11　フィル・ダウは、因果の向きは因果過程の枝わかれしている方向であるとしたが、彼は還元主義者で、因果概念は原始的な概念ではなく、因果過程とは保存量を伝達するような物理過程であるとしている。そして、枝わかれが時間方向と逆になる例もあると考えている。

12　もちろん、「位置は局所化したが、運動量は分散した」とは言える。しかし、そのように言うことによって問題を回避することは、そもそもエントロピー増大則はマクロにみて等しい状態の数が増大することであるから、いまの問題は「エントロピーが増大する方向に時間が流れているといえるのはなぜか」ということなのに、「エントロピーが増大する方向に時間が流れる（因果の方向が向いている）と定義する」と言って回答していることになり、ただの論点先取である。

13　鈴木宏昭『認知バイアス：心に潜むふしぎな働き』（講談社ブルーバックス、2020）

14　ちなみに、両者で「経験する」という言葉の意味に齟齬がある可能性があるので、この場合はなにをもって「経験する」と言っているのかを明確にせねばならないだろう。

【第４章】

1　ダニエル・カーネマン『ファスト＆スロー（下）』（村井章子訳、ハヤカワ文る。1つはエネルギー保存則の破れである（拙著『アインシュタイン vs. 量子力学』（化学同人、2015）――ちなみにこの本で、多世界解釈で分岐するときに純粋状態が混合状態になると述べているが、これはまちがいであった。デコヒーレンス理論と組み合わせるならばそうなるが）。これについてショーン・キャロルは分岐した世界は分岐前より（ある意味で）小さくなっていて、それゆえ前の世界のエネルギーをそれぞれで分割していると述べるが（『量子力学の奥深くに隠されているもの』青土社、2020）、分岐のたびに各世界（のエネルギー）が小さくなるというのも信じがたい。エネルギーが小さくなるためにはそれぞれの世界に含まれる物質の数なども減少する必要があるように思われる（ついでに言うと、キャロルのいわゆる「量子自殺」に対する回避法も説得力がないように思える）。1つの回避法としては、やはり枝わかれするのではなく、もともと無数の可能世界が重なり合っていたというものであろう。その場合は、同じ状態であるので区別がつかなかった複数の世界が、異なる状態になったときに区別がつくようになる（なので世界が増えるわけではない）。だが、この解釈も無理があるように思える。

3　議論3―2は「ディオドロス・クロノスのマスター・アーギュメント」というなかなかかっこいい呼ばれかたをする議論の変形である（古代の哲学者ディオドロス・クロノスが提唱した）。もともとは、

［MA1］過去に真であったすべての命題はいま必然的に真である。

［MA2］いまPが真であることが不可能であるならば、かつてPが真であることが可能であったことはない。

［MA3］いま真でもなく未来においても真ではないが、真であることが可能であるような命題がある。

の3つが鼎立しない、という形で提示された。

4　以下は拙論 Kunihisa Morita. 2023. A novel argument for fatalism. *Manuscrito* 46(4):（https://doi.org/10.1590/0100-6045.2023.V46N4.KM）に基づいている。これもオープンアクセスです。

5　たとえば、拙著『量子力学の哲学』（講談社現代新書、2011）や前掲『アインシュタイン vs. 量子力学』などを参考。

6　ただし様相解釈は「つねに」物理量が確定した値をもっていると考えているわけではない。測定前に、たとえば系どうしで相互作用をしていれば、その相互作用前の時点では相互作用後の物理量の値は確定していない可能性はある。なお、私は次の論文において様相解釈においては相互作用前の時点から相互作用後の物理量の値は確定していると考えざるを得ないことを示した（ただし特殊な事例のみでの議論であり、一般化はされていない）。これもオープンアクセスなので興味のある方はご笑覧ください。Kunihisa Morita.

問題はかなり深刻だと思うのだが、あまり科学哲学でも表立って論じられることはない。

17 Sam Baron. 2017. Feel the flow. *Synthese* 194(2): 609-630.

18 第1章で述べたように、「Xが実在する」とは基本的には「Xが主観に依存せずに存在する」ということである。もしくは第1章の注8で述べたように、「Xがほかの存在者に依存せずに存在する」ということである。後者を使うと、「可能世界Wが実在する」とは「現実世界に依存せずに存在する」ということで、かりにこの現実世界が消滅してもWは存在し続ける（現実世界も論理的に可能な世界である以上、様相実在論の立場では現実世界が消滅するということはあり得ないが、説明の便宜ということで）。逆に、「可能世界Wが実在しない」とは、Wの存在はあくまで現実世界の存在が前提となっているということだ。つまり、実在している世界は現実世界だけなのだから、この現実世界が消え失せると可能世界Wも消え失せる。

19 もちろん、「Pかつnot-Pであることはない」という矛盾律は認める。矛盾律、二値原理、排中律の関係は次章で簡単に言及する。

20 ということは「〈形而上学的に真である〉とは〈論理的に真である〉という意味なのか」と思うかもしれないが、ちょっと違うんですよね……。たとえば「水はH_2Oである」は必然的な真理（あらゆる可能世界で成り立つ）と言われる（あくまでいま私たちが信じている「水はH_2Oである」という命題がこの現実世界で正しいとして、であるが）。

21 それゆえ、「哲学では答えが出ないが、科学では答え（真理）が出る」という言説は正しくない。このことはもっと人口に膾炙するべきである。

【第3章】

1 基本的には排中律は二値原理と同じであると思ってよい。なお、排中律と矛盾律は異なる。矛盾律は「〈Pかつnot-P〉であることはない」という原理である。二値原理や排中律が成り立たなくても矛盾律が成り立つことは可能である。いまの場合、「明日太郎はカレーを食べる（食べない）」は真でも偽でもないのだから、「〈明日太郎はカレーを食べる〉かつ〈明日太郎はカレーを食べない〉」が成り立っているわけではない。それゆえ、矛盾律は排中律よりも強い原理である。

2 ここで量子力学の多世界解釈を思い浮かべる読者もいるかもしれない。だが、多世界解釈の場合は、枝わかれした各世界にいる太郎は「同一の」太郎ではない。すなわち、「(同一の) 太郎がカレーを食べていて、かつ食べていない」ではないので矛盾律は犯さない。しかしそうだとしても、多世界解釈を「世界が分岐する」と考える限り、さまざまな問題が生じると私は考え

11 H. Ersner-Hershfield. et. al. 2009. Saving for the future self: Neural measures of future self-continuity predict temporal discounting. *Social Cognitive and Affective Neuroscience* 4(1): 85-92.

12 たとえば、ジュン・J・サクライ『現代の量子力学（上)』(桜井明夫訳、吉岡書店、1989)、317頁。

13 なお、ジミー・エイムズは Jimmy Aames. 2022. Temporal becoming in a relativistic universe: causal diamonds and Gödel's philosophy of time, *European Journal for Philosophy of Science* 12: 44 にて、局所的な「今」を導入することで時間経過の実在と相対性理論が両立すると述べる。

14 Simon Prosser. 2007. Could we experience the passage of time?, *Ratio* 20(1): 75-90.

15 もっとも、さらに本筋から逸れてしまうのでこれ以上は論じないが、「痛みという感覚」でなにを指しているか（そもそもなにかを指しているのか）が問題である。本人が「痛み」や「感覚」などといった言葉を使って問題なくコミュニケーションをとれているのであれば、これらの言葉を理解していると言ってよいはずだ。それならば、本人が「私は痛みを感じている」「私には痛みという感覚がある」と真摯に主張しているのに、それが存在しないとはいかなることなのだろうか？　このことは「哲学的ゾンビ」と言われる、「意識的存在者とまったく同じように振る舞うのに意識が存在しない存在者」があり得るかどうかの議論に関わるだろう。私個人は、いま述べたような理由から哲学的ゾンビは思考不可能だと考えている。なお、「嘘をつく」とは、発話者の発話とその信念状態が一致しないことであるが、哲学的ゾンビであれば、「信念状態」というもの自体がないだろう。それゆえ、哲学的ゾンビは嘘をつくことができず、本当は痛みを感じていないのに「私は痛みを感じている」と発話することはできない。これに対して「痛み」や「感じる」をまちがって使用していると言うかもしれないが、繰り返しになるが、それらの言葉を使って支障なくコミュニケーションをとれているのに、それらの言葉をまちがって使用しているとはいったいどういうことなのだろうか？

16 もっとも、アインシュタインによると、そもそも非局所相関も物理学を不可能にするので受け容れがたいという（アインシュタイン「量子力学と実在」『アインシュタイン選集１』所収、谷川安孝訳、共立出版、1971)。この理由も非物理過程が物理過程に因果的影響を与える場合と同様で、もし媒介のない相関があるならば、「因果的に閉じている」と思っている物理系がじつは閉じていないかもしれないことになり、そうすると、因果的に閉じているという前提で見出した物理法則の妥当性が保証できなくなるからだ。私はこので論じるように、日付を導入したところで矛盾が生じる。そもそもマクタガートのA系列、B系列という分類はわかりにくい分類であり、しばしば本書でいう動的モデルと静的モデルに対応づけられるが（それゆえ、本書でいう動的モデルはA理論、静的モデルはB理論と呼ばれることもある）、厳密な対応関係はないと思う。マクタガートはもう1つ、C系列という時間系列も導入していて、これは前後関係もない系列なのだが、静的モデルに対応するのはC系列になるだろう。そして、マクタガートは、A系列とC系列を組み合わせるとB系列になると述べているので、B系列は静的モデルに対応しないだろう（じっさい、第3章で論じるように、静的モデルには内在的時間方向がないので、内在的には「より前」、「より後」もない）。

4 拙著『理系人に役立つ科学哲学』（化学同人、2010）第7章などを参照。なお、『理系人に役立つ科学哲学』は文庫化予定で、その際に増補改訂し書名も変更予定である。因果に関する議論もすこし加筆修正する予定である。

5 かりに「硬い」「四角い」が「青い」「臭い」のような「二次的」な性質ではなく、そのモノに内在する「一次的」な性質であっても、そのように認識主体に知覚させる力能がなければならないという話をしている。

6 因果的力能説と現在主義は相性が悪いと主張する論者もいる（Marius Backmann. 2019. No time for powers, *Inquiry* 62(9-10): 979-1007）。しかもBackmannは、現在主義だけではなく、あらゆる時間モデルと因果的力能説は相性が悪い（それゆえ、因果的力能説は支持できない）と主張する。

7 一般に、因果的力能説は四次元主義（より正確には「延続説」と言われる立場：後の注でも言及する）と相性が悪いとされるが（その理由は明らかだろう）、四次元主義と両立可能だという立場もある。成長ブロック宇宙説なら因果的力能説と相性が良さそうである。

8 佐金武『時間にとって十全なこの世界：現在主義の哲学とその可能性』（勁草書房、2015）などを参照のこと。

9 ドナルド・ホフマン『世界はありのままに見ることができない：なぜ進化は私たちを真実から遠ざけたのか』（高橋洋訳、青土社、2020）によると、私たちは進化論的には世界をありのままに知覚することができないほうが有利なのだという。なお、ホフマンは、最新の物理理論を参照に、そもそも時間・空間は実在しないという。

10 時間をまたいだ個体の同一性については、正確には、同一の個体であるという説を耐続説、それぞれが同一の個体の異なる時間的部分であるという説を延続説という。しかし本書では、三次元主義と耐続説、四次元主義と延続説を同一視している。また「〈同一なのに変化する〉とはこれいかに？」という問題も哲学的には大きな問題なのだが、本書ではとりあげない。

10 現在と未来が存在し、過去が存在しないというモデル、すなわち、時間経過に伴ってブロック宇宙が縮んでいくモデル（縮小ブロック宇宙説）も考えられるが、あまり受け容れられていない。とはいえ、私たちは「時間がない」「あと15分残っている」などというような語りはする。

11 現代物理学では空間の次元が三次元ではなく一〇次元とかそういう話があるがややこしいので空間は三次元ということで議論する。また、静的時間モデルで三次元主義は可能であるという立場もあるが、本書では無視する。

12 四次元主義でもこのような批判を真剣に受け止めて議論する立場もある。

13 この文章は少し語弊がある。第6章でふたたび言及する。

14 正確には四次元主義を取るならば、である。

15 以下の議論は拙論 Kunihisa Morita. 2022. Time does not pass if time began from an infinite past, *Kriterion: Journal of Philosophy*, 36(3): 291-302(https://doi.org/10.1515/krt-2022-0001）を基にしている。なお、本論文はオープンアクセスなので、上記URLからネットで自由に読めます。

16 拙著『時間という謎』（春秋社、2020）第8章では空虚な時間が存在した場合についても議論している。

17 モントンは、「真理メーカー」という分析形而上学でよく用いられる概念を用いて、現在主義でも円環時間が可能だという議論をしている。Bradley Monton. 2003. Presentists can believe in closed timelike curves. *Analysis* 63(3): 199-202.

18 一般向けのわかりやすい解説書としては松原隆彦『宇宙はどうして始まったのか』（光文社新書、2015）などがある。

【第2章】

1 J. J. C. Smart. 1949. The river of time. *Mind* 58(232): 483-494。本章の議論は元のものをかなり改変している。

2 J. M .E. McTaggart. 1908. The unreality of time. *Mind* 17(68): 457-474。本章の議論は元の議論をかなり改変している。

3 すこし補足をしておこう。マクタガートは、時間の系列をA系列とB系列にわけた。A系列が、未来の出来事が現在となりやがて過去となるような系列で、B系列は、より前とより後という時間位置の系列になる。それゆえ、A系列は過去・現在・未来という言語のみで語られるべきであり、日付のようなものを導入すると複数の出来事間での前後関係が生じB系列になるように思える。マクタガートによるとB系列は時間の本質を捉えておらずA系列のみが時間の本質（変化）を捉えている。そしてその時間の本質を捉えているA系列に矛盾があるのだから、時間は実在しないという。だが実際は、以下

【第１章】

1　ゼノン自身が書いたものは残っておらず、たとえばアリストテレスの『自然学』(239b10 − 30) などで紹介されている。

2　アンリ・ベルクソンは「運動は不可分である」という立場からアキレスと亀のパラドクスを解決した。方向性としては、時空が不連続であるという解決法に近いだろう。ただ、運動は不可分であると言っても、「では、〈１つの運動〉とはどこからどこまでなのか」という疑問が生じる。この点について興味のある読者はたとえば「(合評) ベルクソンと現代時間哲学 (下)」『福岡大学人文論叢』53 (3)、941 − 969 頁の私の質問とそれに対するベルクソン研究者の平井靖史氏らの応答を参照にされたい (特に平井氏の 955 頁以降の回答：当該論文はネットで手に入る)。

3　この辺りの議論に興味のある読者は遠山啓『無限と連続』(岩波新書、1952) などを読んでみよう。

4　私の知識が足りず「らしい」ばかりで申し訳ないのだが、超準解析というものでこのような議論がされているらしい。

5　存在者は四次元的だとしながら過去や未来は存在しないという立場もあり得るが、本書ではそのような立場は無視する。また、過去や未来が存在しつつ存在者は三次元的だという立場 (三次元的永久主義) もあるが、それも無視する。

6　実際、エレアのゼノンは、この論法で空間の非存在を証明している。物質と独立に存在するのかどうかも歴史のある哲学的問題でかつ物理学にも及ぶ非常に面白い問題なのだが、本書では割愛する。いつかこの問題についても入門的な本を書きたいと思う。

7　もともと分析哲学は、「哲学における問題は言語の使用の混乱から生じているので、言語を分析して明確化すれば哲学的問題は解決するのだ」という考えから始まった。それゆえ、言語、概念の明確化に重きを置くが、それでもやはり明確化できないまま議論せざるを得ないこともある。

8　より広く「ほかの存在者に依存せずに存在する」という場合もある。たとえば、「空間とはなにか」という問題に対して、「関係説」という立場がある。これは「空間とは物質の関係である」という立場なのだが、この場合、「物質が１つも存在しない空間」というのは存在しない。つまり、空間の存在は物質の存在に依存している。そして、関係説は、「空間は実在しない」という立場である。「空間が実在するか否か」は古代ギリシアより現代にまで続く、科学史にも密接に関連する非常に興味深い問題である。

9　「現在主義とはどのような立場か」というのも専門家のあいだで１つの論点となっている。本書での解釈はあくまでそのうちの１つである。

講談社現代新書　2746

哲学《てつがく》の世界《せかい》　時間《じかん》・運命《うんめい》・人生《じんせい》のパラドクス

二〇二四年五月二〇日第一刷発行

著　者　森田《もりた》邦久《くにひさ》　

発行者　森田浩章

発行所　株式会社講談社
東京都文京区音羽二丁目一二―二一　郵便番号一一二―八〇〇一
電　話　〇三―五三九五―三五二一　編集（現代新書）
〇三―五三九五―四四一五　販売
〇三―五三九五―三六一五　業務

装幀者　中島英樹／中島デザイン

印刷所　株式会社新藤慶昌堂

製本所　株式会社国宝社

定価はカバーに表示してあります　Printed in Japan

N.D.C.100　412p　18cm
ISBN978-4-06-535578-7

「講談社現代新書」の刊行にあたって

教養は万人が身をもって養い創造すべきものであって、一部の専門家の占有物として、ただ一方的に人々の手もとに配布され伝達されうるものではありません。

しかし、不幸にしてわが国の現状では、教養の重要な養いとなるべき書物は、ほとんど講壇からの天下りや単なる解説に終始し、知識技術を真剣に希求する青少年・学生・一般民衆の根本的な疑問や興味は、けっして十分に答えられ、解きほぐされ、手引きされることがありません。万人の内奥から発した真正の教養への芽ばえが、こうして放置され、むなしく滅びさる運命にゆだねられているのです。

このことは、中・高校だけで教育をおわる人々の成長をはばんでいるだけでなく、大学に進んだり、インテリと目されたりする人々の精神力の健康さえもむしばみ、わが国の文化の実質をまことに脆弱なものにしています。単なる博識以上の根強い思索力・判断力、および確かな技術にささえられた教養を必要とする日本の将来にとって、これは真剣に憂慮されなければならない事態であるといわなければなりません。

わたしたちの「講談社現代新書」は、この事態の克服を意図して計画されたものです。これによってわたしたちは、講壇からの天下りでもなく、単なる解説書でもない、もっぱら万人の魂に生ずる初発的かつ根本的な問題をとらえ、掘り起こし、手引きし、しかも最新の知識への展望を万人に確立させる書物を、新しく世の中に送り出したいと念願しています。

わたしたちは、創業以来民衆を対象とする啓蒙の仕事に専心してきた講談社にとって、これこそもっともふさわしい課題であり、伝統ある出版社としての義務でもあると考えているのです。

一九六四年四月　野間省一

哲学・思想Ⅰ

Ⓐ

哲学・思想Ⅱ

13 論語――貝塚茂樹
285 正しく考えるために 岩崎武雄
324 美について――今道友信
1007 日本の風景・西欧の景観――オギュスタン・ベルク 篠田勝英 訳
1123 はじめてのインド哲学 立川武蔵
1150 「欲望」と資本主義――佐伯啓思
1163 「孫子」を読む――浅野裕一
1247 メタファー思考――瀬戸賢一
1248 20世紀言語学入門 加賀野井秀一
1278 ラカンの精神分析――新宮一成
1358 「教養」とは何か――阿部謹也
1436 古事記と日本書紀 神野志隆光
1439 〈意識〉とは何だろうか 下條信輔
1542 自由はどこまで可能か 森村進
1544 倫理という力――前田英樹
1560 神道の逆襲――菅野覚明
1741 武士道の逆襲――菅野覚明
1749 自由とは何か――佐伯啓思
1763 ソシュールと言語学――町田健
1849 系統樹思考の世界――三中信宏
1867 現代建築に関する16章 五十嵐太郎
2009 ニッポンの思想――佐々木敦
2014 分類思考の世界――三中信宏
2093 ウェブ×ソーシャル×アメリカ 池田純一
2114 いつだって大変な時代――堀井憲一郎
2134 いまを生きるための思想キーワード――仲正昌樹
2155 独立国家のつくりかた 坂口恭平
2167 新しい左翼入門――松尾匡
2168 社会を変えるには――小熊英二
2172 私とは何か――平野啓一郎
2177 わかりあえないことから 平田オリザ
2179 アメリカを動かす思想 小川仁志
2216 まんが 哲学入門――森岡正博 寺田にゃんこふ
2254 教育の力――苫野一徳
2274 現実脱出論――坂口恭平
2290 闘うための哲学書――小川仁志 萱野稔人
2341 ハイデガー哲学入門 仲正昌樹
2437 ハイデガー『存在と時間』入門――轟孝夫

Ⓑ